■ 本書の作例

● 太陽光充電器（p.157）

● 実験用電源（p.161）

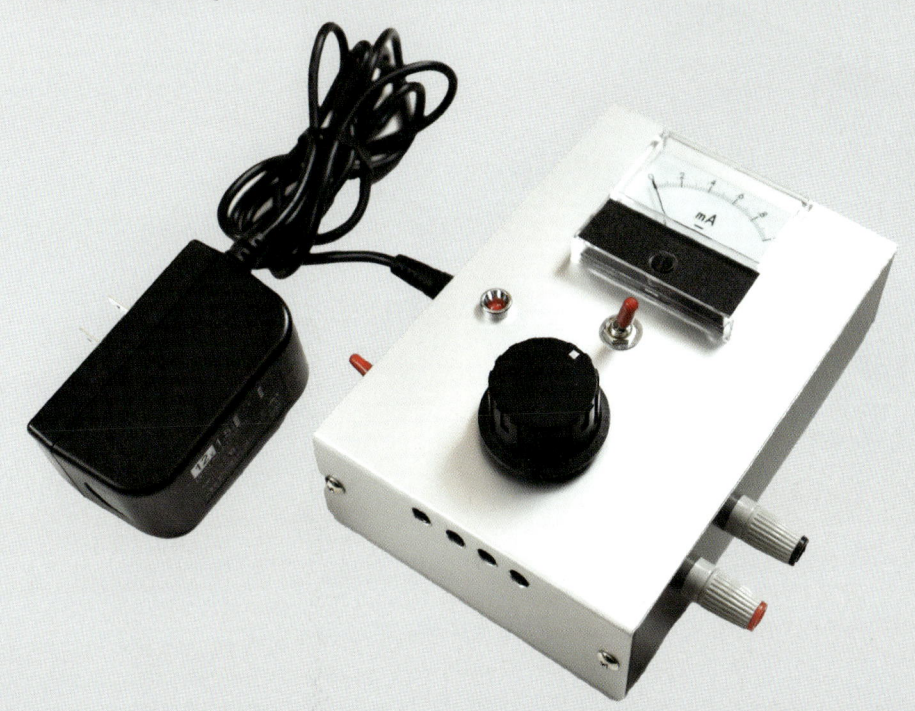

i

●パワーLEDの調光制御器（p.185）

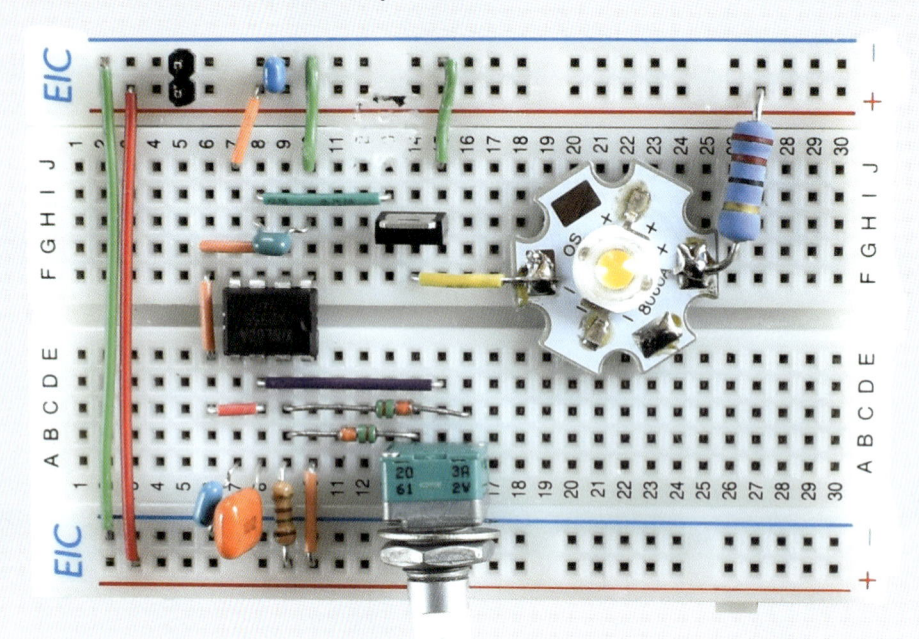

●ソーラーライト（p.197）

- 赤外線リモコン受信機（p.200） 
- 7セグLED時計（p.206） 
- 防犯ブザー（p.216） 
- 超簡単MP3プレーヤ（p.219）

●人検知メロディ再生器（p.223）

●超音波距離計（p.232）

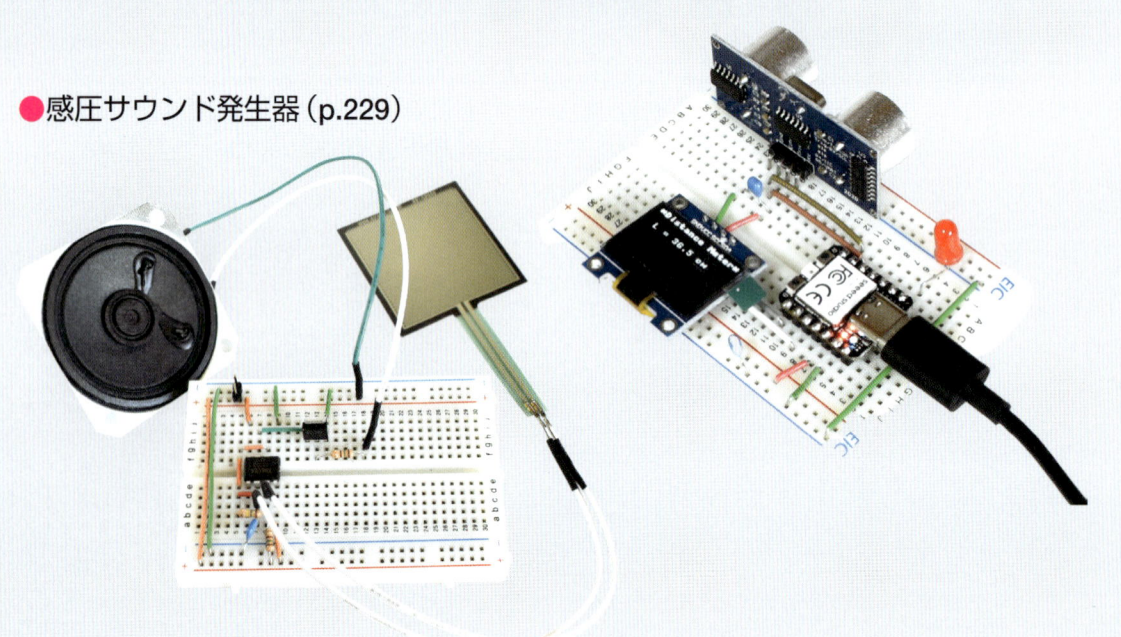

●感圧サウンド発生器（p.229）

● FMラジオ（p.240）

● 高機能FMラジオ（p.250）

● RCサーボコントローラ（p.262）

●ステッピングモータコントローラ（p.268）

●赤外線リモコンカー（p.274）

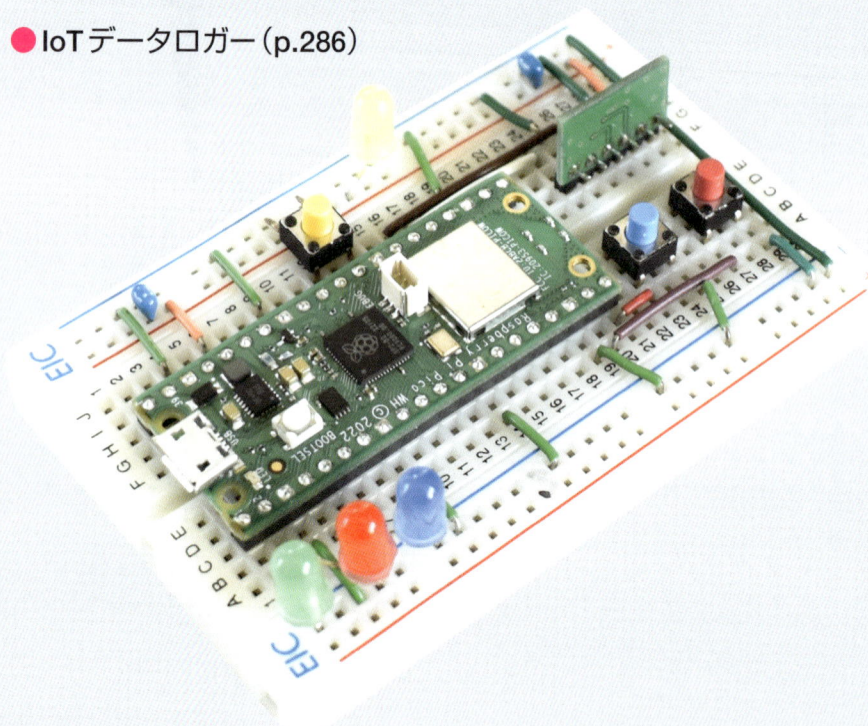

●IoTデータロガー（p.286）

改訂新版

電子工作入門以前

電気・電子・回路・部品の基礎知識

後閑哲也●著

電圧ってなに？ 回路図の読み方は？
やりたいことを実現するにはどうすればいいの？
ゼロからスタートした方のための解説書

技術評論社

■ご注意

　本書に記載された内容は、情報の提供のみを目的としています。本書の記載内容については正確な記述に努めて制作をいたしましたが、内容に対して何らかの保証をするものではありません。本書を用いた運用は、必ずお客様自身の責任と判断によって行ってください。これらの情報の運用の結果について、技術評論社および著者はいかなる責任も負いません。

　本書記載の情報については、2025年7月現在のものを掲載しています。それぞれの内容については、ご利用時には変更されている場合もあります。

　以上の注意事項をご承諾いただいた上で、本書をご利用願います。これらの注意事項をお読みいただかずに、お問い合わせいただいても、技術評論社および著者は対処しかねます。あらかじめ、ご承知おきください。

■登録商標

　本書に記載されている会社名、製品名などは、米国およびその他の国における登録商標または商標です。なお、本文中には®、TMなどは明記していません。

まえがき

　筆者は電子工作を趣味として楽しむことをお勧めしていますが、多くの方々から、「電子工作をはじめたいけれど、電気のことは何もわからないし、知らなければならないことが多すぎて何から始めたらよいか見当がつかない。」のようなお話をよく聞くことがあります。

　確かに電子工作は、長い電気の発見の歴史の上にできているので学ぶことがたくさんあります。そこで、電気の発見の歴史を学んで多くの事柄の互いの関連を知れば、最小限知らなければならないことや、まず何から始めればよいかが理解できるのではないかと考えました。

　このような考え方から、本書では、まず電気の発見から現在までを歴史的に追いかけながら、その時点で発見された原理や特性、関係などを解説していきます。

　次に「電子工作は何を製作することなのか」から、電子工作を始めるためのお勧めの手順、電子部品、道具などについて最小限知っておいた方がよいことなどをまとめました。

　その後、実際に簡単な電子工作の例を紹介していきます。基本的なハードウェア部品だけで構成した「ソーラーライト」「FMラジオ」から、プログラムで機能を実現するマイクロコントローラ（マイコン）を使った製作例まで、順を追って説明していきます。

　このように、本書では、電子工作で何かを製作する場合の考え方を中心に説明していますので、本書だけで電子工作が自由にできるようになるわけではありません。しかし、何をどのように考えて進めたらよいかは理解していただけるのではないかと思います。この後、どのような事柄について詳しく学習したらよいかという手順について理解していただき、電子工作を趣味として楽しんでいただければ幸いです。

　末筆になりましたが、本書の編集作業で大変お世話になった技術評論社の藤澤 奈緒美さんに大いに感謝いたします。

2025 年 7 月

後閑 哲也

なぜ電気の発見の歴史を学ぶのか

　電子工作をはじめたいけれど、電気のことは何もわからないので、どう理解したらよいかわからないという場合、**電気がどのようにして発見され、どのようにして現在のように使われるようになっていったかという歴史を学ぶことで理解しやすくなる**と思います。

　また、電子工作をすでに始めている方々にとっても、あらためて電気の働きを学ぶことで一層理解が深まるものと思います。

　そこで、本書では最初に、電気の発見を歴史的に追いかけながら、その時点で発見された原理や特性、関係などを解説していきます。さらにそれらの発見にまつわるエピソードなども交えて解説していこうかと思います。

　もともと電気は目に見えない[*]ので、動いていることはわかりません。もちろん電気そのものの存在も、当初は認識されていませんでした。したがって電気の研究の当初は、パチッという静電気が引き起こす人間への刺激が始まりとなっていますし、その後の電気の研究も、長い間電気によって引き起こされる（と思われる）光や熱や磁力などの変化という間接的な効果を元にして進められていました。このため、電気の振る舞いが認識されても、それが使えるようになるまでには、気が遠くなるような時間がかかっています。

　このような電気の発見の歴史の中で、電気の研究が磁気と密接にかかわって進んでいくことがわかり、最終的に電磁気学へと結集していった経緯が理解できるかと思います。

　この電気と磁気との関係を活用してモータや発電機が発明され、各家庭に電気が配電されるようになっていきます。

　さらに真空管が発明され、微小な電気信号が大きな電気信号にできるようになると、長距離の電話が発明され、無線通信が始まり、ラジオ放送が始まりました。

　電気の研究と並行して原子や分子の研究が進んだことにより、電気の正体[*]がわかってきたことで半導体が発見され、ダイオードやトランジスタが発明されました。トランジスタが真空管と同じように微小電気信号を大きくできることから、一気に真空管がトランジスタに置き換えられてしまいました。

　さらに集積回路（IC）が発明されて、すべての電子機器が小型、高性能化されていきました。この高性能化の中からコンピュータが発明され現在に至る急激な進歩は、つい最近のことです。

> 現在では、オシロスコープという測定器で電気の動きを直接目で見ることができる。

> 現在では電気の正体は「電子の流れ」とされている。

本書の構成と読み方

　本書では、電子工作の基本となるLEDの点灯制御から始め、音やモータを扱う工作へと徐々にレベルアップした工作へと進め、最終的には、ワンチップマイコンと呼ばれるコンピュータを使ってより高度な工作へと発展させていくようにしました。
　このため本書は次のような順序で解説を進めています。

　　第1章……………… 電気の歴史
　　第2章から第3章 … 電子工作に必要な基礎知識
　　第4章から第9章 … 電子工作の実際の製作例

　このような順序ですので、第1章の電気の歴史は最初でも、後からでもいつ読んでも構いません。
　あとは、電子工作の基本から学びたい方は第2章から読み始めるのがよいでしょう。
　実際に電子工作を作って学びたいという方は第4章から始めても結構です。
　いずれの章も基礎となる知識ですので、本書だけで電子工作が自由にできるようになるわけではありません。本書で電子工作というのは何をすることで、より詳しく知るためには何を学んだらよいかという全体を把握して頂いた上で、次のステップに進んでいただくのがよいかと思います。

目　次

第1章　電気の発見からトランジスタの発明まで　　11

1-1　電気の発見から電池の発明　　12
- 1-1-1　静電気と電気　　12
- 1-1-2　電気の研究のはじまり　　14
- 1-1-3　電池の発明と電気の発展　　17

1-2　電気の研究ラッシュから電磁気学の完成　　21
- 1-2-1　電磁気学の研究ラッシュ　　21
- 1-2-2　電気の照明への活用　　22
- 1-2-3　電気と磁気の関係に気づく　　22
- 1-2-4　オームの法則の発見　　23
- 1-2-5　電磁誘導現象の発見　　25
- 1-2-6　電磁気学の完成と電磁波の予言　　27

1-3　発電の歴史〜直流から交流へ　　28
- 1-3-1　直流発電機の発明による照明の発展　　28
- 1-3-2　交流発電機の発明とエジソンの敗退　　30
- 1-3-3　現在の交流送電システム　　32
- 1-3-4　再び交流から直流へ　　34
- 1-3-5　交流の特性　　35

1-4　通信の歴史　　39
- 1-4-1　通信の生い立ち　　39
- 1-4-2　テレタイプ端末によるテレックスの発展　　41
- 1-4-3　電話の発明　　44
- 1-4-4　電波の存在の証明　　45
- 1-4-5　無線通信のはじまり　　47

1-5　電子の発見と電子の振る舞い　　49
- 1-5-1　電子の発見と原子構造の解明　　49
- 1-5-2　電気の源は自由電子　　51
- 1-5-3　電子と静電気　　54
- 1-5-4　電流を流す力 〜 電圧　　55
- コラム　電気の単位　　59

1-6　ダイオードからトランジスタへ　　60
- 1-6-1　n型半導体とp型半導体　　60
- 1-6-2　接合型トランジスタの発明　　63
- 1-6-3　電界効果トランジスタの発明　　65

1-7　電子計算機からマイクロプロセッサの発明　　67
- 1-7-1　電子計算機のはじまり　　67

目次

	1-7-2　電卓戦争からマイクロプロセッサの発明へ	69
	1-7-3　マイクロプロセッサの発展	73
1-8	モデム通信からインターネットへ	77
	1-8-1　電話の発明からモデム通信が始まる	77
	1-8-2　パケット通信からインターネットへ	79

第2章 ● 電子工作の始め方 ... 81

2-1	電子工作とは	82
	2-1-1　電子工作の誕生	82
	2-1-2　半導体素子とは	83
	2-1-3　標準回路を活用する	83
2-2	電子工作を始めるには	85
	2-2-1　対象物の動かし方を知る	85
	2-2-2　動かすために必要なものを探す	86
	2-2-3　電子回路を設計し、組み立てる	88
	2-2-4　電子工作でできないこと	89
	2-2-5　マイコンにより世界が広がる	92
2-3	電子工作に必要な道具	93
	2-3-1　必須の道具	93
	2-3-2　ケース加工用の道具	95
	コラム　はんだ付けのコツ	95
2-4	電子工作にはパソコンが必須	97
2-5	電子工作の組み立て方法	103
	2-5-1　ブレッドボードによる方法	103
	2-5-2　ユニバーサル基板による方法	105
	2-5-3　プリント基板を注文する方法	106
2-6	電子工作用の計測器の使い方	108
	2-6-1　デジタルマルチメータ（DMM）	108
	2-6-2　デジタルマルチメータの使い方	110
	2-6-3　Analog Discovery3	113
	2-6-4　オシロスコープとして使う	115

第3章 ● 電子回路設計の基礎 ... 117

3-1	回路図が読めて描けるようになるには	118
	3-1-1　回路図の基本的な要素	118
	3-1-2　回路には直流動作と交流動作がある	122
	3-1-3　回路図に描いていないこと	123
	コラム　グランドとは	125
3-2	抵抗の使い方	126
	3-2-1　抵抗の使い方	126
	3-2-2　抵抗は必ず発熱する	129
	3-2-3　抵抗の種類	129

　　　　3-2-4　抵抗値･･･130
　　　　3-2-5　抵抗値とカラーコード･････････････････････････････････131
　　3-3　コンデンサの使い方･･･133
　　　　3-3-1　コンデンサの直流に対する特性･････････････････････････133
　　　　3-3-2　コンデンサの交流に対する特性･････････････････････････134
　　　　3-3-3　コンデンサの種類･････････････････････････････････････137
　　　　3-3-4　容量値と定格電圧･････････････････････････････････････138
　　3-4　コイルの使い方･･･140
　　　　3-4-1　コイルの直流に対する特性･････････････････････････････140
　　　　3-4-2　コイルに交流を加えると･･･････････････････････････････142
　　　　3-4-3　コイルの種類･･･144
　　3-5　能動部品の概要･･･145
　　　　3-5-1　能動部品とは･･･145
　　　　3-5-2　能動部品の選択ガイド･････････････････････････････････146

第4章　電源に何を使うか･･･149

　　4-1　電源の種類と使い方･･･150
　　　　4-1-1　電源の役割と種類･････････････････････････････････････150
　　　　4-1-2　バッテリの種類と使い方･･･････････････････････････････150
　　　　4-1-3　二次電池の充電方法･･･････････････････････････････････152
　　　　4-1-4　太陽電池の特性と使い方･･･････････････････････････････153
　　　　4-1-5　ACアダプタの種類･････････････････････････････････････154
　　　　4-1-6　AC/DC電源･･156
　　4-2　太陽電池の使用例･･･157
　　　　4-2-1　ニッケル水素電池の充電器の全体構成･････････････････････157
　　　　4-2-2　組み立て･･･159
　　4-3　実験用電源の製作･･･161
　　　　4-3-1　実験用電源の回路･････････････････････････････････････161
　　　　4-3-2　アナログメータの使い方･･･････････････････････････････163
　　　　4-3-3　組み立て･･･164
　　　　4-3-4　動作テストと調整･････････････････････････････････････166
　　4-4　電源に関する不具合と対策･･･････････････････････････････････169
　　4-5　放熱の方法と放熱器･･･174
　　　　4-5-1　放熱の考え方･･･174
　　　　4-5-2　3端子レギュレータの放熱設計例･････････････････････････176

第5章　LEDを光らせたい･･･179

　　5-1　LEDの基本の使い方･･･180
　　　　5-1-1　LEDを光らせるには･･･････････････････････････････････180
　　　　5-1-2　フルカラーLEDの使い方･･･････････････････････････････181
　　　　5-1-3　パワーLEDの使い方･･･････････････････････････････････182

8

目次

- 5-2 明るさを可変するには 184
  - 5-2-1 PWM制御とは 184
  - 5-2-2 パワーLEDの調光制御器の製作 185
  - 5-2-3 回路設計と組み立て 186
- 5-3 電池1個でLEDを光らせるには 191
  - 5-3-1 LEDドライバとは 191
  - 5-3-2 センサとの連動の製作 194
- 5-4 ソーラーライトの製作 197
  - 5-4-1 全体構成 197
  - 5-4-2 組み立て 198
  - 5-4-3 動作確認 199
- 5-5 赤外線リモコン受信機の製作 200
  - 5-5-1 全体構成 200
  - 5-5-2 回路設計と組み立て 202
  - 5-5-3 プログラムの製作 203
- 5-6 4桁の7セグLED時計の製作 206
  - 5-6-1 全体構成 206
  - 5-6-2 回路設計と組み立て 209
  - 5-6-3 プログラムの製作 210

第6章 音を出したい 215

- 6-1 防犯ブザーの製作 216
  - 6-1-1 全体構成 216
  - 6-1-2 組み立て 218
  - 6-1-3 動作確認 218
- 6-2 超簡単MP3プレーヤの製作 219
  - 6-2-1 MP3プレーヤモジュールの外観と仕様 219
  - 6-2-2 回路設計と組み立て 220
- 6-3 人検知メロディ再生器の製作 223
  - 6-3-1 全体構成 223
  - 6-3-2 回路設計 226
  - 6-3-3 組み立て 227
- 6-4 感圧サウンド発生器の製作 229
  - 6-4-1 回路図と組み立て 229
- 6-5 超音波距離計の製作 232
  - 6-5-1 全体構成 232
  - 6-5-2 回路設計と組み立て 234
  - 6-5-3 プログラムの製作 236

第7章 ラジオを作りたい 239

- 7-1 FMモノラルラジオの製作 240
  - 7-1-1 全体構成 240

	7-1-2	回路設計と組み立て	242
7-2	スピーカの追加		245
	7-2-1	スピーカを鳴らすには	245
	7-2-2	回路設計と組み立て	246
7-3	マイコン制御のFMラジオ		250
	7-3-1	全体構成	250
	7-3-2	回路設計と組み立て	252
	7-3-3	プログラムの製作	254

第8章 動くものを作りたい … 261

8-1	RCサーボコントローラの製作		262
	8-1-1	RCサーボとは	262
	8-1-2	サーボコントローラの回路設計	263
	8-1-3	サーボコントローラの製作	265
	8-1-4	動作確認	267
8-2	ステッピングモータコントローラの製作		268
	8-2-1	全体構成とモータ駆動方法	268
	8-2-2	制御ボードの回路設計と組み立て	270
	8-2-3	プログラムの製作	272
8-3	赤外線リモコンカーの製作		274
	8-3-1	全体構成	274
	8-3-2	車体の構成	277
	8-3-3	回路設計と組み立て	278
	8-3-4	プログラムの製作	280

第9章 センサデータを記録したい … 285

9-1	PCにUSBシリアルで送信		286
	9-1-1	IoT Boardの製作	286
	9-1-2	プログラムの製作	290
9-2	Wi-Fiでクラウドに送信		295
	9-2-1	全体構成	295
	9-2-2	プログラムの製作	296

付録 … 301

付録1	Raspberry Pi Picoの準備	302
付録2	表面実装ICのはんだ付け方法	310
付録3	Ambientの使い方	314

索引 … 320

第1章
電気の発見からトランジスタの発明まで

電気の発見はどのようにして行われたのでしょうか。最初は静電気から始まっています。目に見えない電気をどのようにして捕まえるようにしていったか、なかなか興味深いものがあります。

1-1 電気の発見から電池の発明

これから電子工作を始めたい、けれども何から始めたらよいかわからない、あるいは電気については全くわからないという方々にとっては、電気がどのようにして発見され、それがどのように使われるようになったかを追いかけることで理解しやすくなると思いますので、電気の発見の歴史を追いかけることにします。

1-1-1 静電気と電気

Thales
BC624-BC546頃。古代ギリシャの哲学者。

現在では静電気として理解されている現象は、それが電気だとはわかっていなかったものの、とても古くから認識されていました。紀元前600年頃のギリシャで、タレース*という哲学者が、琥珀の棒と猫の毛皮をこすり合わせると、羽のような軽いものや細かなものを引き付ける性質が新たに生じるということを理解して記録していました。でもそれが電気という意識はなく、磁鉄鉱などが示す性質（磁力）と同じだと信じていたようです。この時点ですでに電気と磁気が関連付けされていたことになります。

しかし、この後はずっと長くそれ以上の大きな進展はなく、静電気の具体的な働きやその働きを説明できるようになったのは17世紀に入ってからです。なんと2000年以上も進展がなかったことになります。

■静電気の研究とプラスとマイナスの発見

William Gilbert
1544-1603。医師としての仕事のかたわら静電気や磁石の研究を行った。

帯電
物体が静電気を帯びる現象のことをいう。

1600年になって、英国の医師で物理学者だったウィリアム・ギルバート*が、図1-1-1 (a) のような「検電器 (Versorium)」という回転する針で摩擦静電気の実験ができる道具を考案し、帯電*させた針の動きによって、摩擦で静電気が生じるものと生じないものとを区別しました。さらに、針の動きの向きと速さで静電気の種類と強さも区別することができました。図1-1-1 (b) がいろいろなものの静電気の起きやすさと特性を分類した表です。

●図1-1-1 帯電しやすさの表

(a) ギルバートの検電器

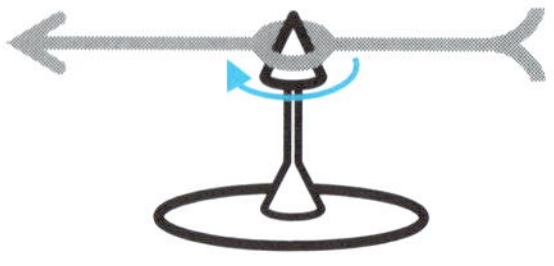

(b) 静電気の起きやすさの順序

| ← + | 獣皮 | 毛 | 水晶 | ガラス | 雲母 | 綿 | 紙 | 麻 | 絹 | 木 | ゴム | 琥珀 | 樹脂 | 人体 | セルロイド | 金属 | エボナイト | − → |

帯電しやすい　　　帯電しにくい　　　帯電しやすい

1-1 電気の発見から電池の発明

ギルバートは琥珀が静電気でものを引き付ける特性を、琥珀のギリシャ語「elektron」をもとにしたラテン語の新語で「electricus」(琥珀性)と呼んでいました。この新語をもとにして、1646年にトーマス・ブラウン[*]が英語の「electricity：電気」ということばを使っています。これが「電気」ということばの始まりといわれています。

ギルバートは静電気の他に磁石の研究も行っており、地球が巨大な磁石であり、これが、コンパスが北を指す原因であることや、鉄が磁石によって磁化され、さらにこの磁化された鉄を赤熱すると磁化が失われることを実験で示していました。そして電気と磁気は異なるものであると主張していました。

実は、後に電磁気学として解析されるのですが、**電気と磁気は確かに異なるものですが非常に密接な関係があります**。発電機やモータがその関係を使って作られています。

ギルバートの後はしばらく大きな進展はなく、100年以上経った1733年になって、静電気により帯電したものが、引き合うものと反発するものがあることから、電気には2種類のものがあると考えたのがフランスのシャルル・フランソワ・デュ・フェ[*]で、「ガラス電気」と「樹脂電気」という名前で呼ぶことにしました。同種の電気を帯電したものは反発し、異種の電気のものは引き合うとしました。

■ライデン瓶の発明で電気を捕獲

1745年に、ドイツのクライスト[*]やオランダのミュッセンブルーグ[*]らによって、「ライデン瓶」が発明されました。オランダのライデン大学で発明されたためこの名がついています。

このライデン瓶は図1-1-2のような構造となっていて、ガラス瓶の内側と外側を鉛などの金属箔でコーティングし、内側の金属箔は金属の鎖で瓶のふたの上にある金属球に接続されています。

●図1-1-2 ライデン瓶の構造と集電

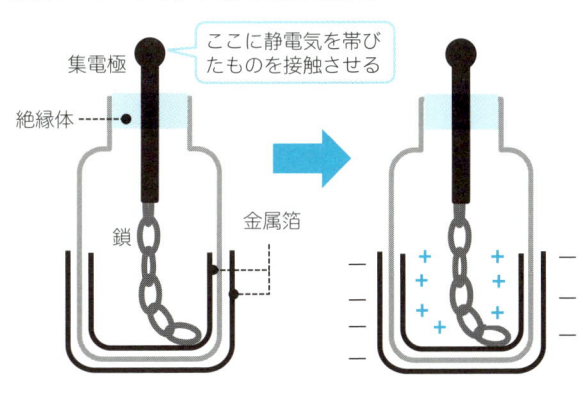

Sir Thomas Browne
1605-1682。イングランドの著作家。electricityは「Pseudodoxia Epidemica」に記述されている。

Charles Francois de Cisternay du Fay
1698-1739。フランスの化学者。パリ植物園の監督官。

Ewald Jurgen Georg von Kleist
1700頃-1748。ドイツの牧師。水を入れた瓶に釘を入れ起電機で釘に電気を送って貯めていた。瓶と釘に手を触れると感電した。

Pieter(Petrus) van Musschenbroek
1692-1761。オランダの科学者。ライデン瓶の発明者とされている。

この金属球に静電気を帯びたものを接触させると電気が金属箔に移動し、ガラスを挟んで電気が金属箔間に蓄えられます。当初はガラス瓶の中に電気が貯まると考えられていましたが、現在では、2枚の金属箔の表面に蓄えられていることがわかっています。これは現在の電子部品の「**コンデンサ**」と同じ原理となっています。現在のコンデンサでは、ガラスを誘電体[*]という電気をたくさん蓄えられる材料に変えて、小型でも多くの電気を蓄えられるようにしています。

> **誘電体**
> 身近な誘電体にはプラスチック、セラミック、油がある。

このライデン瓶は、電気を捕獲して貯蔵することができるようにしたという意味で画期的なもので、**いつでも使いたいときに電気を取り出すことができる**ので、以降の電気実験の電源として使われることになりました。

また、多くの電気を蓄えられることから、放電現象も起こすことができたため、電気を目で見える現象としてとらえることもできるようになりました。

このライデン瓶が発明されてから30年後の1776年には、日本でもオランダ人が幕府に献上した「摩擦起電器」の壊れたものを平賀源内[*]が長崎で手に入れ、これをまねて「エレキテル」として同じ機能のものを作っています。このころの電気に関連する情報は意外なほどの速さで世界に伝わっていたことになり、活発な研究が行われていたことが伺えます。

> **ひらがげんない**
> 1728-1780（江戸時代中ごろ）。蘭学者で医者。

1-1-2　電気の研究のはじまり

ライデン瓶で電気実験が繰り返しできるようになった18世紀後半は、電気に関する研究が活発に行われています。

■電気流体の提案

ガラス電気と樹脂電気の2種類があるというデュ・フェの説に対し、これと異なる意見を唱えたのがアメリカ合衆国の政治家であったベンジャミン・フランクリン[*]です。

> **Benjamin Franklin**
> 1706-1790。アメリカ合衆国の政治家、物理学者。

フランクリンは、アメリカ合衆国独立宣言に最初に署名した政治家でありながらいろいろな科学に興味を持ち、ライデン瓶による実験で電気が放電する現象を研究する中で、必ずある片側から放電が飛び始め、放電すると互いの電気が中和してなくなることに気が付きました。

そこで、彼は、電気は1種類の「電気流体」で生成されていると考え、摩擦による力で電気流体が片側からもう一方に移動して偏ることで電気的性質が現れ、2種類に見えるようになるのだとしました。そして両者を接触させると電気流体がもとに戻って電気的性質をなくすのだとし、電気は生成したり消滅したりするわけではないとしました。さらに、放電現象が必ずガラス側から飛び始めるので、ガラス側を「プラス」、樹脂側を「マイナス」とした[*]のです。これが1750年のことです。

> **電子の流れ**
> 現在では電気流体の実態は電子であることがわかっていて、電子の流れはこの向きと逆となっている。

このフランクリンの電気流体の考え方は、現在の電気の素とわかっている「電子」と同じ考え方です。

フランクリンの有名な実験の中に凧の実験があります。フランクリンは雷も電気の放電と同じだと考え、それを証明すべく図1-1-3のような実験をしました。

1752年、雷を伴う嵐の中で凧をあげ、その糸の末端にライデン瓶を接続して、落雷によりライデン瓶に電気が蓄えられることから、雷が電気の放電であることを証明しました。さらに雷にはプラスとマイナスの両方があることも確認したといわれています。この後、同じような実験をして死者が出たため、現在はこの逸話はあまり紹介されなくなっています（大変危険ですので皆さんもこの実験はしないでください）。

フランクリンの雷の実験結果と電気流体の考え方は、その後の電気を研究する科学者たちに多大な影響を与えています。平賀源内もこの情報を得ていたといわれています。

●図1-1-3　フランクリンの凧の実験

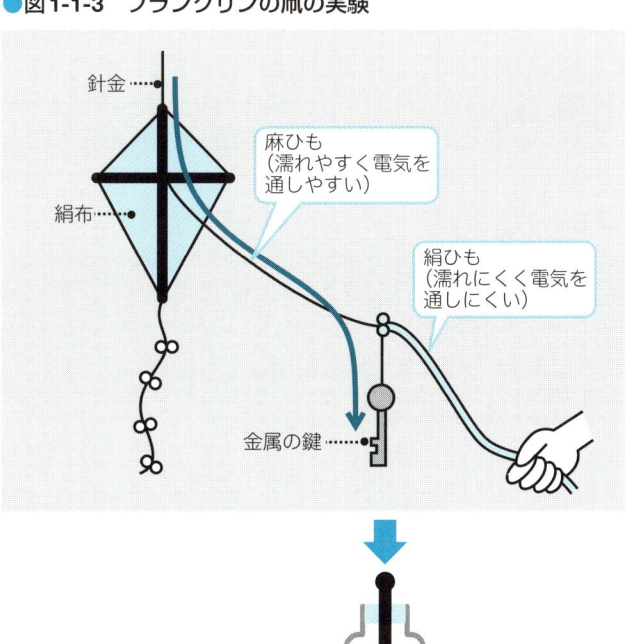

■電気の量の計測

　静電気により物体が引き合ったり反発したりし、さらに静電気の量によりその力が異なることもわかっていましたが、この力と静電気の量との関係をシャルル・クーロン*が精密に測定しています。

　軍人で物理学者だったクーロンは、1777年に図1-1-4のような「ねじれはかり」を考案し、静電気の量と静電気力の関係を導いてフランス科学アカデミーの懸賞に応募したところ優勝し、その後科学アカデミーの会員になっています。

　このはかりで二つの球体を同種の静電気で帯電させると、麦わらに付けた球が反撥して離れ絹糸がわずかにねじれます。このねじれの量を測定することで静電気力を測定しました。このはかりは1/100,000グラムという微少な力の変化を測定できるという当時としては画期的なものでした。

　この実験により静電気を帯びた物体間に働く電気による引力または反発力は、両者の静電気の量（これを「**電荷***」と呼ぶ）q_1、q_2に比例し、物体間の距離rの2乗に反比例するという「**クーロンの法則**」を発見しました。この功績で、電気の量を表す単位を**クーロン（C）***と呼んでいます。

　この実験結果は直感的に理解できます。**電荷が大きければ反発力は大きくなるし、距離が近ければやはり反発力も大きくなる**という自然の現象を法則として示したという意味で画期的なものです。それまでの電気の研究は曖昧なもので定性的でしたから、このような精密な測定で電気の力を測定できることを示したことは、この後の多くの研究者に多大な影響を与えています。

　しかし、このねじれはかりの測定は、現在のレベルからみればそれほどの精度はなく、実験データにはかなりのばらつきがあったものと推測されています。そのなかからこの法則を導き出したのは、理論的な考察を前提にして実験で確認したからだと考えられています。

　クーロンは同じ実験を磁力についても行っており、同じ法則が磁力についてもあてはまることを実験で証明しています。

●図1-1-4　クーロンのねじれはかり

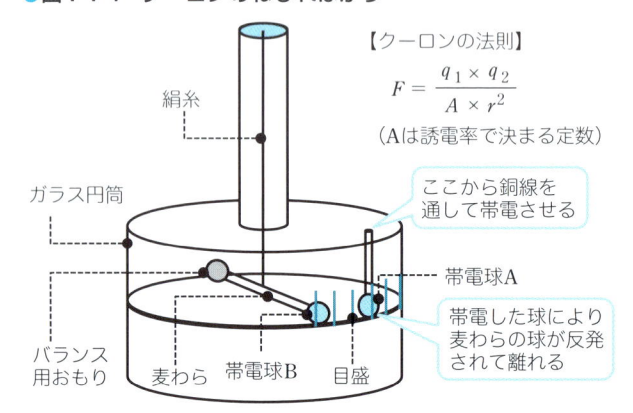

【クーロンの法則】

$$F = \frac{q_1 \times q_2}{A \times r^2}$$

（Aは誘電率で決まる定数）

Charles Augustin de Coulomb
1736-1806。フランスの軍人で物理学者。

電荷
電気量を示すが、元は素粒子の持つ性質。

クーロン
現在のクーロンの単位である1クーロンは、1アンペアの電流が1秒間通過したときの電荷の量。

Henry Cavendish
1731-1810。イギリスの化学者で物理理学者。貴族であったが寡黙で人間嫌いだった。遺産による豊富な資金を元に多くの研究成果を残している。

実は、クーロンより早い1773年に、ヘンリー・キャベンディッシュ*が同じ法則を発見していました。しかし彼は実験結果をすべて公開していなかったため、100年以上経ったあとにそのことが判明しています。

1-1-3 電池の発明と電気の発展

18世紀半ばに発明されたライデン瓶による電気の供給は、短時間でその大きさも制御が難しいものでした。これに対し、1800年に電池が発明され、連続的に一定の電気が供給されるようになって、19世紀は電気に関連する研究が急速に発展することになります。

電池の発見は、カエルの脚の実験で有名なルイージ・ガルバーニ*から始まります。

Luigi Galvani
2737-1798。イタリア出身の医師で物理学者。

■ガルバーニによる蛙の実験

1780年ころ、ガルバーニはライデン瓶を使ってカエルの脚の筋肉を刺激する実験をしていました。当時生体電気と呼ばれていた電気による筋肉の動作を確認するためです。脊髄と脚の神経を露出したものをガラス板の上におき、ライデン瓶からの電気を、導線を使って脊髄や神経に触れることで刺激する実験を行っていました。

1789年のある日、偶然にも鉄と黄銅でできた手術用のメスを蛙の足に押し付けたとき、急に蛙の足が動き出したのを見逃さなかったのです。すなわち、二種類の金属と蛙の筋肉とのあいだに何か関係があるに違いないと考えついたのです。

そこで図1-1-5のように脊髄と脚の神経を露出させた蛙をガラス板の上にのせ、脊髄や神経を鉄や銅の2種の金属を接続した道具で刺激すると、蛙の脚は生きているときのように激しく痙攣しました。1791年には、様々な組合せでこれを実験し、金属の種類によって痙攣の強さが異なることを確認したのでした。

●図1-1-5 ガルバーニの蛙の脚の実験

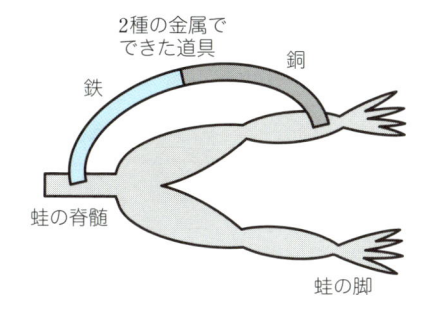

この現象に対して推定される仮説には次の二通りがあります。

①もともと蛙の中に電気が存在していて、それに二つの金属が接触して電気が流れて筋肉が収縮した。
②二つの異なった金属から電気が発生し、蛙の足に電気が流れて筋肉が収縮した。

ガルバーニは①の仮説をとり、これを「動物電気」と名づけました。ここで大いなる間違いを犯したことになりますが、多くの研究者が追試研究を行って、この実験を確かめました。この研究は大きな反響をよび、ガルバーニ協会（今の電気学会のようなもの）が設立され、電気の研究の中心となりました。

■ボルタの電池の発明

Alessandro Giuseppe Antonio Volta
1745-1827。イタリアの自然哲学者、物理学者。

イタリアのパヴィア大学の物理学教授だったアレッサンドロ・ボルタ*は、このガルバーニの論文を読み、疑問を持ちます。

ボルタは真の電気の源は異種金属であり、異種金属が筋肉と神経に接触しているときの痙攣の大きさが金属の種類によって異なることから、筋肉と神経は電気を検出する検電器の役割をしていると主張しました。つまり、②の仮説のほうが正しく、2種の異なる金属の間に湿った物質があると電気が流れ、金属の種類によって電気の大きさが変わると考えたのでした。ボルタはこれを自分の舌で確認したといわれています。

実際にボルタは、銀と亜鉛の板の間に塩水に浸した紙を挟むと二つの金属の間に電気が発生することを示して、動物以外でも電気が発生することを証明し、この論争に決着を付けました。

ボルタは1800年、この原理を応用して図1-1-6のような「ボルタの電池（ガルバニ電池ともいわれる）」を構成して、一定の大きさの電気の連続出力が可能な電源を構成しました。

銅と亜鉛の板の間に希硫酸（塩水の場合もある）を染み込ませた紙を挟んだものを多層に積んだ構成の「ボルタの電堆」と呼ばれるものと、銅と亜鉛の棒を接続してU字型にしたもので希硫酸が入ったカップを多数個接続した「Crown of Cups」と呼ばれるものです。これらは高い一定の大きさの電気を連続的に供給できるという画期的なものでした。さらに金属により生成される電気の大きさが異なり、銀と亜鉛による組み合わせが最も強力であることがわかりました。

1-1 電気の発見から電池の発明

●図1-1-6 ボルタの電池の構成

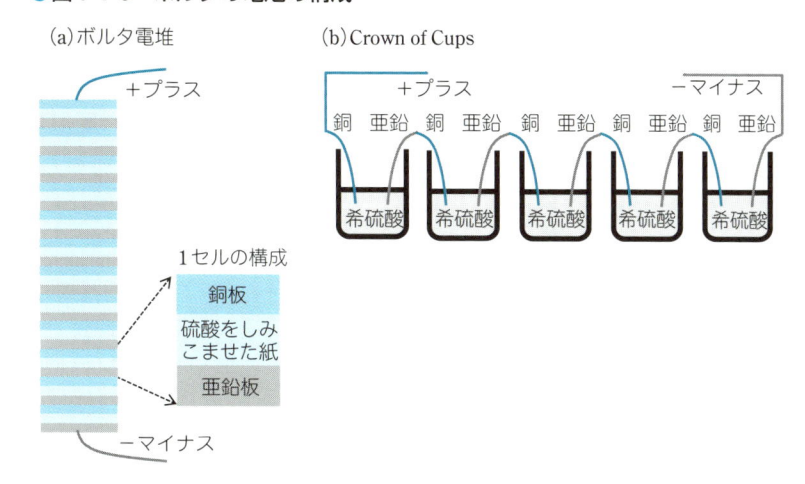

(a) ボルタ電堆　　(b) Crown of Cups

1セルの構成：銅板／硫酸をしみこませた紙／亜鉛板

このボルタの電池の発明によって、**電気の実験に必要な一定の電圧を連続して取り出せる電源ができた**ことになります。これで電気に関する各種の実験が容易にできるようになり、黄金の半世紀といえる電気・磁気理論の急速な発展と応用の拡大をもたらすことになりました。この功績から、ボルタ電池が生成する電気を電気の単位として**ボルト**（Volt）*と呼んでいます。

それだけでなく、異種の金属と電気の流れという発想があらゆる研究に影響を与えています。例えば、電気を生成する電池とは逆に、電気で物質を分解するという「**電気分解**」の働きを発見させ、その後の多くの元素の発見にもつながって化学の発展にも寄与しています。

このような異種の物質の間の電気の流れは、現代の半導体の歴史にもそのままつながっています。例えば後程詳しく説明しますが、現在のトランジスタも異種の物質を混合させたときに電気の流れが変わるという性質を使っています。

■電池の進歩

ボルタの電池には、供給寿命が短く短時間で電気の強さが変化するという欠点がありました。この原因は、陽極となる金属の周りで水素が発生し金属表面を覆ってしまい、亜鉛イオンが到達しにくくなってしまうためです。

1836年にジョン・フレデリック・ダニエル*がこの問題を解決して図1-1-7のような「**ダニエル電池**」を発明しました。

ボルト
現在のボルトの単位ではボルタ電池の電気は約1.1Vとなる。

John Frederic Daniell
1790-1845。イギリスの化学者、物理学者。銅と亜鉛による熱電対も発明している。

●図1-1-7　ボルタ電池とダニエル電池の違い

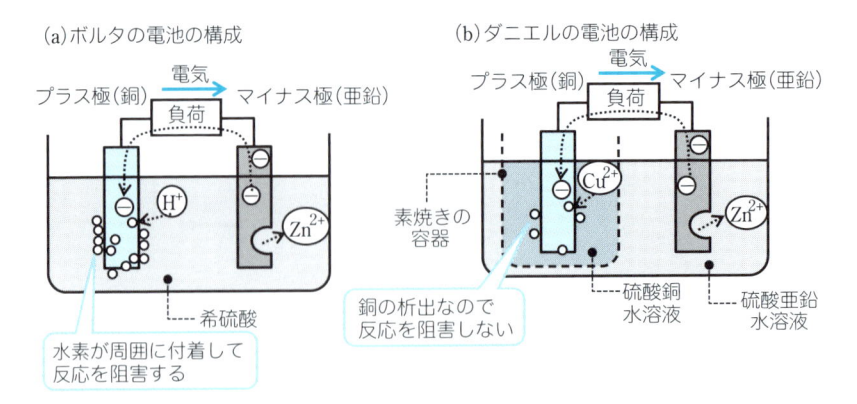

(a)ボルタの電池の構成　　　(b)ダニエルの電池の構成

素焼きの容器で電解液を分離して水素が発生しないようにしたため、亜鉛電極が溶けてなくなるまで安定した一定の大きさの電気の供給が可能になり長寿命化が実現しました。このような電池の研究が進む中で電気分解という化学反応の研究が大きく進展しています。

電池を使って電気の研究が広がる中で、1838年に電信による通信実験が成功し商用化が始まると、電信用の電源として電池が使われることになって電池の本格的な利用が始まりました。

このニーズにより、電池は大幅に進歩することになり、次のように進展しています。19世紀後半には現在の乾電池と同じものが実用化され、さらに充電して再利用可能な鉛蓄電池も発明され使われていたことは驚きです。

①1836年　ダニエル電池で実用化開始
　長時間の使用では電池の電気供給能力が下がってしまうため、途中で中断する必要があった。

②1844年　グローブ電池*が発明される
　ダニエル電池の2倍の出力が可能となったが、白金を使用していたため高価だった。

③1859年　鉛蓄電池が発明される
　充電により再利用ができる2次電池が初めて発明された。1881年に改良され量産が開始された。

④1866年　ルクランシェ電池*が発明される
　現在のマンガン電池と同じ亜鉛と二酸化マンガンを使った安価な電池で、長時間使えたため電信用の電源として多用された。

⑤1886年　乾電池が発明される
　ルクランシェ電池を改良して液体の電解液を練り物に変えたものを使い、持ち運びができる電池とした。1896年メーカによる小型化と大量生産が開始された。

William Robert Grove
1811-1896。1844年にイギリスの物理学者が発明した電池。

Georges Leclanche
1839-1882。1866年にフランスの電気技師が発明した電池。

1-2 電気の研究ラッシュから電磁気学の完成

1-2-1 電磁気学の研究ラッシュ

　ボルタの電池が発明され安定な電気が容易に得られるようになった19世紀前半は、次々と電気に関連する原理が発見されることになります。この中で電気と磁気が密接に関連していることも発見され、電磁気学へとつながっていきます。この時代で電磁気学はほぼ完成されてしまいます。

　この研究と発明のラッシュ状況は、図1-2-1の研究者の年表を見てもその凄さがわかります。現代の電磁気関連の単位として名前が残っている研究者の大部分がこの半世紀の中にいます。

●図1-2-1　電磁気学の研究者の年表と単位

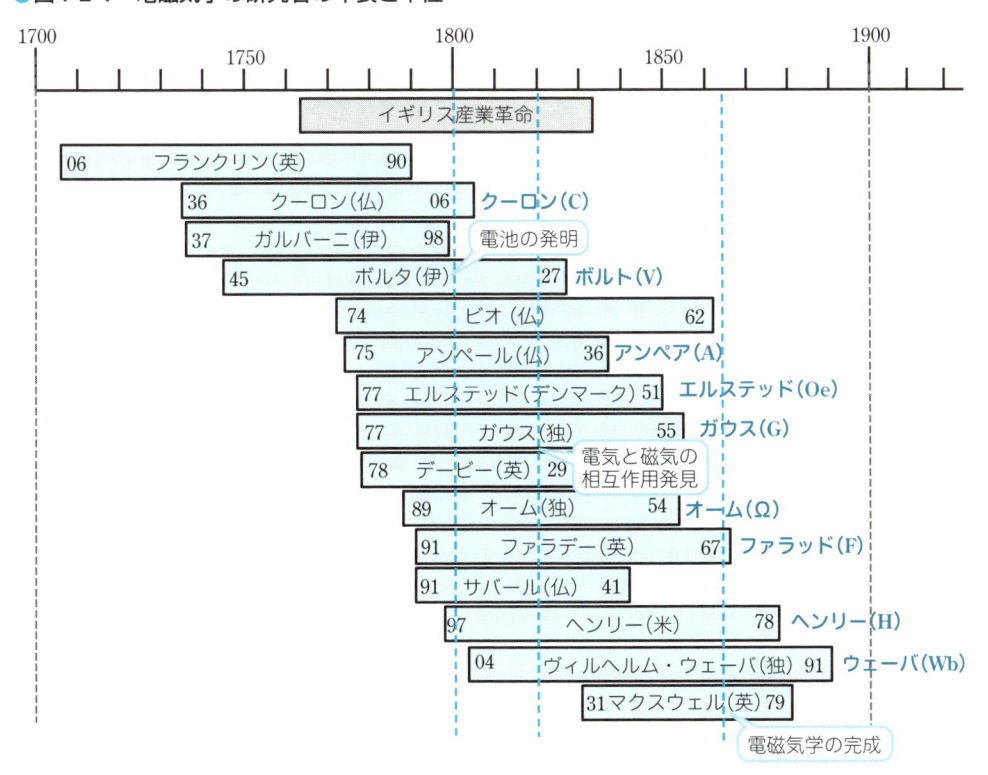

期間	研究者	単位
06 - 90	フランクリン（英）	
36 - 06	クーロン（仏）	クーロン(C)
37 - 98	ガルバーニ（伊）	
45 - 27	ボルタ（伊）※電池の発明	ボルト(V)
74 - 62	ビオ（仏）	
75 - 36	アンペール（仏）	アンペア(A)
77 - 51	エルステッド（デンマーク）	エルステッド(Oe)
77 - 55	ガウス（独）	ガウス(G)
78 - 29	デービー（英）※電気と磁気の相互作用発見	
89 - 54	オーム（独）	オーム(Ω)
91 - 67	ファラデー（英）	ファラッド(F)
91 - 41	サバール（仏）	
97 - 78	ヘンリー（米）	ヘンリー(H)
04 - 91	ヴィルヘルム・ウェーバ（独）	ウェーバ(Wb)
31 - 79	マクスウェル（英）※電磁気学の完成	

（背景：イギリス産業革命）

　これらの研究ラッシュの状況をいくつかのポイントでみてみます。

1-2-2 電気の照明への活用

Humphry Davy
1778-1829。イギリスの化学者。助手にファラデーがいた。

1800年にボルタの電池が発明されると、1807年には英国の科学者のハンフリー・デービー*が、電池を2000個接続（つまり2000ボルト以上）して放電発光実験を成功させ、この放電のことをアーク放電と呼びました。これがアークという言葉の始まりです。

Joseph Wilson Swan
1828-1914。イギリスの物理学者、化学者。

Thomas Alva Edison
1847-1931。アメリカ合衆国の発明家、起業家。

デービーは細い線に大量の電気を流すと白熱して光ることも実験していましたが、すぐ焼き切れてしまうため光源としては使えませんでした。しかし、この時代は産業革命の真っただ中にあり照明へのニーズは強く、長時間点灯する電球の開発が多くの研究者により続けられ、1878年にジョゼフ・スワン*が電球を発明し、1879年にはトーマス・エジソン*が炭素フィラメントを使った白熱電球の特許を申請しています。この詳細は次の節で詳しく説明します。

1-2-3 電気と磁気の関係に気づく

Hans Christian Ersted
1777-1851。デンマークの物理学者、化学者。

デンマークの科学者ハンス・クリスティアン・エルステッド*は、1820年に電線に流れる電気が、熱と光を発生することを示す実験中に、電気を流すと近くに置いてあったコンパスの針が動くことを発見しました。

そしてこの後、実験で**電線を流れる電気が磁界を作る**ことを証明して公開しました。この報告は「電気と磁気の相互作用」を確認したということでかなり衝撃的なもので、ここから電気と磁気に関連した「電磁気」の研究が驚異的な早さで進展していくことになります。

Andre-Marie Ampere
1775-1836。フランスの物理学者、数学者。電磁気学の創始者のひとりとされている。

まず、フランスの物理学者だったアンドレ・マリー・アンペール*は、エルステッドの発見に触発されてすぐ実験を行って2週間後に論文を出しました。

そこでは、二本の導体に電流を流し、その間に働く磁気の作用において、互いに引き合うときは電流が同じ方向に流れ、互いに斥け合うときは反対の方向に流れていること、図1-2-2のように電流の方向を右ネジの進む方向として、右ネジの回る向きに磁場が生じることを発見しました。これを「アンペールの右ねじの法則」または「アンペールの右手の法則」と呼んでいます。

また、二本の平行な導体の間で電流による磁気の作用を数学的に厳密に解析して「アンペールの法則」を発見しました。この法則によれば、導線を中心とする同心円の半径rにおける磁場の大きさHは、導線に流れる電気の流量をIとすると次の式で表されます。

$$H = \frac{I}{2\pi r}$$

直感的には**流れる電気が多いほど、また導線との距離が近いほど、大きな磁場が発生している**ということになります。

● 図1-2-2　アンペールの右ネジの法則、右手の法則

(a) アンペールの右ネジの法則　　(b) アンペールの右手の法則

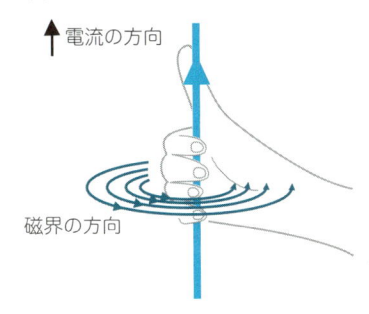

これを元にして、二本の平行な導体の間で電気の磁気作用によって発生する力は電気の流量*を定義する式になっています。また、この方法は当時の厳密な電気の流量の測定方法となっていました。これらの功績から電気の流量の単位を「**アンペア**」と呼んでいます。

続いてエルステッドの発表から4週間後には、ジャン・バティスト・ビオ*とフェリックス・サバール*によって電気の流量と導線の形によってその周囲に生成される磁界の強さが数学的に求められ「**ビオ・サバールの法則**」と呼ばれています。実験ではなく数学的に求めた最初の法則とされています。この結果はアンペールの法則と同じになっていて、両者の法則が正しいことが確認されています。

電気の流量
現在はこれを「電流」と呼び定義は下記のようになる。1mの間隔で平行な導線に流れる電流が、導体の長さ1mごとに$2×10^{-7}$Nの力を及ぼし合うとき、1Aの電流とする。

Jean-Baptiste Biot
1774-1862。フランスの物理学者、数学者。

Felix Savart
1791-1841。フランスの物理学者、外科医。

1-2-4　オームの法則の発見

Georg Simon Ohm
1789-1854。ドイツの物理学者。高校教師だった。

熱起電力
ゼーベック効果という。1821年トーマス・ゼーベックにより発見された。2種の異なる金属を2か所で接合し、それらを異なる温度にすると一定の電圧を生成し、その電圧は両端の温度差だけに比例し長さや太さや周囲温度に無関係である。

　1827年、ゲオルグ・ジーモン・オーム*は熱電対の起電力を使用して電流と抵抗の関係を数学的に取り扱った研究成果を発表しました。これが現在の「**オームの法則**」の元になっています。この法則は、それまでの不可解な電気の現象を見事に一つの式で説明できるというとても重要な発見でした。

　オームは初めのころは当時の電池を使って実験を進めていましたが、測定するたびに値が異なるという不安定な状態で、とても正確な実験ができず悩んでいました。そんなとき、ある友人から熱電対の**熱起電力***を使うことを勧められ、これを使うことで常に一定の起電力を得ることができるようになり、オームの法則の発見を行うことができました。

　このころは、電圧、電流、抵抗の概念はなく、電気の実験はまだまだ不可解な状況でした。しかし、アンペールの法則を使った図1-2-3 (a) の原理のねじれはかりを用いることで、電気の流れの強さつまり「電流」だけは正確に計

測することができました。ここに熱起電力という一定の電気を生成するものが手に入ったことで実験は正確に進められました。

オームの実験は図1-2-3(b)のような原理で行われました。ビスマスと銅の2種の金属の熱起電力を使い、その間を抵抗線で接続すると電流が流れます。抵抗線の長さをいろいろ変えて流れる電流の大きさを測るという実験をしました。その結果は図1-2-3(c)のように抵抗線の長さに応じて電流が変化しますが、常に同じ関係*が成立することがわかりました。このことから電気抵抗の存在を発見し次の法則を見出しています。

> 略号の元は下記のとおり。
> E：Electromotive force
> I：Intensity of electric current
> R：Resistance

① オームの第一法則
導線を流れる電流は、導線の両端の電位差に比例する。比例定数は流れる電流の量に依存せず一定で、この逆数を抵抗という
② オームの第二法則
導線の抵抗はその長さに比例し断面積に反比例する

● 図1-2-3　オームの実験

(a) ねじれはかりによる電流の計測

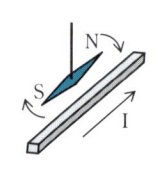

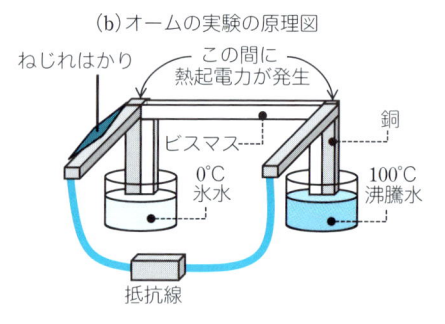

(b) オームの実験の原理図

(c) オームの実験の結果

$$\text{ねじれはかりの強さ（電流）} = \frac{\text{熱起電力}}{\text{抵抗線の長さ（抵抗）}+\text{その他の部分の抵抗}} \Rightarrow I = \frac{E}{R'+r} \Rightarrow I = \frac{E}{R}$$

しかし、オームのこの発表内容は、実験からの推論だけで理論的な説明がなかったため当時はあまり重要視されませんでした。

その後、電信による通信が盛んになったころ、電線設計にあたり長さと太さの関係にオームの法則が有効であることがわかってから、やっとオームの法則が認められるようになりました。この貢献から、抵抗の単位を「**オーム(Ω)**」と称するようになりました。

1-2-5 電磁誘導現象の発見

Michael Faraday
1791-1867。イギリスの化学者、物理学者。

　エルステッドの発表の翌年、1821年にはマイケル・ファラデー*が図1-2-4のような電磁気を利用した回転する装置（いわゆる原理的なモータ）を発明していて、この後の電動機技術の基礎を築いています。このモータは、図1-2-4の右側では可動する針金が水銀中を回転し、左側では可動する磁石が回転します。しかし、この実験装置はあまり理解されることはなく、**電気が力に変換できる**ということをすぐには理解できなかったようです。

● 図1-2-4　ファラデーの回転装置

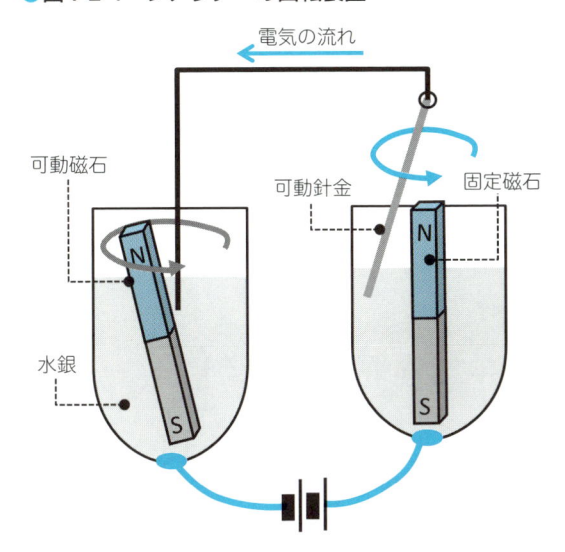

　その後、ファラデーは、電気から磁気が生成されるのであれば、その逆に磁気から電気も生成されるのではないかと考え独自に実験を進めていました。
　1831年、マイケル・ファラデーは図1-2-5のように鉄の環の離れた2か所に電線をコイル状に巻き、一方に電池を接続すると、電池側の電気を流したり切ったりする瞬間にのみ、他方のコイルに電気が流れることに気づきました。この現象*を解釈するのに、電気を流したり切ったりする瞬間の磁力線の変化がコイルを横切り、その時の磁力線の変化に相当した電気が発生すると考えました。

この現象
現在ではこの現象を「相互誘導」と呼び、トランス（変圧器）の原理となっている。

● 図1-2-5 ファラデーの電磁誘導の発見

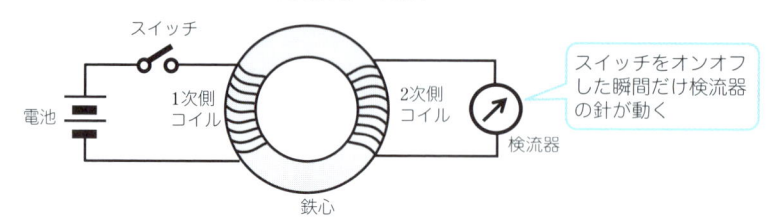

次に、図1-2-6 (a) のように導線で作ったコイルの中に棒磁石を押しこんだり抜き出したりすることによっても同じように電気が流れることを発見しました。この実験により磁石を近づけると、それと反対の方向の磁界がコイルに生起されて電気が流れることがわかり、さらにアンペールの右手の法則にしたがって流れていることが確認できました。これが「**電磁誘導現象**」の発見で、この後の電磁石、モータ、発電機の発明へとつながっていきます。

● 図1-2-6 ファラデーの電磁誘導

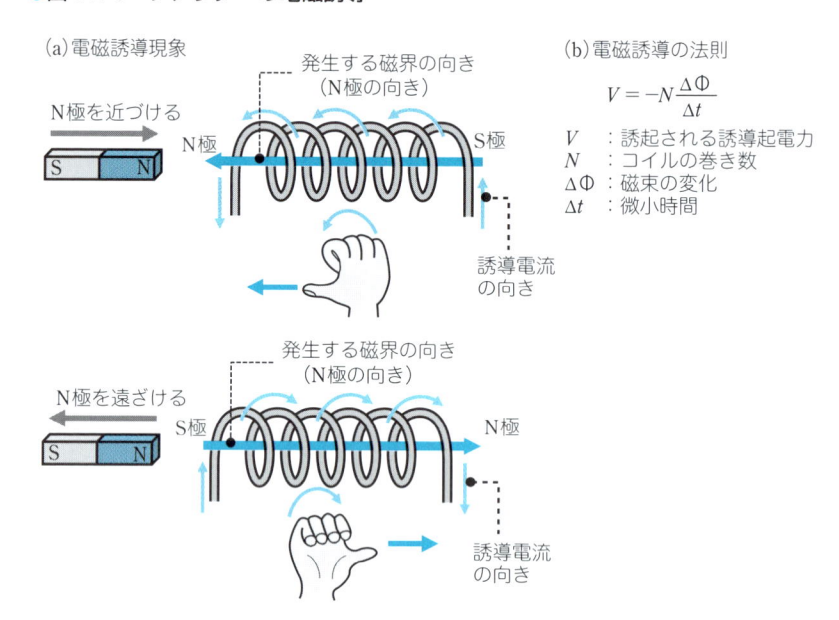

(b) 電磁誘導の法則

$$V = -N\frac{\Delta \Phi}{\Delta t}$$

V ：誘起される誘導起電力
N ：コイルの巻き数
$\Delta \Phi$ ：磁束の変化
Δt ：微小時間

この磁束の変化により誘起される誘導起電力は図1-2-6 (b) の式で表され、これを「**ファラデーの電磁誘導の法則**」と呼んでいます。直感的には、**コイルの巻き数が多い程、磁石を動かす速度が速い程高い誘導起電力が発生する**ということです。

ここでこれまで直流のみを扱っていた電気の世界に、変動する電気という概念が入ってくることになります。つまり**交流**の概念です。

さらに、ファラデーは光が磁場によって偏光され曲がることも発見し、これまで無関係と考えられていた光が磁気と密接な関係にあることも実験的に証明しています。

これまでは電気と磁気は別ものと考えられていたのですが、ファラデーの実験は、互いに影響を及ぼしあう相互作用があることを明確にし、さらに光と磁気も相互に関係があることを証明して、この後の電気を使った技術全般に影響を与えています。ファラデーは高等教育を受けておらず、高度な数学もほとんど知りませんでしたが、すぐれた直観力を持つ、史上最も影響を及ぼした偉大な実験科学者の一人とされています。

1-2-6 電磁気学の完成と電磁波の予言

James Clerk Maxwell
1831-1879。イギリスの理論物理学者。

ジェイムス・クラーク・マクスウェル*は、これまでのイギリスの研究者クーロン、ファラデー、アンペール等による電気と磁気に関する理論や実験をもとに、1864年に「**マクスウェルの方程式**」を導いて「**古典電磁気学**」を確立しました。

マクスウェルの電磁気理論は、アンペールの法則は電気が磁界を生成する法則で、ファラデーの電磁誘導の法則は磁気が電界を生成する法則で、互いに対称をなす原理であると推測したことから始まります。論理的に両者を結び付けたことで電気と磁気の問題がつながることとなり統一的に扱えるようになったわけです。

波動方程式
音の伝搬や電波などの振動や波動現象を表現するための方程式。

さらに、マクスウェルは電磁場が波動方程式*によって記述されることから、電磁場の振動が波として空間を伝わるはずだという電磁波（電波）の存在を理論的に予言し、さらにその伝播速度が光速度に等しいことを証明しました。つまり**光も電磁波の一種である**と証明したのです。

しかし発表当時はマクスウェルの理論を理解できる研究者も少なく電磁波についてもあまり注目されることはありませんでした。

Heinrich Rudolf Hertz
1857-1894。ドイツの物理学者。周波数の単位に使われている。

20年以上経った1888年、ドイツの物理学者ハインリッヒ・ルドルフ・ヘルツ*の「ヘルツの実験」によって電磁波の存在と空中伝搬が実験的に証明されると、それまでそれほど注目されていなかったマクスウェルの方程式が急に注目を集めることになりました。

その後急速に電波の研究が進み、無線通信や無線放送へとつながっていきますが、この通信の進歩の歴史はこの後で詳しくみていきます。

1-3 発電の歴史〜直流から交流へ

ファラデーにより発見された電磁誘導は、その後モータや発電機の発明に発展していきましたが、電池による直流の世界から、変化する電気つまり交流の世界を開いたことにもなりました。現在の家庭に供給されている電気は交流となっていますが、これが交流になった経緯は19世紀にまで遡ります。何故直流から交流になったのかを歴史で見ていきましょう。

1-3-1 直流発電機の発明による照明の発展

電池が発明されて安定な電気が供給可能になり、実用的なアーク灯も発明されたことから、ガス灯に代わる照明として電灯が使われ始めました。しかし、この時代の電灯には直流が必要であったため高価な電池が必要でした。このため電灯の実用化には直流発電機による直流電気の生成が必要でした。

1831年のファラデーによる電磁誘導の発見は、電気の力を機械の力に変換できるということを示したものでした。この後すぐこの実用化に向けての研究が開始されました。しかし実用的なモータや発電機が開発されるまでには多くの研究者の苦闘が続きました。

Thomas Davenport
1802-1851。アメリカの鍛冶屋。

1834年に、トーマス・ダベンポート*により、最初の実用的な直流モータが開発されました。これまでの物に比べ強い力を出せるモータで、ボルタの電池を積んだ電気機関車を走らせることに成功しています。

Zenobe Theopile Gramme
1826-1901。ベルギーの電気技術者。

ダイナモ方式
現在では、整流子を使って直流を生成する整流子発電機を意味する。

電流
電流は、電気の量、電圧は2点間の電位差。詳しくはp.52参照。

1869年にゼノブ・グラム*がダイナモ方式*の実用的なグラム発電機を発明しました。原理的な直流発電機の構造は図1-3-1 (a) のようになっています。向かい合った永久磁石または電磁石により生成される磁界の中でコイルを回転させると、図の向きの電流*が誘導されます。コイルが半回転して反対向きになると、誘導される電流も逆向きになりますので、整流子で切り替えて常に同じ方向の電流が誘導されるようにします。これで整流子の出力には一定の向きの電流つまり直流が生成されることになります。実はこの直流発電機の出力電圧は図1-3-1 (b) のように大きく電圧が変動しています。直流は一定の電圧というのが通常の定義ですが、向きが一定という意味で直流と言っています。

● 図1-3-1 直流発電機の原理

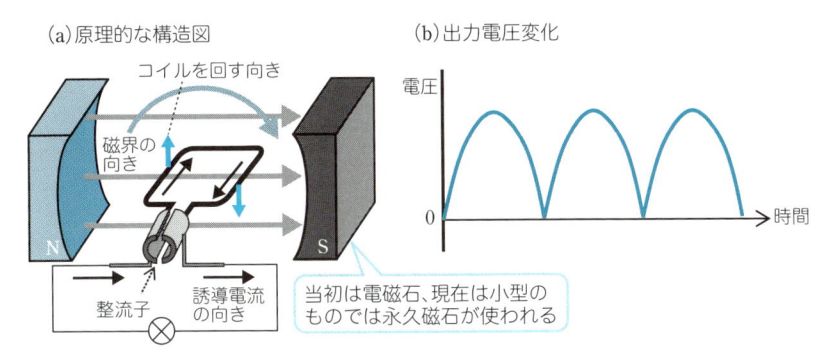

(a) 原理的な構造図　　(b) 出力電圧変化

当初は電磁石、現在は小型のものでは永久磁石が使われる

しかし、この大きく変化する電気では電灯がちらついてしまって実用的ではありません。そこでグラムはこの電圧が大きく変化する発電機の構造を改良し、永久磁石をより強力な電磁石とし、回転子を図1-3-2のような環状電機子としてコイルの巻き数や極数を増やし、整流子の端子数も増やすことで図1-3-2の下側のように変動の少ない直流の高電圧の出力（200V程度）が得られるようにしました。これによりアーク灯を直接点灯させることができました。

● 図1-3-2 グラムの直流発電機の変動の少ない出力

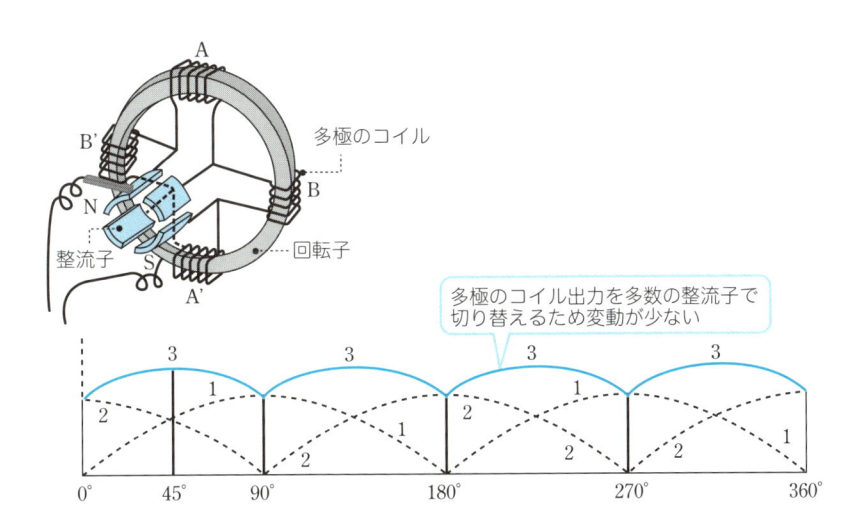

多極のコイル出力を多数の整流子で切り替えるため変動が少ない

この発電機を当時すでに実用化されていた蒸気機関で回転させ、初めて実用的な発電機として使われました。発熱が少なく連続運転が可能であったため、商業ベースにのった初の直流発電機となりました。

さらに、このグラム発電機同士を接続し片方を蒸気機関でまわして発電すると、もう一方も回転することから直流モータとして使えることも発見して

1-3　発電の歴史〜直流から交流へ

1　電気の発見からトランジスタの発明まで

います。この発電機の発明は、動力と照明を電気で駆動する第二次産業革命のきっかけとなりました。

■照明の事業化

一方照明としては白熱電球の研究が急速に進展しています。この電球の研究には多年に渡り多くの研究者が関わっています。

電球開発の課題は長時間の白熱状態を持続できるようにすることでした。このために多くのフィラメントの材料が試され、さらに燃焼の原因となる酸素を除く技術、つまり真空技術が飛躍的に進歩しました。この真空を実現するためにガラス細工の技術が大きく進歩したことが貢献しています。

1880年初めころ、イギリスのジョゼフ・スワンとアメリカ合衆国のトーマス・エジソン*が独自に実用に耐えられる白熱電球の開発に成功し、それぞれ電灯会社を設立して事業化しています。このときエジソンが使ったフィラメント材料には、京都男山八幡付近の竹の繊維を炭化したものが9年間も使われたというのは有名な話です。

エジソンは、1880年にエジソンランプ会社を設立し、電球の販売とそれに必要な電気を供給するための発電所の建設を行いながら、電球の販売と電気の販売をセットとして電灯会社の事業を展開していきます。このときの電気はこれまでどおり直流で110Vの電圧が使われていました。

しかし、この直流送電方式では電球の数が増えると電流が増えるため、オームの法則どおり配線での電圧降下が大きくなってしまいます。このため発電所から遠くなると電球の光が暗くなってしまうことから、短い距離しか電気を送ることができませんでした。それでも顧客は急速に増え続けたため、発電所を次々と建設しなければならず事業の重荷になっていきました。配電システムの改良もいろいろ行いましたが、いずれも抜本的な解決策とはならずいよいよ事業拡大は難しくなっていきました。

Thomas Alva Edison
1847-1931。アメリカ合衆国の発明家、起業家。

1-3-2 交流発電機の発明とエジソンの敗退

直流送電の拡大と並行して、1881年には英国のシーメンス社が水車で駆動する交流発電機で発電した交流電気*で街灯を点灯させることに成功しています。

実は、白熱電球は直流でも交流でも問題なく点灯します。これは電流の向きが交互に変化してもフィラメントの赤熱が持続するためで、交互の変化がある程度の早さ以上であればチラつくこともありません。したがって直流電源である必要はなかったのですが、まだこのころは交流モータが発明されておらず直流モータしかなかったため、交流だけでは駆動系を動作させることができませんでした。照明だけが交流というわけにはいかず広く使われるま

交流電気
整流子がないため、正電圧と負電圧が交互に入れ替わる正弦波の電気が出力される。

でには至っていません。

ここで、交流発電機の原理は図1-3-3(a)のように直流発電機の整流子をスリップリングというものに置き換えた構造になっていて、コイルの両端の電圧を常時取り出すだけになっています。コイルが磁界の中を回転するので、半回転ごとに電流の向きが変わることになり、出力される電気は図1-3-3 (b) のように正と負が交互に入れ替わる正弦波の形の交流となります。

● 図1-3-3 交流発電機の構造

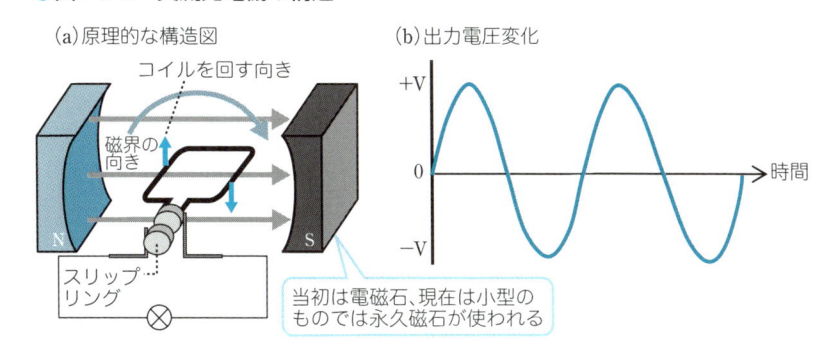

(a)原理的な構造図　(b)出力電圧変化

当初は電磁石、現在は小型のものでは永久磁石が使われる

■テスラの登場

Nikola Tesla
1856-1943。ハンガリーの電気技師。

このころ、ハンガリーの電気技師だったニコラ・テスラ*は、米国に移住しエジソン電灯会社に採用され、会社の抱えている顧客の急増による問題の解決策の検討と開発をしていました。

テスラは1883年に整流子のない交流誘導電動機、つまり初めての**交流モータ**を開発しています。このころには変圧器（トランス）もすでに使われていましたから、テスラは電気を直流方式から交流方式に転換するアイデアをエジソンに提案しました。しかしエジソンはこれを受け入れませんでした。

そこでテスラはエジソン電灯会社を辞職し、1886年にニューヨークで自分の会社を設立します。そして1887年に交流誘導電動機と変圧器を使った交流送電方式を公開実験しています。さらにテスラは1888年には、ブラシレスの2相交流発電機を発明し、ブラシがなく摩耗する部品のない信頼性の高い交流発電機を開発しました。

交流での送電では、高い電圧で電気を送り、使用場所の近くで変圧器により簡単に使用したい電圧まで下げることができるため、**効率よく電気の輸送ができる**利点があります。これは、高い電圧で電気を運ぶと同じ電力でも電流が少なくできることによります。つまり電流が少なくなれば電圧降下が少なくなるので電線を細くすることができ、さらに電気の損失も減って送電コストも小さくできるため、遠くに電気を送るのに適しているということです。

George Westinghouse
1846-1914。アメリカ合衆国の技術者で実業家。

このテスラの考え方に共感した億万長者ジョージ・ウェスティングハウス*が、テスラと提携してウェスティングハウス社で大規模な交流電力システムを開発し販売を始めたため、エジソンとの激しい競い合いが始まることになります。

■電流戦争と交流電力システムの拡大

こうして1880年代は、エジソンの直流方式とウェスティングハウス社つまりテスラの交流方式の間で激しい競争（電流戦争　War of Currents）が展開されました。しかし、1893年のシカゴ万国博覧会*の照明装置にウェスティングハウス社の交流方式が採用されたことで、エジソンの敗退が決定しました。

シカゴ万国博覧会
コロンブス新大陸発見400年を記念して開催された。コロンブス博覧会とも呼ばれている。

1896年には、ウェスティングハウス社により製作されたナイアガラの滝を使った2台の5000馬力の水力発電機から、電圧11000Vの交流で電気が送電され、発電所から32km離れたバッファローの町に電気が送られました。これが、電気を遠くまで送る交流方式の始まりで、この時の交流の周波数*が60Hzだったことから、以降この周波数が米国の標準になりました。この周波数はテスラの提案によるもので、電球のチラつきを抑えるには十分高く、さらに電力損失を削減するには十分低いというバランスから選択されたものです。

周波数
電圧が交互に正と負電圧を繰り返す周期のこと。60Hzということは、1秒間に60回正電圧と負電圧が繰り返される。交流発電機の回転周期で決まる。

この後、交流送電方式による電力の利用が拡大し交流電動機が実用になると、電気が電燈だけでなく動力源にも使用されるようになり、第二次産業革命を一気に進めることになります。水力や石炭、石油を使用した巨大な発電所が作られ、長い距離を送電線で需要地まで運ぶ交流送電の現在の形ができあがりました。

1-3-3　現在の交流送電システム

■発電所から住宅までは交流で

現在、私たちの日本の住宅に送られている100Vの商用電源は、発電所から図1-3-4のようなシステムで送電されています。なんと、発電所からは50万ボルトという超超高圧交流電源で送電されています。これが途中の何か所かの変電所で徐々に電圧が下げられ、一般家庭の直前では6600Vとなっています。これを電柱に取り付けられている柱上変圧器で200V/100Vに降圧して各家庭に配電しています。

このように交流送電の最大の利点は、**変圧が可能**であることです。必要な場所ごとに電圧を調整する方法が採用できるため、送配電の設備コストを最小限に留めることが可能になります。

なぜ高電圧にするとロスが少ないかはオームの法則で理解できます。

例えば、家庭で1kWの電力を使うとすると、100Vで10A*の電気が流れます。

計算式
$W = E \times I$ より
$1kW = 100V \times 10A$
となる。

1-3 発電の歴史〜直流から交流へ

ここでこれが流れる電線に1Ωの抵抗があるとすると10Vの電圧降下が発生し、10%の電圧変動が発生することになってしまいます。

計算式
1kW ÷ 6600V ≒ 0.15A

この電気を供給する6600V側では、同じ1kWの電力でも、必要な電流は0.15A*となります。電線に1Ωの抵抗があったとしても、わずか0.15Vの電圧降下になるだけで、電圧変動としては0.0023%の変動でしかありません。

このように電圧が高くなるほど、同じ電力を運ぶための電流が少なくなるため電圧ロスが少なくなることになります。したがって細い電線の長距離送電になって電線の抵抗が大きくなっても、ロスを少なくして送電できることになります。

● 図1-3-4　日本の電力ネットワークの構成

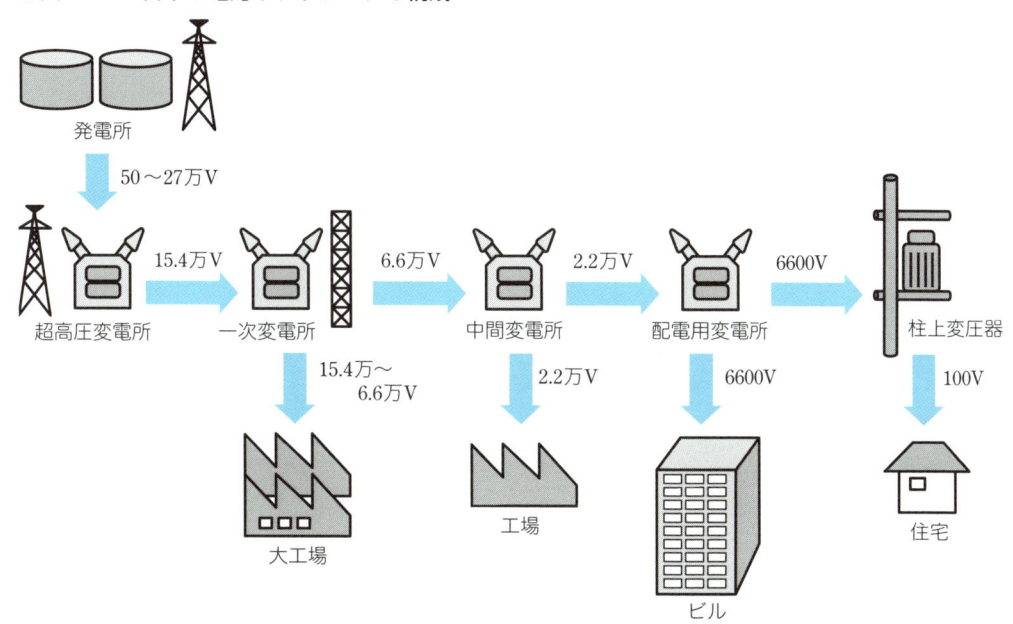

発電所 → 50〜27万V → 超高圧変電所 → 15.4万V → 一次変電所 → 6.6万V → 中間変電所 → 2.2万V → 配電用変電所 → 6600V → 柱上変圧器 → 100V → 住宅

一次変電所 → 15.4万〜6.6万V → 大工場
中間変電所 → 2.2万V → 工場
配電用変電所 → 6600V → ビル

■周波数の違い

ここで国内の交流電源の周波数が東日本と西日本で、50Hzと60Hzの違いがあるのは、管轄する電力会社の発電装置が当初どの国から購入したものかが由来となっています。

東日本地区では、東京電燈（現在の東京電力）の前身会社が、ドイツから50Hzの発電装置を購入して運用したため、50Hzが周波数として定着しました。対して西日本では、大阪電燈（現在の関西電力）が、アメリカから60Hzの発電装置を購入していたことが、60Hzの定着の由来となっています。統一することも検討されましたが、あまりにも費用と時間がかかるため現在もそのままとなっています。

さらに、国内の周波数は東西で違いますが、電圧は100Vで統一されています。諸外国は200V前後が普及している中で100Vに設定されたのは、電圧が決定した1910年代、民間に普及していた電気機器はほとんどが100Vの照明用電球であり、100V以上の電圧を加えると寿命が著しく短くなってしまうため、100Vで統一したと言われています。

1-3-4　再び交流から直流へ

AC
Alternating Current
（交互電流）

DC
Direct Current
（まっすぐな電流）

AC/DC電源
ACアダプターもその一種。

ダイオード
電流を一方向にしか流さない素子。p.145参照。

レギュレータ
一定の電圧を出力する素子。p.145参照。

このようにして家庭に配電された交流（AC*）の100Vは、多くの家電機器のモータなどにはそのまま使われています。しかし、その家電機器のコントローラや最近のインバータ照明制御部などでは、内部で数Vから数10Vの直流（DC*）に変換されています。これは、高い電圧のままで人間が触れる装置を作るのは危険なため低い電圧にする必要があることと、制御装置を作る場合、交流のように正電圧と負電圧が交互に入れ替わる電気では扱いにくいため、常に正の一定電圧の直流が使われています。

この交流AC100Vから低い定電圧の直流に変換するには、**AC/DC電源***という装置が使われます。当初のAC/DC電源は、図1-3-5のように大型のトランスで低い電圧に下げ、それをダイオード*で整流して直流にし、レギュレータ*などで安定な一定の電圧の直流にしていました。この場合トランスが大型となり、トランスもレギュレータも発熱するため大きな放熱器が必要となって、大型で重い装置になってしまっていました。

●図1-3-5　当初のAC/DC電源

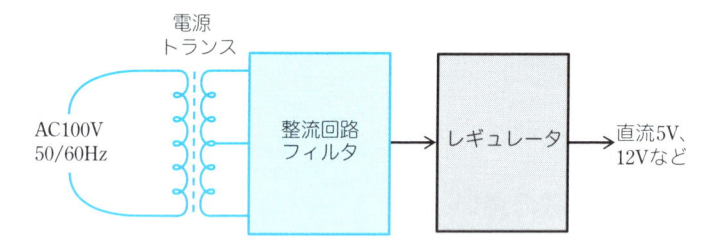

最近のAC/DC電源の内部構成は図1-3-6のようになっていて、一度400V程度の高圧の直流に変換し、再度周波数の高い交流に変換してからトランスを使って低い電圧に変換し、さらにそれを直流に変換するという構成となっています。この理由は、高い周波数の交流にすることでトランスを小型化でき、電源装置を小さくすることができるのと、トランスの変換効率が良くなって電気ロスが少なくなるためです。

●図1-3-6　最近のAC/DC電源の構成

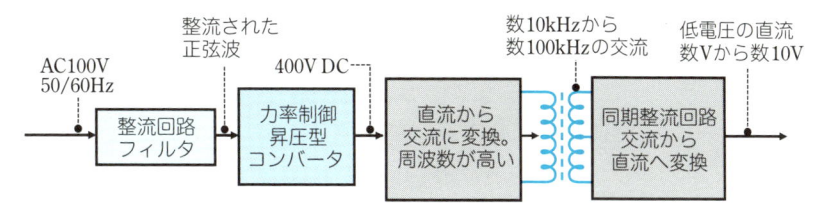

このようにいったん直流に変換してから再度交流にするという2段階になっているため、その分だけロスも増えてしまいます。最近は家庭内を交流100Vではなく直流で配電しようという計画もあります。こうすれば、最初の交流から直流への変換作業が不要になり、ロスも減るというわけです。

1-3-5　交流の特性

このような歴史から、家庭の電源として供給されている電気は交流となっています。では、この交流にはもともとどういう特性があるのでしょうか。

まず、どのような信号が交流と呼ばれるかですが、次の条件を満たしていれば交流とされます。

・同じパターンの繰り返し波形である
・プラスとマイナスに交互に変化し平均値がゼロである

このような交流の中で一番基本となるのが正弦波の形をした信号です。これは、交流発電機からの出力がこのような正弦波になるからです。このような交流に対する特性として定義されているのは図1-3-7に示したような項目です。

●図1-3-7　交流の特性

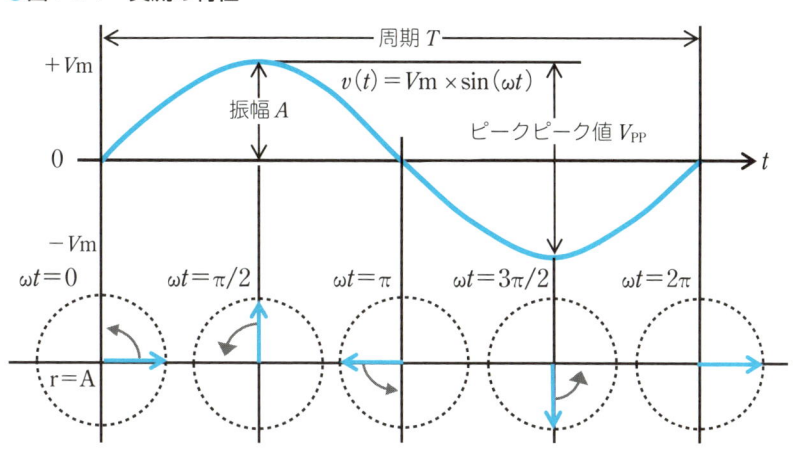

$v(t) = Vm \times \sin(\omega t)$

❶ 周期 T　周波数 f

周期は交流波形がパターンを1回繰り返す時間（サイクル）をいい、図1-3-7の「周期 T」で単位は時間で表します。「周波数 f」は周期 T の逆数で単位はヘルツ（Hz）で表します。つまり周波数は1秒間に何回パターンを繰り返すかという回数になります。

❷ 角速度 ω

正弦波は、図1-3-7の下側に示したように一定の長さの線が左回りに回転したときのY方向の高さで表すことができます。そして円の一周が正弦波の一周期に相当します。したがって、角速度 ω を回転速度とすると単位時間に回転する角度を表し、単位はラジアン*（rad）を使って rad/sec で表します。1周期は 2π ラジアンなので正弦波の波形位置と回転角度は図1-3-7のような関係となり、角速度と周波数と周期との関係は次のようになります。

$$T = \frac{2\pi}{\omega} = \frac{1}{f}$$

> **ラジアン**
> 円の半径 r に等しい長さの円弧の中心に対する角度を1ラジアンと呼ぶ。円周の全体長さは $2\pi r$ なので、ラジアンで表すと 2π になる。

❸ 瞬時値 $v(t)$、最大値 V_M　振幅 A　ピークピーク値 V_{PP}

瞬時値 $v(t)$ は任意の時刻 t における瞬間の電圧です。最大値は1周期内の最大電圧値 V_M で、振幅 A も同じ値です。ピークピーク値 V_{PP} は、図1-3-6のように1周期内のプラス側最大値とマイナス側最大値の絶対値の和です。いずれも単位はボルトです。

こうすると、正弦波は sin 関数を使って次のように表現できます。

$$v(t) = V_M \times \sin(\omega t)$$

❹ 平均値 V_{AV}

プラス側半周期の電圧の平均値です。マイナス側の平均値も絶対値は同じです。

❺ 実効値 V_{RMS}

負荷抵抗にある大きさの交流を流したときに発生する熱量と同じ熱量を発生する直流電圧値を実効値といいます。つまり交流の1周期の波形の面積が同じとなる直流電圧です。通常交流の電圧を呼ぶときにはこの実効値のことを指しています。実効値を式で表すと、面積なので次のようになります。

$$V_{RMS} = \sqrt{\frac{1}{T}\int_0^T v^2 dt} \ \Rightarrow\ \text{正弦波の場合} \ \Rightarrow\ V_{RMS} = \frac{V_M}{\sqrt{2}} \fallingdotseq 0.707 V_M$$

これによれば、家庭のAC100Vは正弦波の実効値なので、ピークの電圧値 V_P は $V_P = 100V \div 0.707 = 141.4V$ あることになります。さらに V_{PP} は2倍の

282.8Vになります。電子回路で耐圧を考えるとき、**交流の耐圧は通常呼ばれている電圧値よりも高くしなければならない**ということを覚えておく必要があります。

❻ 位相

交流の特性値としてもう一つ「位相」というものがあります。これは、複数の交流波形があるとき、それぞれの時間的なずれを表すときに使います。例えば図1-3-8のように$x(t)$、$y(t)$、$z(t)$という三つの周波数と振幅の等しい正弦波が図のような関係であった場合それぞれの正弦波を式で表すと次のようになります。

$$x(t) = V_M \times \sin(\omega t) \quad y(t) = V_M \times \sin(\omega t - \theta) \quad z(t) = V_M \times \sin(\omega t + \theta)$$

これらのsinの括弧内の値を位相と呼んでいます。そして、これらの波形の位相差は、波形zはxに対してθだけ位相が進んでいる、波形yはxに対してθだけ位相が遅れているというように表現します。この位相差を時間差で表すと、1周期 $T = 2\pi/\omega$なので、図1-3-8のようにθ/ωとなります。

●図1-3-8 波形の位相差

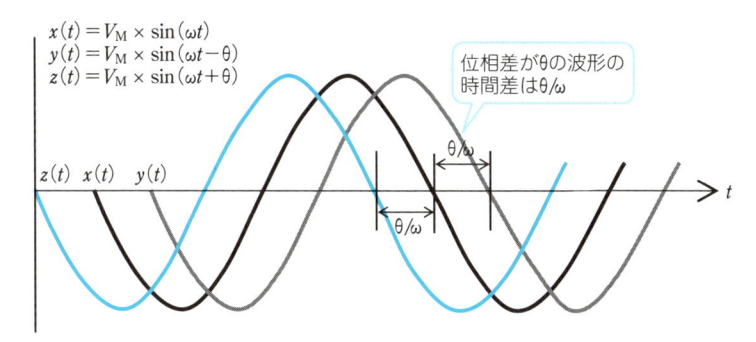

この位相差は正弦波を円のベクトルで表現すると理解しやすくなります。まず、正弦波は図1-3-7のように半径がV_Mの円で表現できます。この円の中を一つのベクトルが左回りに一定周期Tで回転しているとすると、ベクトルのY軸方向の高さが正弦波に相当します。これを使うと図1-3-8の三つの正弦波は図1-3-9のように表すことができます。つまり、波形xが位相0のとき、波形zはθだけ先に回転した状態にあり、波形yはθだけ前にあるという状態になります。この三つの位相差が固定された状態で三つのベクトルが左回転している状態が図1-3-8になります。

● 図1-3-9　正弦波の位相差

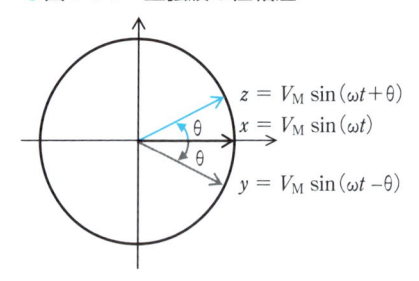

$z = V_M \sin(\omega t + \theta)$
$x = V_M \sin(\omega t)$
$y = V_M \sin(\omega t - \theta)$

■ いろいろな交流

先に示したように、次の条件を満たしていればそれは交流と呼ばれます。

- 同じ形状の繰り返し波形である
- プラスとマイナスに交互に変化し平均値がゼロである

この条件を満たしていればよいので、図1-3-10のようなものも交流に含まれます。それぞれの交流の特性を示したものが図中の表です。

● 図1-3-10　いろいろな交流

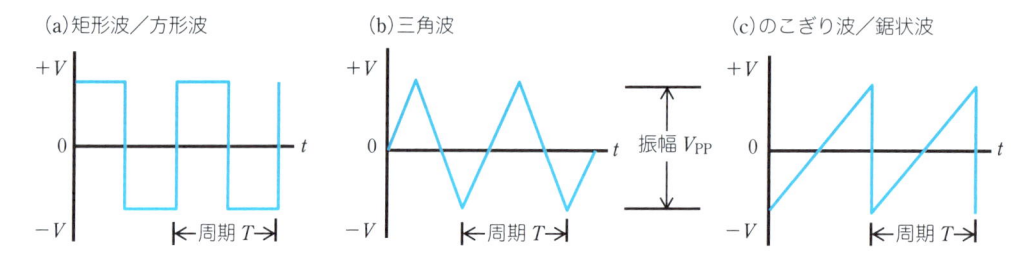

(a) 矩形波／方形波　　(b) 三角波　　(c) のこぎり波／鋸状波

(d) 各波形の特性値

項目	実効値 V_{RMS}	最大値 V_M	平均値 V_{AV}
正弦波	1.000	1.414	0.900
矩形波	1.000	1.000	1.000
三角波	1.000	1.732	0.866
のこぎり波	1.000	1.732	0.500

$$V_{RMS} = \sqrt{\frac{1}{T}\int_0^T v^2 dt}$$

正弦波の場合

$$V_{RMS} = \frac{V_M}{\sqrt{2}} \fallingdotseq 0.707 V_M$$

1-4 通信の歴史

電子工作でも通信はよく使われるものですが、この通信の技術はいったいいつから始まったのでしょうか。これも歴史を追うと興味深いことがわかります。人類が始まってから「のろし」という手段による方法など、連絡を取るということはどうしても必要なことだったようです。では、現在の電気による通信の始まりから見ていきましょう。

1-4-1 通信の生い立ち

電信
文字などを電気信号に変換して送受信すること。音声通信（電話）とは区別される。

William Forthergill Cooke
1806-1879。イギリスの発明家。

Charles Wheatstone
1802-1875。イギリスの物理学者。

Samuel Finley Breese Morse
1791-1872。アメリカの画家、発明家。

電信の配線
電流を流すためには2本の配線が必要だが、電信の場合は大地がもう一本の配線として使われている。

電気が発見され電磁石が発明されると、間もなくこれらが「電信*」に使われました。これが電気を使った通信の最初です。当初は、電信で文字を送る方法にもいろいろなアイデアが使われました。最初に実用化されたのは、1831年にウィリアム・クック*とチャールズ・ホイートストン*が発明した5針式電信機です。電線に電流を流すと方位磁石の向きが変わることを利用したものです。6本の配線で通信相手と接続し、そのうちの2本に電流を流して5個の方位磁石の向きを変え、磁石の向きにより20種類の文字を区別していました。しかし、この方法では配線の本数が多く遠距離の通信には不向きでしたし、表現できる文字数も20文字では足りませんでした。

■**モールス符号による電信**

この後、1838年にニューヨークでサムエル・モールス*が長短の符号（モールス符号）を使った方法で1分間に10個の単語を送ることに成功しました。

しかしモールスはその後の普及には苦労していて、1844年になってやっと電報として実用化されています。その後電信機を改良し図1-4-1のような電信機を製作しています。この電信機では1本の配線*で、通信内容が細長い紙に印字されて記録が残るようになったため、世界中で使われるようになっていきました。

1851年にはドーバー海峡横断の電信による通信に成功しています。つまりこのときすでに海底ケーブルによる通信が始まっています。

●図1-4-1　モールスの電信機の原理

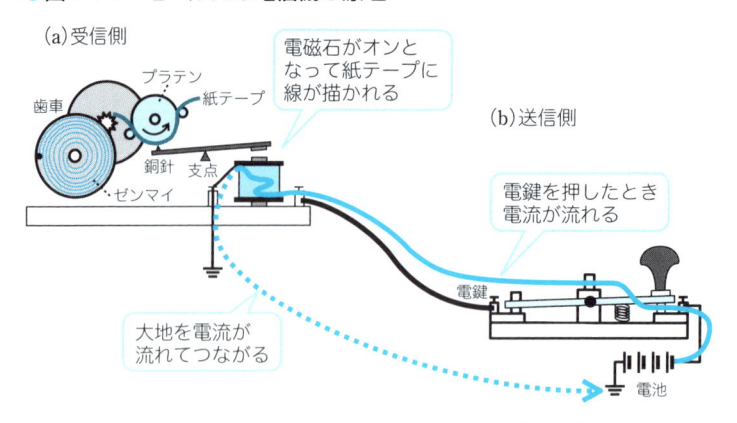

(a)受信側　(b)送信側

出典：電気の歴史イラスト館

電信で使われたモールス符号は、その後表1-4-1のように改良され、信号の長短の組み合わせで文字に変換しています。これが現在のデジタル信号を使った通信の元になっています。モールス符号の場合には、長短で区別しているので、長さの差さえ明確であれば、長と短の長さには制限はありません。つまりおよそ長さの比が区別できれば全体が長くても短くても区別がつきます。したがってモールス符号の場合には送信側と受信側で取り決めておかなければならないのは、信号の電圧レベルくらいしかなく、とにかく線がつながっていれば通信ができます。

▼表1-4-1　モールス符号

A	・−	K	−・−	U	・・−	1	・−−−−
B	−・・・	L	・−・・	V	・・・−	2	・・−−−
C	−・−・	M	−−	W	・−−	3	・・・−−
D	−・・	N	−・	X	−・・−	4	・・・・−
E	・	O	−−−	Y	−・−−	5	・・・・・
F	・・−・	P	・−−・	Z	−−・・	6	−・・・・
G	−−・	Q	−−・−	Enter	・−・−・	7	−−・・・
H	・・・・	R	・−・	Esc	・・・−・	8	−−−・・
I	・・	S	・・・	Backspace	・・・・−	9	−−−−・
J	・−−−	T	−	Space	・・・−・	0	−−−−−

1-4-2 テレタイプ端末によるテレックスの発展

電信による通信が発達し、紙テープの長短の線だけではなく、直接文字が印刷できる装置が開発されて電信が商用化され、「テレックス」と呼ばれる商業用通信手段として広く使われるようになりました。

このテレックスに使われたのが「テレタイプ端末」で、「TTY*」と呼ばれていました。

TTYは1849年には実際に商用に使われています。その後多くの技術者によって改良が加えられ、文字ごとに5ビットの数値を割り当てるという「文字コード」が考案されました。

1901年ドナルド・ミュレーがタイプライタ状のキーボードと、紙テープのさん孔機を一体化したテレタイプ端末を開発しました。このテレタイプ端末を電信で接続すると、送信側のキーボードから入力した文字を受信側で文字として印刷し、紙テープにさん孔することもできました。さらに紙テープからも入力して送信できるようにもなっていましたので、オペレータの入力と送信業務を切り離すことができたため、オペレータの疲労も少なくなりました。

1928年にTeletype社が設立され、タイプライタ式端末の市場を独占してしまいました。その結果、これらの端末を「テレタイプ」と呼ぶのが一般的となりました。

1931年には電話会社AT&Tが電信サービスを開始し、手動交換方式によりどのテレタイプとも送受信可能としました。これがテレックスと呼ばれる商業用通信手段で、1950年代には通信社のニュース配信、気象情報配信、商取引など広く使われています。

1963年に現在の標準文字コードとなっているASCII*コードが制定されると、Teletype社はこれに適合する写真1-4-1のようなテレタイプ端末を開発し「ASR-33」という商品名としました。

初期のコンピュータでは、その入出力端末にテレタイプを使うことが多く、ASR-33とその後継機はミニコンピュータの端末として広く採用されました。筆者も若いころミニコンピュータの端末としてASR-33をよく使っていました。このときにはテレタイプから直接入力するのではなく、いったん紙テープにさん孔し、後からまとめて紙テープから入力するという方法でした。このほうがタイプミスも簡単に修正できて作業効率を良くすることができたからです。

TTY
Tele-TYpewriterの略。

ASCII
American Standard Code for Information Interchangeの略。
7ビットで128種類の文字と制御コードを指定する。p.42参照。

●写真1-4-1　テレタイプ ASR-33

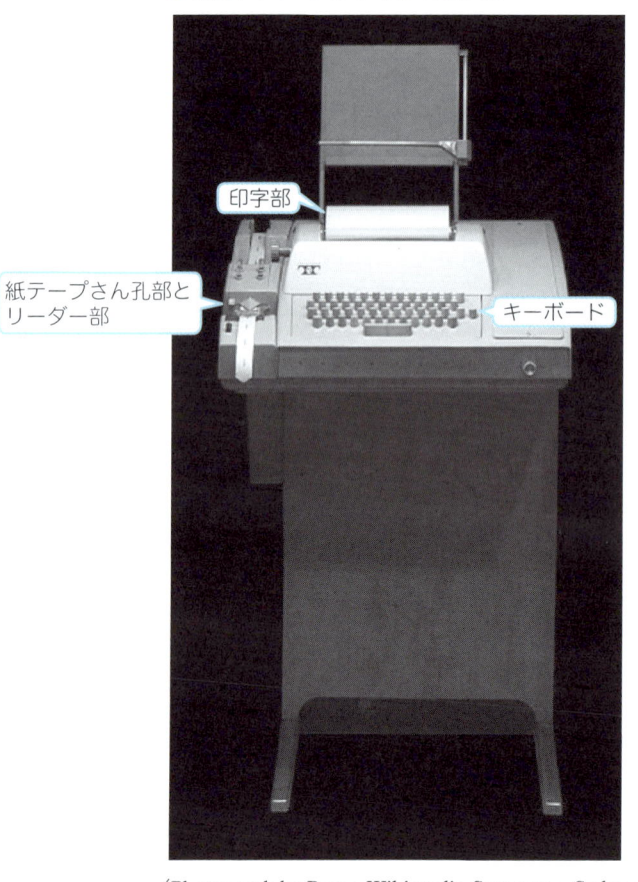

- 印字部
- 紙テープさん孔部とリーダー部
- キーボード

（Photograph by Rama, Wikimedia Commons, Cc-by-sa-2.0-fr）

■デジタル通信と文字コード

　テレタイプがコンピュータの入出力装置として多く使われたことから、コンピュータの中でも文字については**ASCII文字コード**により表すことが標準的になりました。これで文字が16進数*の2桁で表現されるようになり、例えば数字の0は30、文字のAは41というように表されます。

　日本でもこれを拡張して80以上の部分にカタカナを追加した表1-4-2のような8ビット表現のANK文字コードとしてJISで定義しています。オリジナルのASCIIコードから、文字コード5Cのバックスラッシュが¥に、7Eのチルダがオーバーラインに変更されています。

16進数
4ビットの値（10進数では0〜15までの値）を1桁で表現するために、0から9の上にAからFを追加したもの。例えば5Dは　0101 1101のこと。

0	0000	8	1000
1	0001	9	1001
2	0010	A	1010
3	0011	B	1011
4	0100	C	1100
5	0101	D	1101
6	0110	E	1110
7	0111	F	1111

1-4 通信の歴史

▼表1-4-2　ASCII文字コードを拡張したANK文字コード表

	0	1	2	3	4	5	6	7	8	9	A	B	C	D	E	F
0	NU	DE	SP	0	@	P	`	p				ー	タ	ミ		
1	SH	D1	!	1	A	Q	a	q			。	ア	チ	ム		
2	SX	D2	"	2	B	R	b	r			「	イ	ツ	メ		
3	EX	D3	#	3	C	S	c	s			」	ウ	テ	モ		
4	ET	D4	$	4	D	T	d	t			、	エ	ト	ヤ		
5	EQ	NK	%	5	E	U	e	u			・	オ	ナ	ユ		
6	AK	SN	&	6	F	V	f	v			ヲ	カ	ニ	ヨ		
7	BL	EB	'	7	G	W	g	w			ァ	キ	ヌ	ラ		
8	BS	CN	(	8	H	X	h	x			ィ	ク	ネ	リ		
9	HT	EM	)	9	I	Y	i	y			ゥ	ケ	ノ	ル		
A	LF	SB	*	:	J	Z	j	z			ェ	コ	ハ	レ		
B	HM	EC	+	;	K	[	k	{			ォ	サ	ヒ	ロ		
C	CL	FS	,	<	L	¥	l	|			ャ	シ	フ	ワ		
D	CR	GS	-	=	M	]	m	}			ュ	ス	ヘ	ン		
E	SO	RS	.	>	N	^	n	ー			ョ	セ	ホ	゛		
F	SI	US	/	?	O	_	o	DL			ッ	ソ	マ	゜		

JISで拡張した部分

また文字コードが00から1Fまでの範囲と7Fは**制御コード**と呼ばれていて、略号は表1-4-3のような意味になっています。これらはテレタイプのベル（BEL）や復帰（CR）、改行（LF）などの文字印字以外の動作を指定したり、データ伝送する場合の伝送制御手順を構成したりするために使われます。

▼表1-4-3　制御コードの略号の意味

略号	意味	略号	意味	略号	意味
NUL	Null	FF	Form Feed	CAN	Cancel
SOH	Start of Heading	CR	Carriage Return	EM	End of Medium
STX	Start of Text	SO	Shift Out	SUB	Substitute
ETX	End of Text	SI	Shift In	ESC	Escape
EOT	End of Transmission	DLE	Data Link Escape	FS	File Separator
ENQ	Enquiry	DC1	Divice Control 1	GS	Group Separator
ACK	Acknowledge	DC2	Divice Control 2	RS	Record Separator
BEL	Bell	DC3	Divice Control 3	US	Unit Separator
BS	Back Space	DC4	Divice Control 4	SP	Space
HT	Holisontal Tabulation	NAK	Negation Acknowlege	DEL	Delete
LF	Line Feed	SYN	Syncronous idle		
VT	Vartical Tabulation	ETB	End Transmission Block		

43

1-4-3 電話の発明

電信と並行して音声を電気で送る研究も進められていましたが、この頃には音声がどのような信号かも理解されておらず、この開発には、音声を電気信号に変換する変換器（つまりマイク）と逆に電気信号を音に変換する変換器（つまりスピーカ）の開発が必要であり、簡単には実現できませんでした。

この音の研究を積極的に進めていたのがグラハム・ベル*でした。母親の聴覚障害が研究の推進力になったといわれています。この研究の中で、図1-4-2のような構造で電磁石と薄い金属板を使うと、音による空気の振動が金属板の振動に変換され、その振動が電磁石の電気信号の変化として出力され、さらに逆に変化する電気信号が音に変換されて伝わることから、**音と電気を相互に変換できる**ことを発見し、これが電話開発の元になっています。

> **Alexander Graham Bell**
> 1847-1922。スコットランド生まれの科学者で発明家。

● 図1-4-2 ベルの電話機の構造

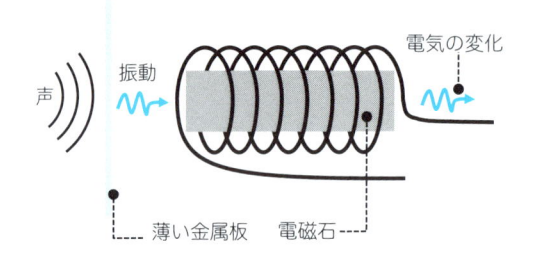

1876年、ベルは助手のトーマス・ワトソン*の支援を得て、電信と同じ電線を使って電気で会話を伝送する「電話機」を発明しました。最初の会話は助手のトーマス・ワトソンとの間で行われたものでした。

直流の電気に比べ音声のような高い周波数*の交流が電線で送信できるということは、当時の電気学者にとっては思いもよらないことでした。その後電話機はエジソン等によって次々と改良がおこなわれています。そして1877年にはベル電話公社が設立され、後に交換機が導入されて長距離電話をサービスするAT&T（American Telephone and Telegraph）となっています。

ベルが初めて会話を成功させた翌年の1877年には、日本人の伊沢修二*と金子堅太郎*が日本語で会話をしていて、日本語がベルとワトソンの初会話の次に電話を使った言語となっています。そしてその年（明治10年）の内に日本にベル電話機が輸入されています。このように明治時代には世界の情報がリアルタイムで日本に伝わっていたことが伺えます。

電話は会話が直接聞けるという意味で画期的でしたから、電信は徐々に電話に置き換わっていきました。

> **Thomas Augustus Watson**
> 1854-1934。アメリカの技術者。
>
> **音声の周波数**
> 音波の主成分となる周波数範囲はおよそ0.2kHzから4kHzまでとされていて、NTTの電話回線では0.3kHzから3.4kHzの帯域が再生できるようになっている。
>
> **いざわしゅうじ**
> 1851-1917。東京師範学校校長。
>
> **かねこけんたろう**
> 1853-1942。法学士、大臣。憲法の起草に参画。

■真空管の発明

Lee De Forest
1873-1961。アメリカの発明家。電子電気技術者。

そして1906年にはリー・ド・フォレスト*が写真1-4-2のような増幅作用のある真空管（三極管）を発明しました。この「増幅」という言葉は、交流信号の振幅電圧を増加させることができることに由来しています。つまり小さな音を大きくすることができることになります。

この真空管を改良してウェスタン・エレクトリック社が量産し、真空管による中継器を使って音声信号の増幅を繰り返すことで長距離電話が実用化されました。1915年の米国でのバージニアとアーリントン間を結ぶ大陸横断電話回線の実験では、550本の真空管が使われたとされています。

●写真1-4-2　最初の三極真空管

●図1-4-3　三極真空管の動作原理

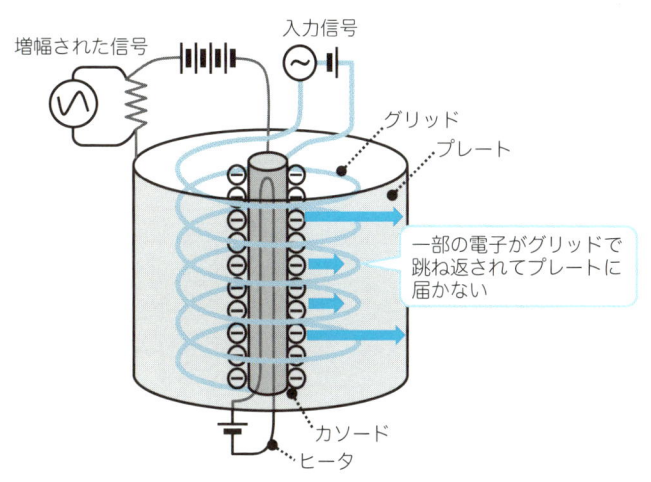

（写真提供：UECコミュニケーションミュージアム）

1-4-4　電波の存在の証明

マクスウェルの電磁波の存在の予言から20年以上経った1888年、ドイツの物理学者ハインリッヒ・ルドルフ・ヘルツが図1-4-4のような「ヘルツの実験」によって電磁波つまり電波の存在と空中伝搬が実験的に証明されると、それまでそれほど注目されていなかったマクスウェルの方程式が急に注目を集めることになりました。

ヘルツの実験では図1-4-4の左側の火花放電発生装置に誘導コイルを使って高電圧の振動電気を発生させ、その先を大きな蓄電球が付いた導線に接続し、放電球の間で火花放電が起きるようにしたものです。これで連続的に火花を発生させると、離れた場所にある金属リングの放電球の間で火花放電が起きるというものです。

誘導コイルではインタラプタ部が現在のベルのように電磁力でオンオフを繰り返すため、振動する電流つまり交流がコイルの一次側に流れます。これによる誘導で巻き数の多い二次側に振動する高電圧が発生します。これで導線の先の放電球間で放電が発生し、ある繰り返しの周期のとき、受信リングで火花が発生します。

　ヘルツはこの実験で両者の間に遮蔽物をおいたりして、電磁波が空間を伝搬していることを証明し、さらに伝搬速度が光速に等しいことも証明しました。

　ヘルツの電磁波の発見の最大の成果は**無線通信**で、その後のラジオ放送や無線電話へと発展します。このヘルツの業績から、周波数の単位が**ヘルツ（Hz）**と定められました。ヘルツの実験の繰り返し周期つまり周波数は60MHzから500MHz程度といわれています。

●図1-4-4　ヘルツの実験の概要

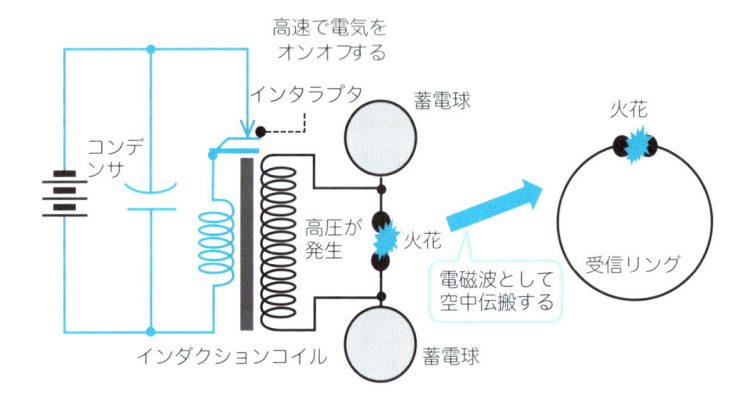

■電磁波の伝搬の原理

　ところで電磁波つまり電波はどうやって空間を伝わっていくのでしょうか。これは図1-4-5で説明されます。導線に交流の電流が流れるとアンペールの法則により変化する磁界が導線の周囲に連続的に発生します。この変化する磁界によりその先に変化する電界が発生します。この変化する電界によりその先に変化する磁界が発生します。これがさらに電界を発生するという具合に空間に電磁波が伝搬されていきます。

●図1-4-5　電磁波の伝搬

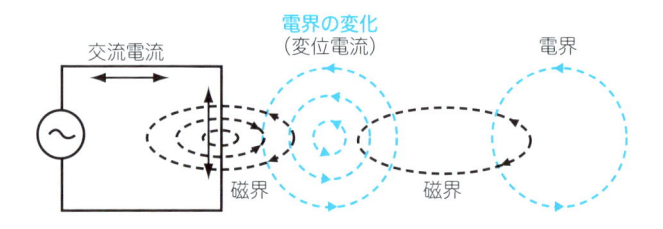

1-4 通信の歴史

この先に何らかの導線（アンテナ）があると、その導線に磁界により電流が生成されます。これが電波の受信ということになります。私たちの日常では、常に無数の電磁波が飛び交っていることになります。

1-4-5 無線通信のはじまり

1888年ヘルツにより電波の存在が証明されたあと、多くの人によって電磁波を無線電信に使う試みが実施されました。1895年にはグリエルモ・マルコーニ*がヘルツの送信機にアンテナとアースを付けて2.5kmの無線電信に成功しています。

さらにマルコーニは1901年には大西洋を横断する3400kmの無線通信に成功しています。この時の送信機の電圧は150kVというとんでもなく高い電圧で、蒸気機関による交流発電機を専用に用意して電力を供給するという大規模なものでした。アンテナも数十mという高さの大規模なものとなっています。このときの電波の周波数は数百kHzという説がありますが、定かではないようです。

マルコーニは1902年には受信機を改良してコイルをいくつも組み合わせることによって、特定の周波数を選択して受信できるようにしたものを開発しました。これで受信機の性能を飛躍的にアップさせることができ、1913年になって真空管式の受信機が開発されるまで使われました。こうして無線電信が実用化され、特に船舶との連絡手段として多く使われていきました。1912年のタイタニック号の遭難の際には、この無線電信により遭難の連絡と救助活動の連絡が行われました。

■無線電話からラジオ放送へ

無線電信と並行して音声を無線で送る無線電話も研究が活発に行われていて、1900年にフェッセンデン*が電信用送信機の電鍵の代わりに電話機の送話器を接続して音声を送信することに成功しています。1901年にはボース*によって方鉛鉱を使った「鉱石検波器」が発明され、安価で高感度の受信機を製作できたことから、無線の実験をする人、つまりアマチュア無線家がたくさん出現しました。ほぼ同時期に日本でも鳥潟右一*が鉱石検波器を発明していて、日本でもアマチュア無線家がたくさん出現しました。

1906年のクリスマスイブにフェッセンデンがクリスマスソングを50kHzで500Wの高周波発電機で送信し、それを多くのアマチュア無線家が鉱石ラジオで受信しています。これが最初のラジオ放送とされています。

さらに真空管の発明により、高感度な無線受信機が発明されました。アームストロング*が1912年に再生式の受信機を、1917年にはスーパーヘテロダイン方式*の受信機を発明しています。このあと第一世界大戦に入り、送受信

Guglielmo Marconi
1874-1937。イタリアの無線研究家、発明家。

Reginald Aubery Fessenden
1866-1932。カナダの発明家。

Jgadish Chandra Bose
1858-1937。インドの物理学者、SF作家。

鉱石検波器
半導体の性質を有する鉱石に金属針を接触させたもので、整流作用がある。点接触ダイオードの原型。

とりがたういち
1883-1923。日本の工学者。通信工学の権威で、無線電話機を発明した。

Edwin Howard Armstrong
1890-1954。アメリカの電気工学研究者で発明家。周波数変調（FM）を発明した。

スーパーヘテロダイン方式
受信電波をいったん低い中間周波数に変換してから増幅し検波する方式。

47

機も軍用の開発で大きく進歩しています。

　受信機と並行して送信にも真空管が使えることがわかり、1909年ごろには無線送信器も発明されています。このころからアマチュア無線家による無線放送が盛んに行われるようになり、1920年には最初の商業用ラジオ放送局KDKAにより世界初の公共放送がアメリカで行われています。その初の放送内容は、アメリカ大統領選挙の開票結果でハーディング大統領の当選を伝えています。いつの時代も先進的なアマチュアが大きなチャレンジをしています。

　1925年（大正14年）には日本初のラジオ放送が社団法人東京放送局（現NHK東京放送局）によって開始されました。本放送開始時にはウェスタン・エレクトリック社の1kWの真空管による送信機が使われ、受信機は当初は鉱石検波器を使った低感度のラジオ受信機でしたが、やがて真空管を使った高感度のラジオ受信機となっていきます。

　真空管も大型のものから小型なものへと大きく進歩していき、1960年代になると写真1-4-3のようなミニチュア管とかサブミニチュア管と呼ばれる非常に小さな真空管が開発され、真空管を使った携帯ラジオも開発されています。筆者も小学生のころ父親がどこかから真空管を使った携帯ラジオを手に入れて見せてくれたことがあります。筆者は中の構造を見たくてすぐ分解してしまい、結局壊してしまって怒られたことを覚えています。

●写真1-4-3　小型真空管の例

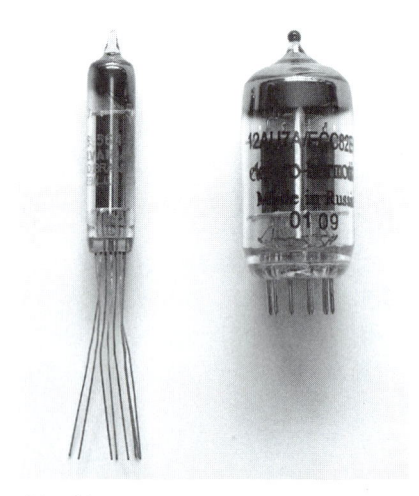

（林正樹ホームページ http://hayashimasaki.net/ より）

　1951年に接合型トランジスタが発明されると、真空管は瞬く間にトランジスタに置きかえられていきました。1955年には東京通信工業（現ソニー）によりトランジスタラジオが発売されています。1960年代には真空管ラジオはほぼトランジスタラジオに駆逐されてしまいました。

1-5 電子の発見と電子の振る舞い

マクスウェルが電磁波の予言をし、1888年にヘルツが電磁波の存在を証明して電磁気学の基本法則がすべてそろったころから、電気の本質的な理解を「量子論*」から理解しようとする研究が盛んになりました。つまり物質の分子や原子の構造をもっと深く理解し、電気の素が何かを追及する動きです。

> **量子論**
> 1900年にドイツのマックス・プランクがエネルギー量子という考え方で始めた理論、対義語は古典論。

1-5-1 電子の発見と原子構造の解明

■電子という命名

19世紀後半のころは 物質の最小単位が分子・原子であるという認識でしたが、これとは別に電流が存在し、金属中に電気を持った何か(フランクリンが言うところの電気流体)が流れていることも認識されていました。

例えば、クルックス*管と呼ばれる図1-5-1のような真空のガラス管の中でフィラメントを加熱すると何か正体のわからないもの(陰極線)が出ることが知られていました。電圧を加えて途中に何かを置くとガラスに影が映り、さらに磁石を近づけると影が動いて変形することもわかっていました。この現象については何らかのエネルギーが振動しているという波動説と、何らかの小さな粒子が飛び出しているという粒子説があり、いずれも決定的な証拠がつかめないでいました。

粒子説をとるイギリスの物理学者ストーニー*が、1891年電気流体にも最小の単位となる電気素量があるはずだということで、これを「エレクトロン(電子)」と呼びました。

> **William Crookes**
> 1832-1919。イギリスの化学者、物理学者が製作した真空放電管。

> **George Johnstone Stoney**
> 1826-1911。イギリスの物理学者。電気分解のイオンの帯電量から電気素量の存在を主張しelectronと呼んだ。

●図1-5-1 クルックス管

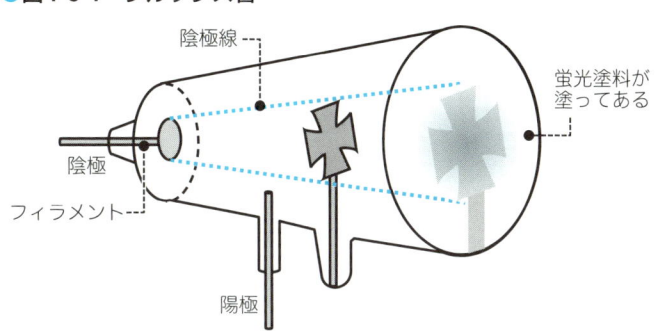

■電子の存在の特定と電荷の測定

その電子の存在を実験で確かめたのがJ.J.トムソン*です。1897年、これまでなかなか成功しなかった実験が、ガラス細工が進歩して高い真空度のガラス管ができるようになったことで、図1-5-2のようなガラス管で電子が電界により進行方向が変化することの定量的な確認に成功しました。この実験で影がプラス電源側に偏向することから、**電気の流れが「負電荷」を持つ粒子の流れである**ことを突き止めたのです。後にこの粒子をストーニーの命名にしたがって「電子」と呼ぶことになりました。

> **Joseph John Thomson**
> 1856-1940。イギリスの物理学者。電子と同位体の発見者で質量分析器の発明者。

●図1-5-2　J.J.トムソンの実験内容

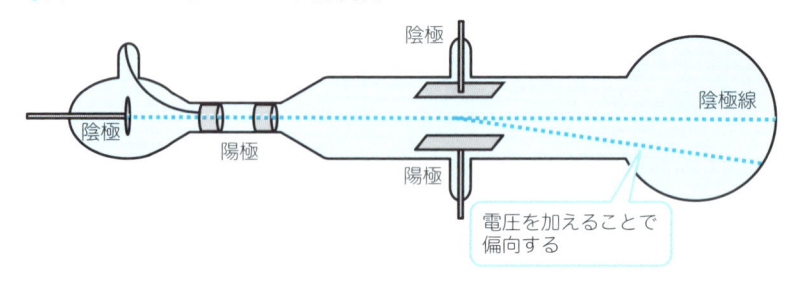

この電子の持つ電荷*の測定は、電荷が小さすぎてJ.J.トムソンの実験では測定不可能でした。しかし、1909年になってロバート・ミリカン*が図1-5-3のような「油滴の実験装置」を使って電子1個の持つ電荷の量を求めています。

> **電荷**
> 物体が帯びている電気、またはその電気の量。p.55参照。

> **Robert Andrews Millikan**
> 1868-1953。アメリカ合衆国の物理学者。電気素量の計測と光電効果の研究で知られる。

●図1-5-3　ミリカンの油滴の実験

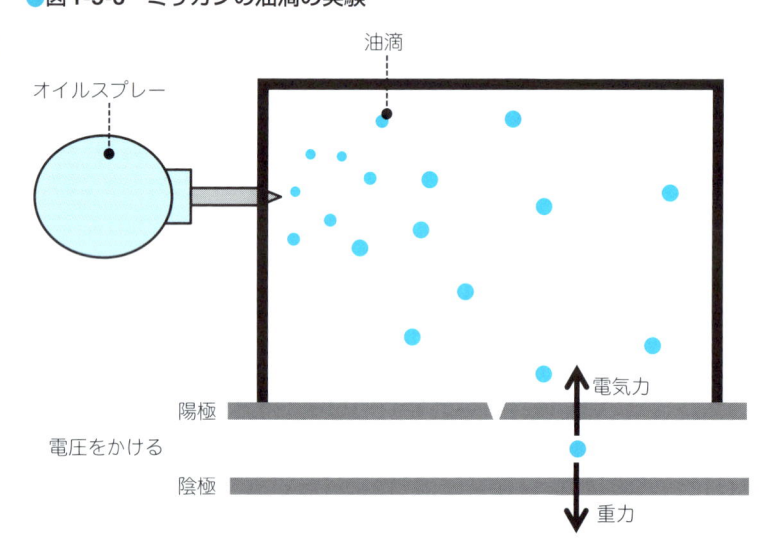

この実験では、図1-5-3の上部から非常に小さな油滴を放出し、それを帯電させます。その下に小穴のあいた2枚の金属電極を置き電圧を加えておきます。

1-5 電子の発見と電子の振る舞い

> **クーロン**
> 「電荷」の単位。p.55 参照。

そしてこの電極の間の電圧を調整して電極間に入ってきた油滴が静止するようにします。このとき重力と**クーロン力***(電気力)が釣り合ったことになります。

これでたくさんの実験を繰り返すうちに、測定値がいつもある特定値の整数倍になることがわかりました。油滴の電荷は電子の有限個でしかないことから、この特定値が電子1個の持つ電荷ということになります。この実験で電場の強さを知ることで電子1個の持つ電荷を導くことができ、求めた電子の電荷は、1.602×10^{-19} クーロンであることがわかりました。ミリカンはこの功績で1924年にノーベル賞を受賞しています。

■電子から原子モデルへ

ミリカンの実験は電子の粒子説の証明をしたことになります。これを元に原子の構成が推定され、プラス電荷をもつ核の周りをマイナスの電荷を持つ電子がまわっているという**惑星モデル**を長岡半太郎*が1903年に提唱しました。さらに1911年アーネスト・ラザフォード*によって原子核が発見され、同じような惑星モデルを発表しました。さらに1913年ニールス・ボーア*による「**ボーアの原子模型**」でモデルが確立されました。こうして原子は図1-5-4のように、電子と同じ電気量だが非常に重い陽子と電気量を持たない中性子で原子核が構成され、その周りを陽子と同じ数の電子が回転している構造であると結論づけされました。

> **ながおかはんたろう**
> 1865-1950。日本の物理学者。
>
> **Wrnest Rutherford**
> 1871-1937。ニュージーランド出身、イギリスで活躍した物理学者でファラデーと並び称される実験物理学の大家。
>
> **Niels Henrik David Bohr**
> 1885-1962。デンマークの理論物理学者。

●図1-5-4　原子の構造

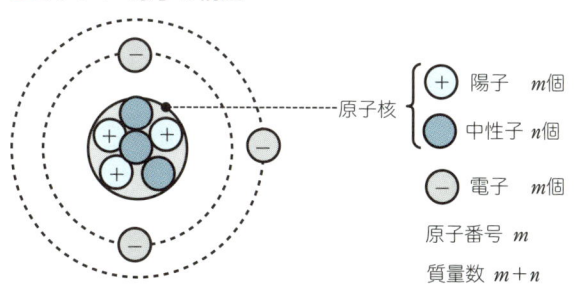

```
        原子核 ┤ ⊕  陽子   m個
               │ ●  中性子 n個
               │ ⊖  電子   m個

        原子番号 m
        質量数   m+n
```

1-5-2 電気の源は自由電子

■自由電子が電流のもと　電流の向きとは逆向き

電子は図1-5-4のように原子核の周囲を高速回転していますが、実は**一番外側の電子は原子の外側に飛び出すことがあります**。例えば金属の原子構造は結晶構造なので図1-5-5のように規則正しく並んでいますが、原子から飛び出した電子はこの結晶の中を自由に飛び回ることができます。これを「自由電子」と呼んでいます。

●図1-5-5　金属の原子構造と自由電子

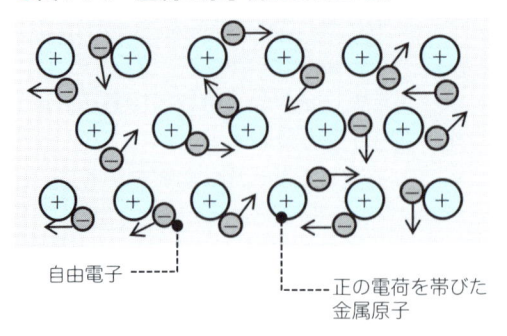

自由電子

正の電荷を帯びた
金属原子

　このような自由電子がたくさんある物質に図1-5-6のように電池を接続すると、自由電子はプラス側に引っ張られて一気に動きます。そして自由電子がプラス側で中和してなくなると、電池のマイナス側から同じ量だけ供給されます。これで一定の電子が右から左に流れ続けます。これが電気の流れ、つまり「電流」そのものになります。しかし、電流としてはプラス側からマイナス側に流れるとフランクリンが定義したので、向きとしては逆の左から右に流れているとみなされます。

●図1-5-6　自由電子の流れと電流の流れ

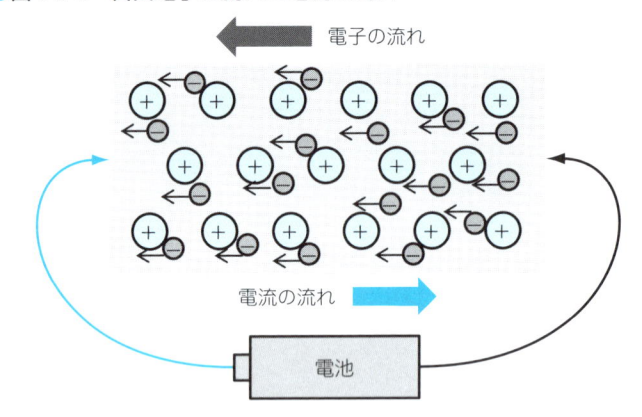

電子の流れ

電流の流れ

電池

■ 抵抗は自由電子の量で決まる

　物質の電気抵抗も自由電子の働きで決まります。金属のように自由電子がたくさんあって動きやすい物質を「導体」とよび、プラスチックのような電気を通さない物質を「絶縁体」と呼んでいます。この絶縁体の場合は自由電子がほとんどなく動けない状態となっています。
　しかし、物質がすべてこの導体と絶縁体の2種類に明確に分かれるわけで

はなく、自由電子の量と動きやすさにより中間に分類されるものも多くあり、これが電気の通しやすさ、つまり「電気抵抗」のもとになっています。

この抵抗の大きさは「電気抵抗率ρ」という寸法によらない指数であらわされ、物質固有のものとなっています。単位はΩ·mが使われます。つまり1m四方の物体の抵抗となります。これを使うと長さL、断面積Aの物質の抵抗Rは次の式で求めることができます。直感的にいうと、細い物質の自由電子は流れる量が少なくなるので抵抗が大きくなり、長い物質の場合も自由電子が流れて反対側に着くまでの時間が長くなるのでこちらも抵抗が大きくなります。

$$R = \frac{\rho L}{A}$$

代表的な物質の電気抵抗率は表1-5-1のようになっています。

▼表1-5-1　代表的な物質の電気抵抗率

物質名		電気抵抗率（Ωm）
金属	銅	1.7×10^{-8}
	アルミニウム	2.7×10^{-8}
	鉄	9.8×10^{-8}
	ニクロム	1.1×10^{-6}
半導体	ゲルマニウム（純物）	0.7
	シリコン（純物）	4000
絶縁体	紙	$10^4 \sim 10^{10}$
	人の皮膚	5×10^5
	乾燥木材	$10^{10} \sim 10^{13}$
	ガラス	$10^{10} \sim 10^{14}$
	ポリエチレン	$10^{16} \sim$

抵抗率が導体と絶縁体の中間にあるものを「半導体」と呼んでいます。この半導体の中には、抵抗率が中間というだけでなく特殊な特性を持つものがあります。それがゲルマニウムやシリコンで、不純物の有無やその含まれる率により抵抗率が大幅に変わったり、不純物の種類により自由電子が多いマイナスの状態や少なくなるプラスの状態になったりします。これがこの後ダイオードやトランジスタに使われることになります。

1-5-3 電子と静電気

■静電気の正体も自由電子だった

絶縁体には自由電子はほとんど存在しません。しかしこれらを擦り合わせると、図1-5-7のように摩擦エネルギーで片方からもう一方へ電子が移動します。こうなると電子の数にアンバランスが生じ、双方の電気量でプラスが多い側とマイナスが多い側に分かれることになります。これが静電気の現象で「帯電」するといいます。

●図1-5-7　静電気の発生原理

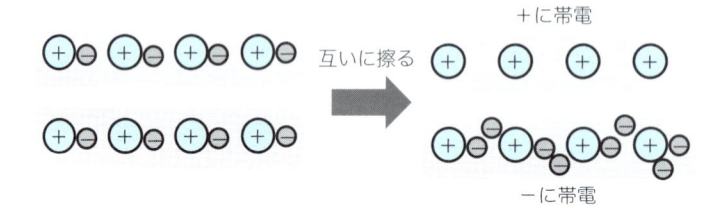

このような帯電による電子は絶縁体の中では動くことができず、表面に留まったままとなっています。このように動けない電気を「静電気」と呼んでいます。このプラスとマイナスに帯電した絶縁体同士を導体で接続すると、導体を通って電子が移動しプラスに帯電した絶縁体に流れ込みます。これを「静電気放電」と呼び、電子が流れ込んだ結果、互いの電気が打ち消しあって帯電がなくなります。これを「中和」するといいます。この現象から、電子はフランクリンが言った電気流体そのものであることがわかります。

この静電気は絶縁体の自由電子が少ないほど、つまり完全な絶縁体に近いほど溜りやすくなり、静電気が強くなります。十分強くなってくると、導体を接続しなくても近づけるだけで「放電」します。冬にドアのノブに手を近づけたときパチッとなるのもこの放電です。このような放電のエネルギーは小さいので、人体にはそれほどのダメージはありません。ライデン瓶で放電現象を見ることができるのも同じ原理ですが、ライデン瓶にはたくさんの静電気が蓄えられるので感電することもあります。注意してください。

静電気放電で巨大なエネルギーを持つものが雷放電です。雷放電は雷雲中の強い上昇気流と、あられやひょうなどの氷粒との間で起きる摩擦で発生した静電気が放電するもので、雷雲中で発生する雲放電は稲光となり、雲と大地との間で放電すると落雷となります。

1-5-4 電流を流す力 ～ 電圧

■電流の単位アンペアと、電荷の単位クーロン

電流が電子の流れであることがわかり、その大きさは単位時間あたりに移動する電子の量、つまり「電荷」の量で定義されます。この電流の単位は正確に測定する方法を発明したアンペールにちなんでアンペア（A）と呼ばれています。現在もアンペールの方法によってアンペアの単位が次のように定義されています。

1mの間隔で平行に配置された導体に流れる電流で、1mにつき2×10^{-7}ニュートン（N）の力を及ぼしあう電流の大きさを1Aとする。

このように電流の単位は電気が引き合うあるいは反発する力で定義されています。この電流の定義を使って電気の量つまり「電荷」の単位を「クーロン（C）」であらわしていて、**1Cは、1Aの電流が1秒間に運ぶ電気量**としています。

■力の単位ニュートン

力の単位ニュートン（N）はアイザック・ニュートン*に因んでつけられたもので、次のように質量と加速度で表されます。

力（N）＝質量（kg）×加速度（m/s^2）

この関係で力と重さがよく勘違いされます。重さと質量は地球上では基本的に同じとなり、力は地球の重力加速度（9.8m/s^2）を乗算したものになります。

つまり1kgの重さの物は質量も1kgで、地球上でその物を手で持ったときには、手に1kg × 9.8m/s^2 = 9.8kg・m/s^2 = 9.8Nの力を加えているということになります。また102gの物を持ったときに手に加わる力が1ニュートンとなります。

■電圧の定義

では、「電圧」とはどのようなものなのでしょうか。実は、オームは実験のとき電圧を全く計測していません。電流だけを計測して電気抵抗を発見しています。このときの電圧は、熱電対の起電力という定数として扱われています。

電圧は電気を流す力そのものですが、当初はボルタの電池一つ分を1ボルト（V）としたのです。当時の電源はボルタ電池を複数個接続したものですから、100Vといえば100個接続したものということで便利に使えました。

現在はこれとは異なり、電流がこなす「仕事量」から電圧を決めていて次のように定義されています。

Isaac Newton
1642-1727。イングランドの哲学者、数学者。ニュートン力学を確立した。

1Aの電流が流れる導体の2点間で消費される電力が1ワット(W)であるときの2点間の電圧を1Vとする。

この定義によればボルタの電池は1.1Vとなり、およそ昔の大きさの定義と同じ値になるように定義されています。

このように、電気の単位は実験等で使っていたものをベースにして決めた実用単位から始まっています。現在の単位の定義は後追いで正確に決められるようにしたものですが、適当に選んだ係数により従来の単位に近い値になるようにしています。

■電流が果たす仕事

先ほどいきなりワットという単位が出てきましたが、この単位は「仕事率」の単位になっていて、

　　1ワット＝1ジュール／秒

となっています。

つまり、1秒間に1ジュールの「仕事」ができるエネルギー量を表します。

物理学における仕事は力 × 距離で定義され、ジュールはすべての仕事量の単位で、1ジュールは、1ニュートンの力に抗して物体を1m動かすときの仕事量というのが現在の定義で次の式で表されます。

　　仕事(J)＝力(N) × 距離(m)＝質量(kg) × 重力加速度(g) × 距離(m)

直感的にわかりやすくいうと、**地球上で102グラムの物を1m持ち上げるときの仕事量が1ジュール**になります。102グラムの物には1ニュートンの力が加わっています。

電圧と電流の関係は図1-5-8の水圧と水流の関係と似ています。図1-5-8で水の場合の仕事量を考えると、単位時間に水流が果たす仕事は、流した水の量と位置の高低差（水位差）で決まります。電気の場合も同じで、単位時間の仕事量は電流と電位差（電圧）で表現できます。

●図1-5-8　水圧と水流　電圧と電流の関係

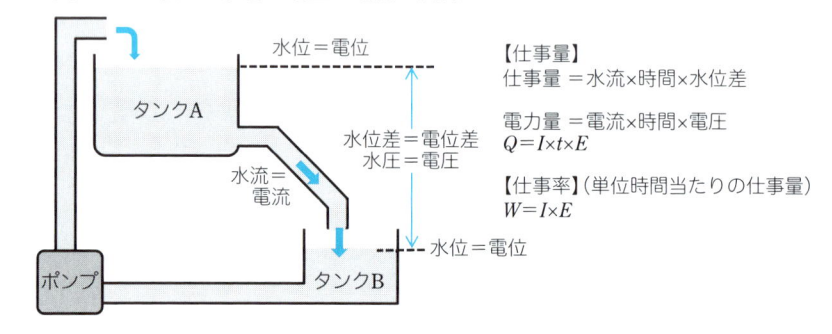

【仕事量】
仕事量 ＝水流×時間×水位差

電力量 ＝電流×時間×電圧
$Q = I \times t \times E$

【仕事率】(単位時間当たりの仕事量)
$W = I \times E$

1-5 電子の発見と電子の振る舞い

■馬力からワットへ ジュールの法則

ワットやジュールという単位が決められていった歴史もまた興味深いものがあります。

18世紀に入って蒸気機関が発明されて産業革命がおこりましたが、新しい蒸気機関が開発されたとき、それが従来のものに比べどの程度改良されたかを比較する必要がありました。この比較のためには、それぞれができる仕事の量を正確に測る必要がありました。

1780年頃、蒸気機関の改良をしていたイギリスの技術者、ジェームズ・ワット*は、この能力を測る単位として「馬力」を使いました。滑車を用いて馬に物を引き上げさせ、1分間に1.5トンの物を30cm引き上げる仕事率を1馬力としました。この功績で現在も仕事率の単位に「ワット(W)」を使っています。

現在のワットの単位で馬力を換算すると、1馬力 = 735.5W* となり、いくつかの力を馬力であらわすと次のようになります。

- 人間 ：0.1馬力
- 自動車 ：40 〜 300馬力
- 新幹線 ：22800馬力
- ジェット機：1万 〜 7万馬力

> **James Watt**
> 1736-1819。イギリスの発明家、機械技術者。
>
> **馬力**
> 日本の旧計量法では1馬力 = 750Wとしていた。

蒸気機関は熱を仕事に変えているわけですが、この仕事と熱の関係を見出したのが、アメリカのベンジャミン・トンプソン*でした。彼は大砲の砲身をくり抜く作業で際限なく熱が発生することに驚き、熱は物質が発生させるものではなく、運動の転化したものであるという推測をしました。つまり「運動エネルギー」が熱に変わるという発想です。

その後、イギリスの醸造業者のジェームズ・P・ジュール*が、1840年に電流による発熱を研究して「ジュールの法則」という電気と熱との関係を発見しています。この法則は、導線に発生する熱量Qは、電流Iの2乗と導線の抵抗値Rと電流を流している時間tの積に比例するというもので、下記となります。

> **Benjamin Thompson**
> 1753-1814。アメリカの科学者。
>
> **James Prescott Joule**
> 1818-1889。イギリスの物理学者。

$$Q = I^2 \times R \times t$$

これにオームの法則を適用すれば、電圧$E = I \times R$ なので

$$Q = I \times E \times t \quad \text{または、} \quad Q = E^2 \times \frac{t}{R} \quad \text{となります。}$$

また仕事率のワットWを使うと、

$$Q = W \times t \text{なので、} \quad W = I \times E = \frac{E^2}{R} \quad \text{となります。}$$

■熱と仕事の換算値の発見

　ジュールは、さらに1845年には熱も運動と同じエネルギーの一種であることを実験で確認し、熱の仕事当量を実験により求めています。つまり、何らかの系に**外部から加えられた仕事量と、系内に発生した熱の量とは比例している**ことを発見し、その比例係数（**熱の仕事当量J***）を求めています。これを使えば熱量もジュールで表現できます。

　この熱をエネルギーに含めることで、位置エネルギーと運動エネルギーの和が常に保たれているという「**エネルギー保存則**」につながっていきます。

　ジュールは図1-5-9のような羽根車を使った実験装置で仕事当量を求めています。図でおもりがゆっくり降下すると水槽の中の羽根車が回転し水を撹拌します。水は摩擦熱を受けて温度が上昇します。このとき上昇した温度により熱量を求め、おもりが動いた距離と質量により仕事量を求めて、仕事量と熱量が正確に比例していることを確かめています。

> **熱の仕事当量J**
> 現在の単位では、4.186J/cal。つまり仕事Eジュールと熱量Qカロリーの関係は $E = J \times Q = 4.186 \times Q$

●図1-5-9　ジュールの羽根車の実験

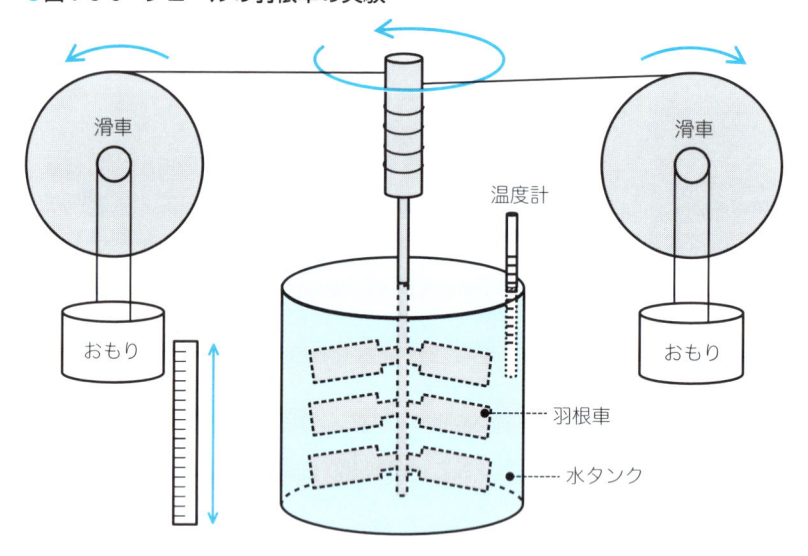

コラム

電気の単位

これまでで電気に関連する単位がたくさんでてきましたが、いずれも人名が基になっている単位がほとんどです。このため、固有名称を使うことになるので、電気の単位は最初の文字は大文字で書きます。さらに電気の大きさの範囲は非常に幅が広く、1/1000単位での修飾（接頭語）がたくさんあります。これらを一覧にすると表1-5-2となります。接頭語も大文字と小文字が決められていて、キロ以下は小文字で、メガ以上は大文字で書くことになっています。電気の単位でよく間違うのがキロで、小文字のkを使います。

また扱いにくいのがオームとマイクロで、いずれも基本は半角を使う必要があるのですがASCII文字には含まれていません。このため、回路図などでは半角のμが使えませんのでuで代替えして記述し、オームは回路図では記述を省略しています。

▼表1-5-2 電気関連主要単位の一覧表と接頭語

内容	単位	読み
電流	A	アンペア
電圧	V	ボルト
周波数	Hz	ヘルツ
電力・動力	W	ワット
仕事量・エネルギー	J	ジュール
力	N	ニュートン
電荷	C	クーロン
電気抵抗	Ω	オーム
静電容量	F	ファラッド
インダクタンス	H	ヘンリー
磁束	Wb	ウェーバ
磁束密度	T	テスラ

記号	読み	大きさ
f	フェムト	10^{-15}
p	ピコ	10^{-12}
n	ナノ	10^{-9}
μ	マイクロ	10^{-6}
m	ミリ	10^{-3}
k	キロ	10^{3}
M	メガ	10^{6}
G	ギガ	10^{9}
T	テラ	10^{12}
P	ペタ	10^{15}

1-6 ダイオードからトランジスタへ

電気が電子の働きによるものであることがわかり、電気抵抗はその電子の通しやすさであることがわかりました。そんな中で、電気抵抗率が絶縁物と導体の中間の値を示す半導体が、特別な特性を持っていることが発見されました。

ゲルマニウム (Ge) やシリコン (ケイ素) (Si) が代表的な半導体ですが、純粋な半導体は自由電子も少なくむしろ絶縁物に近いものです。しかし、これにほんのわずかに別の物質 (不純物) を加えると特別な性質を示すことがベル研究所で発見されたのです。この後の電気に関する開発には、ベル研究所の研究者たちが大きく貢献しています。

1-6-1 n型半導体とp型半導体

ベル研究所で発見された不純物半導体の特性は、二つの特性を示すことがわかっていました。

高純度のシリコンやゲルマニウムは表1-6-1の周期律表に示すようにⅣ族に属す元素で、どちらかというと絶縁物に近いものです。この元素にリン (P) やヒ素 (As) のようなⅤ族の元素をごく微量に入れて全体に拡散すると、リンやヒ素から自由電子が放出されて電気抵抗が急激に小さくなります。このような不純物を含む半導体は、自由電子 (これをキャリアと呼ぶ) の振る舞いで特性が決まるためマイナスつまりnegativeなので「n型半導体」と呼んでいます。

▼表1-6-1　周期律表の一部

族	Ⅱ	Ⅲ	Ⅳ	Ⅴ	Ⅵ
		5 **B** ホウ素 Boron	6 **C** 炭素 Carbon	7 **N** 窒素 Nitrogen	8 **O** 酸素 Oxygen
		13 **Al** アルミニウム Aluminum	14 **Si** シリコン Silicon	15 **P** リン Phosphorus	16 **S** 硫黄 Sulfur
	30 **Zn** 亜鉛 Zinc	31 **Ga** ガリウム Gallium	32 **Ge** ゲルマニウム Germanium	33 **As** ヒ素 Arsenic	34 **Se** セレン Selenium
	48 **Cd** カドミウム Cadmium	49 **In** インジウム Indium	50 **Sn** スズ Tin	51 **Sb** アンチモン Antimony	52 **Te** テルル Tellurium

数字は原子番号＝電子の数

次に、同じようにⅣ族の半導体の結晶にホウ素（B）などのⅢ族の元素を入れて拡散すると、今度は電子が不足した状態となるため見かけ上「正孔（ホール）」が放出された状態となって電気抵抗が急激に下がります。今度はこの正孔がキャリアとなって半導体の抵抗を小さくするので、プラスつまりpositiveなので「p型半導体」と呼んでいます。

■ pn接合の発明

> **Russel Shoemaker Ohl**
> 1898-1987。ベル研究所の材料工学の技術者。

1939年米国ベル研究所のラッセル・オル*が、レーダー用の受信用素子の性能改善の研究開発の中で、n型半導体とp型半導体を接合したpn接合を初めて作り出しました。どうやって接合するかというと、図1-6-1（a）のようにn型半導体にp型半導体用の不純物を少し拡散させて接合します。

こうして接合した部分を**pn接合**と呼びますが、この接合部を模擬的に示すと、図1-6-1（b）のように、接合の境界で正孔と電子が中和することで正孔と電子が少なくなっていきます。これにより、p型半導体部は正孔が減ってマイナスに帯電し、n型半導体は電子が減ってプラスに帯電することになります。この結果、双方の間に電界が生成されてしまいます。この電界が一定以上になると、中和しようとする正孔と電子の動きがはねつけられてそれ以上には中和が進まなくなり、あるところで安定な状態になります。このときできる境界のことを「空乏層」と呼んでいます。

●図1-6-1　pn接合ダイオード

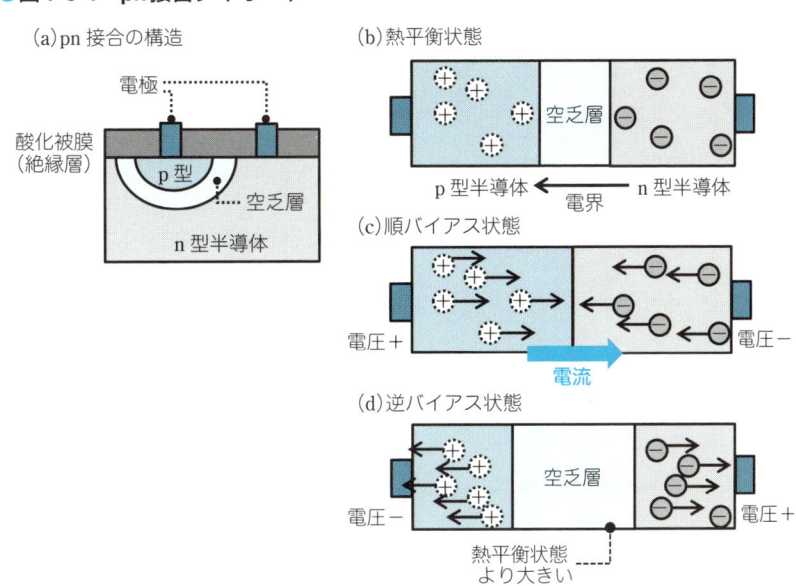

■ダイオード特性の発見

　空乏層ができて安定した状態のpn接合に、図1-6-2 (c) のような向きで電圧を外部から加えると、空乏層の電界より大きな電圧で正孔と電子が引き寄せられるため空乏層を超えて電子と正孔が自由に移動し中和します。中和によりなくなった正孔と電子と同じ量だけ電源の電極から供給されるので、ずっと流れ続けます。つまり電流が流れることになります。この状態を「順バイアス状態」と呼んでいます。

　今度は電圧を逆向きに加えてみます。そうすると電子と正孔が電極側に引き寄せられて空乏層が広がり、正孔や電子は全く流れない状態となります。つまり電流が流れません。この状態を「逆バイアス状態」と呼んでいます。

　このようにしてpn接合では片方向にしか電流を流さないという「整流作用」があることがわかりました。これが接合型ダイオードの発見となりました。1939年のことです。

　ラッセル・オルはこのpn接合のダイオード特性だけでなく、pn接合に光を当てると電流が流れるという「光起電力」も発見しており、これが現在の太陽電池の基になっています。

　現在のシリコンを使ったpn接合の電圧と電流の特性は図1-6-2のようになります。逆方向では電流はほぼ0ですが、順方向電圧で0.7Vを超えると急激に電流が流れるようになります。この0.7Vが熱平衡状態のときに空乏層により生成される電界です。

●図1-6-2　ダイオードの電圧電流特性

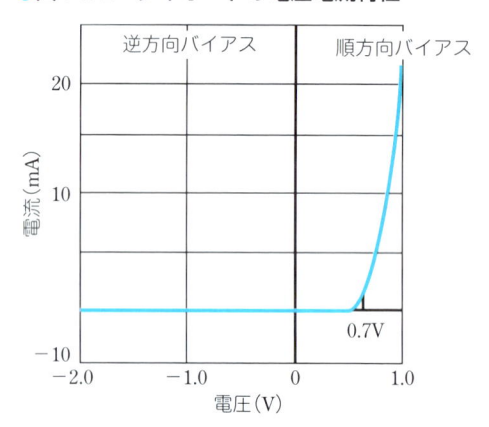

1-6-2 接合型トランジスタの発明

■点接触型トランジスタの発明

最初のトランジスタを発明したのは、ラッセル・オルと同じベル研究所のウォルター・ブラッテン*とジョン・バーディン*の2人です。

彼らは半導体表面の電子の振る舞いを調べていたのですが、あるとき、実験装置を恒温槽の水槽の中に落としてしまいました。この実験装置を乾燥させて実験を再開したところ、驚いたことに大きな増幅率を示すことを発見したのです。その後試行錯誤を繰り返して、1947年にバーディンとブラッテンによってゲルマニウム半導体に電極を接触させた点接触型トランジスタが発明されました。しかし、この点接触型トランジスタは確かに増幅作用があったのですが、量産が難しく安定に動作しないことから広く実用になることはありませんでした。

■接合型トランジスタの発明

同じころ、同じベル研究所のウィリアム・ショックレイ*は、彼らとは異なる方向で研究を進めていました。彼はラッセル・オルのpn接合の発明をさらに発展させ、1951年にゲルマニウムの接合型トランジスタ（バイポーラトランジスタ）を発明しました。続いて1954年にはテキサス・インスツルメント社のゴードン・テル*がシリコンの接合型トランジスタを発明しています。この接合型のほうが安定で量産にも適していたため市場で広く使われるようになりました。

■日本でのトランジスタラジオの開発

1952年に東京通信工業（現ソニー）の井深大*がアメリカ合衆国での技術研修中にこのトランジスタのことを知り、翌年1953年に盛田昭夫*がアメリカに渡り、ベル研究所の親会社であるウェスタンエレクトリック社とトランジスタ特許のライセンス使用契約を結んで日本でのトランジスタラジオの開発が始まります。最初のトランジスタラジオ（TR-55）の発売は1955年で、このときにはシリコン接合型トランジスタが使われています。この後東京通信工業はトランジスタ量産の歩留まりを大きく改善して莫大な利益を得ることになります。この改善の途中の1957年に江崎玲於奈*がトンネル効果*を発見しています。

■接合型トランジスタの構造

接合型のトランジスタは図1-6-3（a）のような構造をしています。pn接合にさらにもう一つの接合を追加した構造になっています。p型とn型どちらを基板にするかによってnpn型とpnp型の2種類があります。

Walter Houser Brattain
1902-1987。アメリカの物理学者。

John Bardeen
1908-1991。アメリカの物理学者。ノーベル賞を2回受賞している。

William Bradford Shockley Jr.
1910-1989。アメリカの物理学者。

Gordon Kidd Teal
1907-2003。アメリカの技術者。

いぶか まさる
1908-1997。日本の電子技術者で実業家。ソニー創業者の一人。

もりた あきお
1921-1999。日本の技術者で実業家。ソニー創業者の一人。

えさき れおな
1925-。日本の物理学者。

トンネル効果
本来乗り越えることができないエネルギー障壁を量子効果により乗り越えてしまう現象（トンネルを透過するように見える）。

それぞれに電極が付加されて、「**ベース（B）**」、「**エミッタ（E）**」、「**コレクタ（C）**」という名称で呼ばれています。対称な構造なので本来はエミッタとコレクタには区別はないのですが、寸法的に非対称にし、さらに不純物の濃度もエミッタ側をはるかに高い濃度にすることで電子（npnの場合）または正孔（pnpの場合）がたくさん存在する状態にして区別しています。

●図1-6-3　npn接合型トランジスタ

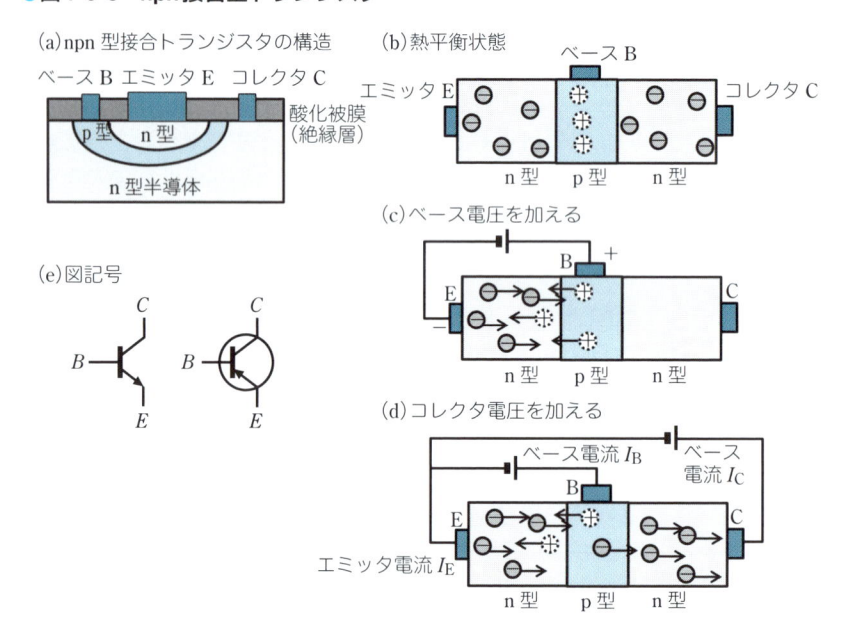

(a) npn型接合トランジスタの構造
ベースB　エミッタE　コレクタC
酸化被膜（絶縁層）
p型　n型
n型半導体

(b) 熱平衡状態
エミッタE　ベースB　コレクタC
n型　p型　n型

(e) 図記号

(c) ベース電圧を加える
n型　p型　n型

(d) コレクタ電圧を加える
ベース電流 I_B　ベース電流 I_C
エミッタ電流 I_E
n型　p型　n型

この状態で、例えばnpn型トランジスタで何も電圧が加わっていない熱平衡状態では、図1-6-3（b）のようにベースの両側の空乏層でさえぎられて正孔と電子が動けない状態となっています。

これに図1-6-3（c）のようにベースとエミッタ間のpn接合に順方向電圧を加えます。これでベースとエミッタ間に電流が流れますが、ベースとコレクタ間には空乏層があるのでコレクタには電流は流れません。エミッタ側にはたくさんの電子があるのですが、ほんのわずかの分だけがベースに流れ込んでいくだけとなります。

この状態にさらに図1-6-3（d）のようにコレクタとベース間に順方向電圧を加えると、これまで空乏層にさえぎられていた電子が一気にコレクタに向かって流れていきます。ベースに引き寄せられた電子の大部分が薄いベースを通り越してコレクタに向かって流れていくことになります。

この状態で、ベースに流れる電流を変化させると、コレクタに向かう電流も同じように変化します。このように**コレクタに向かう電流がベース電流で**

1-6 ダイオードからトランジスタへ

コントロールできることになり、しかもベースに流れる電流はわずかでも、大きなコレクタ電流を制御できることになります。つまり電流の変化を「増幅*」できることになります。これが接合型トランジスタの特性で、電流増幅機能を持っています。

> **増幅**
> もともとは交流信号の振幅を大きく増すことを指す。ここでは電流の小さな変化を大きな電流変化にすることを指す。

図1-6-4 (d) のように、ベース電流をI_B、コレクタ電流をI_C、エミッタ電流をI_Eとすれば、次の式が成立します。ここでh_{FE}を**電流増幅率**と呼んでいて、トランジスタが何倍電流を増幅できるかを表します。

$$I_C = h_{FE} \times I_B$$
$$I_E = I_B + I_C$$

このような特性を利用して、トランジスタは増幅器として多用されることになります。

1-6-3 電界効果トランジスタの発明

> **Steven R. Hofstein**
> 1938-。RCA研究所技術者。
>
> **Frederic P. Heiman**
> RCA研究所技術者。
>
> **MOS電界効果トランジスタ**
> Metal-oxide-semiconductor Filed-Effect Transistor。
>
> **電界効果トランジスタ**
> Filed-Effect Transistor。

接合型トランジスタに対して1962年RCA研究所のスチーブン・ホステン*とフレデリック・ハイマン*によって実用的な**MOS電界効果トランジスタ***(**MOSFET**)が発明されました。電界効果トランジスタ*のアイデアそのものはショックレーも持っていたといわれています。

このMOSFETトランジスタの構造は図1-6-4 (a) のようになっています。それぞれに電極が付加されて、「**ゲート (G)**」、「**ソース (S)**」、「**ドレイン (D)**」という名称で呼ばれています。またp型半導体を基板にしたものをnチャネル型MOS (nMOS)、n型半導体を基板にしたものをpチャネル型MOS (pMOS) と呼んでいます。

nMOSの場合、ゲートに電圧が加わっていない場合には、図1-6-4(b)のように、ソースとドレイン間には空乏層しかないので電流は流れません。しかし、ここで図1-6-5 (c) のようにゲートにプラスの電圧が加わると、対向する面に電子が集まり電子の橋(チャネルと呼ぶ)を構成するようになります。この電子の橋を経由してソースとドレイン間を電子が移動するようになります。つまり電流が流れるようになります。このチャネルの幅や太さはゲートに加わる電圧によってコントロールされますので、流れる電流の大きさがゲートの電圧で制御されることになります。

このように電界効果トランジスタでは、接合型トランジスタとは異なり、**ゲートの電流ではなく電圧でドレインとソース間の電流を制御する**ことになります。しかもゲートは酸化被膜で半導体部とは絶縁されているので、非常にわずかな漏れ電流しかゲートには流れません。増幅とは同じものの大きさを大きくすることですから、MOSFETの場合は正しくは増幅とは言えません。しかし、

電力で見れば確かに増幅をしていることになるので、常識的には増幅と呼んでもよいかと思います。

● 図1-6-4　MOSFETの構造

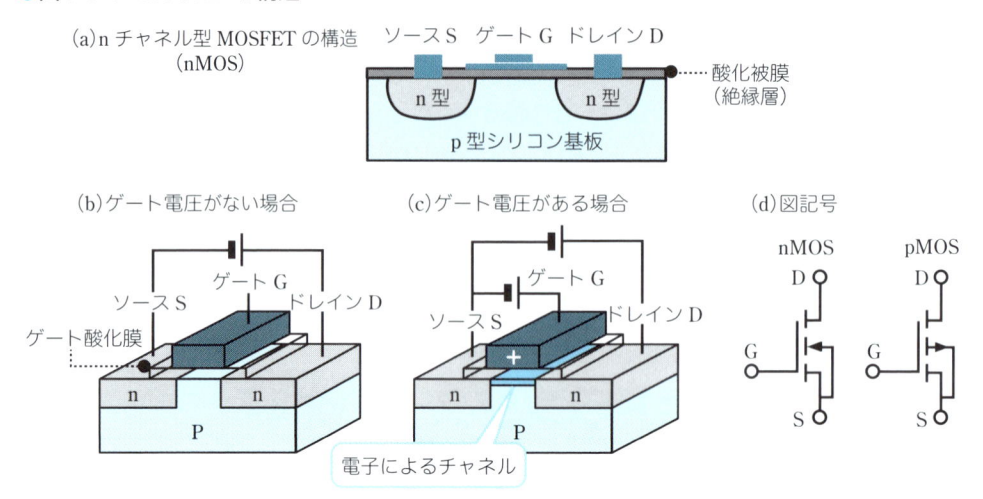

(a) n チャネル型 MOSFET の構造（nMOS）

(b) ゲート電圧がない場合

(c) ゲート電圧がある場合

(d) 図記号

　　MOSFETのドレインとソース間の抵抗は、ゲートに電圧が加わっていないときは全く電子が動かないので極めて高抵抗ですが、ゲートに一定以上の電圧が加わると急激に電子が流れる状態となって極めて低い抵抗となります。このようにドレインとソース間の電流をオンオフする特性が優れていることから、MOSFETトランジスタの多くは**半導体スイッチ**として活用され、デジタル回路で多用されています。

1-7 電子計算機からマイクロプロセッサの発明

　第二次大戦中に、航空機や戦艦、各種兵器の制御のため非常に多くの研究開発が行われ、制御の技術が急速に進歩しました。戦後になると、これらの技術が化学工業や石油工業の制御に取り入れられ自動制御が発展していきました。

　これらの制御には電子回路が一般的に使われていましたが、当初はアナログ回路による制御が基本的な方法でした。真空管やトランジスタが発明されると電子制御にも当然のように使われていきましたが、いわゆる**アナログコンピュータ***として実時間で動作を解析しながら即制御を実行するという方式でした。

> **アナログコンピュータ**
> 電子回路で加減乗除などの演算回路を構成してリアルタイムで演算を実行するコンピュータ。

1-7-1 電子計算機のはじまり

■電子計算機の開発

　このころの計算機は手動の機械式計算機か、せいぜいリレーを使った計算機が主流でした。しかし、第二次世界大戦の中で弾道計算のための計算を高速に行うというニーズが強く、その計算を高速にできる計算機として写真1-7-1のような「ENIAC」*という真空管を使った**電子式計算機**（**デジタルコンピュータ**）が開発されていました。

> **ENIAC**
> Electronic Numerical Integrated and Computer。アメリカで開発された黎明期の電子計算機。デジタル式でプログラムを組み替えることができた。

●写真1-7-1　ENIAC の外観

この計算機はペンシルバニア大学で開発されていましたが、18,000本以上の真空管が使われていたため、計算上は6分に一度真空管が壊れてしまうことになり、そのままでは実用になりませんでした。部屋の温度を一定に保ったり、さまざまな工夫を加えたりして、1946年にやっと長時間運用可能な計算機が公開されました。これで1秒間に5千回の計算が可能となり、24時間かかっていた計算を30秒で終わらせることができました。

しかしこのような大がかりな装置では簡単には作れません。そこで次の世代の電子計算機としてフォン・ノイマン*のアイデアを基に、1951年「UNIVAC」という初めての商用電子計算機がレミントン・ランド社で開発され発売開始されました。5000本の真空管で構成され速度もENIACより1ケタ以上高速になっています。

このUNIVACにそれまで牙城だった市場を奪われたIBM*社は、これに対抗する形で電子計算機の開発をはじめ、1953年にUNIVACの対抗機を開発完了しています。この後は1961年IBM社がIBM360という有名な大型電子計算機に集積回路（IC）を採用し、この市場を支配するようになっていきます。

■ICの発明とミニコンピュータの出現

コンピュータが本格的に制御に使われるようになるのは、集積回路（IC*）が発明され、ICによるデジタルコンピュータが実現されてからです。

1958年にテキサス・インスツルメンツ社のジャック・キルビー*がゲルマニウムを使った集積回路を開発、1959年にはフェアチャイルドセミコンダクター社のロバート・ノイス*がシリコンでできた現在と同じ構造の集積回路（IC）を開発しました。

1960年代初頭にはICによるオペアンプ*が登場し、アナログコンピュータも小型で高速化されましたし、多くのアナログによる制御回路も安定な動作が確保できるようになりました。それまでのトランジスタによる制御機器は部品点数が多く、温度変動や部品の経年変化などで常に変動要素が入るため、安定な動作を長時間継続することは至難の業でした。これらをオペアンプで作ることで、安定で確実な動作をさせることができるようになりました。

これと同時期にデジタルICも開発されました。このデジタルICはミサイルやアポロなどの誘導用大型コンピュータに大量に使われたことで急速に進歩しています。

大型の電子計算機に対し、もっと小型で安価なコンピュータということで開発されたのが、1959年DEC*から発売されたPDP（Programmed Data Processor）で愛称を「ミニコンピュータ」としていました。この世界初のミニコンピュータにもさっそくICが採用され、より小型で安価な製品となっていました。何世代かを経た後1970年に写真1-7-2のような「PDP-11」というLSI*を多用して小型高速化を実現したミニコンピュータが発売され、これが事実

John von Neumann
1903-1957。アメリカの万能の科学者で20世紀の最重要人物のひとり。

IBM
International Business Machine。

IC
Integrated Circuit。

Jack St. Clair Kilby
1923-2005。アメリカの電子技術者。

Robert Norton Noyce
1927-1990。フェアチャイルドセミコンダクターとインテルの共同創業者の一人。

オペアンプ
Operational Amplifireの略。アナログ入力を一定の比で増幅して出力する機能をもつ。

DEC
Digital Equipment Corporation。

LSI
Large Scale Integration。たくさんのトランジスタを集積したICで高機能化を実現している。大規模集積回路とよばれる。

上のミニコンピュータの標準となっています。この後ミニコンピュータは多くのメーカから発売され、科学技術計算用のコンピュータとして多用されたことで、制御理論も大きく進歩しました。

●写真1-7-2　PDP-11の外観（発売当初のパンフレットより）

　日本でも1969年になって日立、富士通、日電、沖などの各社からミニコンピュータが発売され、1970年代はPDP-11を追従する形で各社から新製品が発売されています。

　筆者もこのころミニコンピュータを使った制御システムをいくつか開発しています。ミニコンピュータといっても、8ビットのCPUで64kバイトのメモリを接続すると冷蔵庫より大きなものになっていました。現在では同等以上の性能のものがワンチップのICで構成できてしまいます。

1-7-2　電卓戦争からマイクロプロセッサの発明へ

　電子計算機でICが大量に使われ量産されて安価になってきたことで、この後ICが大量に使われたのが電卓でした。1960年代から70年代のことです。

　1967年にテキサス・インスツルメンツ社が集積回路を使った電子式卓上計算機を開発すると、日本国内においても電子機器メーカが相次いでIC電卓を発表し、70年代終わりまで熾烈な「電卓戦争」を展開しました。

写真1-7-3(a)のCS-31Aは1966年に早川電機(現シャープ)が初めてICを使って開発した電卓です。しかしこれにはICが28個とトランジスタが553個も使われていて、まだまだIC化というには程遠いものでした。これが、わずか3年後の1969年になると、同じく早川電機が出した写真1-7-3(b)のQT-8Dでは、わずかIC4個だけの構成になりました。このように驚異的な変化の速さから電卓戦争といわれています。

●写真1-7-3　初期のIC電卓
(a) CS-31A　　　　　　　　　　(b) QT-8D

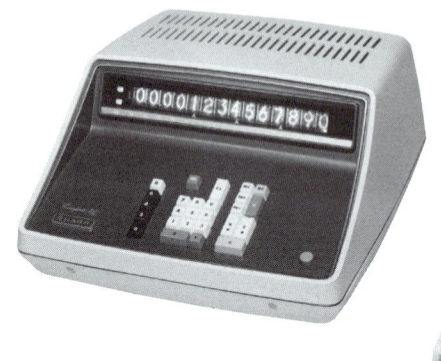

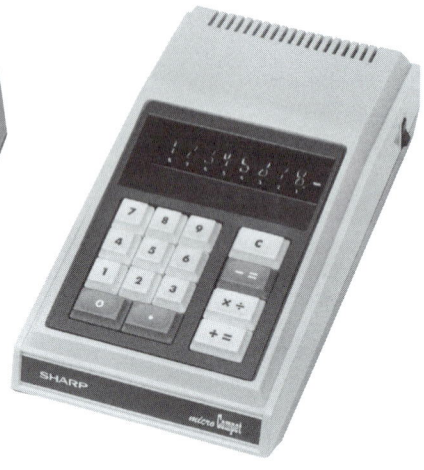

（写真提供：シャープ株式会社）

■マイクロプロセッサの発明

　電卓戦争がピークに差し掛かっていた1969年、早川電機(現シャープ)がLSIを採用した電卓「QT-8D」の発売を開始すると、電卓業界は急速にLSI化への道を進み始めました。

　そんな中、電卓メーカのビジコン社は電卓のタイプごとに異なるカスタムLSIを開発しないで、メモリ内容を書き換えることで異なる電卓機能を果たせるようなLSIを企画していました。

　ビジコン社はその企画したLSI開発の提携先にインテル社を選び、開発責任者として嶋正利[*]が渡米することになりました。このときサンフランシスコ空港に迎えに来たのが後に世界初のマイクロプロセッサの共同開発者となるテッド・ホフ[*]でした。

　当初のビジコン案は、電卓全体の方式はプログラム論理制御で、電卓の基本回路を用意して、それらを電卓の用途に対応させてプログラムで組み替える方式でした。さらに表示器やプリンタなどの周辺機器の制御はそれぞれに対応する専用LSIを用意するというもので、電卓専用のものになっていました。

しま まさとし
1943-。日本のマイクロプロセッサアーキテクト。

Marcian Edward Hoff Jr.
1937-。通称 Ted Hoff。アメリカの技術者。

1-7 電子計算機からマイクロプロセッサの発明

インテル側はビジコン社の提示する開発の規模と価格に対応できず難色を示していたため、開発は暗礁に乗り上げた状態でした。実は、インテル社もこの開発のための技術者の採用が難航し開発に着手できないという事情もあったようです。というのも、このころはすでに大型コンピュータやミニコンピュータが市場で広く使われており、それらはみな16ビットか32ビットの構成でしたから、電卓用のICの開発は技術者からはいまさらという感じで敬遠されてしまっていたようです。

このような行き詰った状況の中で、テッド・ホフが当初案のような電卓専用ではなく、4ビットの汎用のコンピュータのようなものとし、プログラムで電卓の機能を実現し、周辺の制御もプログラム制御で行うことで周辺ICの数を減らすという案を提示しました。最終的に、テッド・ホフの提案に若干の変更を加えた内容で契約が交わされ開発が開始されました。

嶋が論理設計し、当時のインテルの技術者フェデリコ・ファジン[*]が物理設計[*]を行って開発が進められ、1971年このLSIの開発が完了し動作が確認されています。これが世界初の「**マイクロプロセッサ**[*]」の誕生です。

このマイクロプロセッサの開発の中でその汎用性に気付いたファジンは、インテル社トップにビジコン社の独占使用権をなくすよう進言し、インテル社はビジコン社との契約を変更してこのマイクロプロセッサの販売権を得ています。これがその後のビジコン社とインテル社の大きな差を生む要因となったといっても過言ではないでしょう。

そして1971年11月インテル社は周辺のLSIやプログラム開発環境をセットにし、「MCS-4[*]」という世界初のマイクロプロセッサシステムとして発表し発売を開始しました。このMCS-4は次のような4チップで構成されていました。

- 4001：2kビットのマスクROM[*]
- 4002：320ビットのRAM
- 4003：10ビットシフトレジスタ兼出力ポート
- 4004：CPU[*]

●写真1-7-4　世界初のマイクロプロセッサ4004

（By Stelo.xyz, Pttn, or Thomas Nguyen, CC BY-SA 4.0,
https://commons.wikimedia.org/w/index.php?curid=47684767）

Federico Faggin
1941-。イタリア生まれの物理学者　インテルの技術者、後にザイログ社の創業者となっている。

LSIの物理設計
回路設計とICのマスクレイアウト。

マイクロプロセッサ
本節の後半ではマイクロプロセッサとマイクロコントローラ（マイコン）とを区別しているが、このころは区別がない。

MCS
Micro Computer Set。

ROM
Read Only Memory。読み出し専用メモリ

RAM
Random Access Memory。読み書き可能メモリ

CPU
Central Processing Unit。コンピュータの中心的な処理装置として働く電子回路、中央演算処理装置と呼ばれる。

当時、すでにミニコンピュータが多くの制御システムに使われていましたが、ミニコンピュータよりはるかに小型で安価なコンピュータが出現したということで大いに注目されました。

筆者もさっそく購入し手に入れました。A4サイズの本の厚さくらいの段ボール箱にいくつかの金色のチップが梱包されていたことを覚えています。しかし、4004は実用製品には機能不足で、まだまだ市場に広がるまでには至りませんでした。それでも将来の可能性を秘めたものであることは誰しも確信できるものでした。

ファジンは4004に続いて8ビットに拡張した「8008」を開発しています。さらにこの後インテル社は1972年嶋をスカウトし、ファジンを開発責任者として8ビットの高機能化を図った次の製品「8080」を開発しています。このあたりから市場で一般的にマイクロプロセッサが使われ始めたといってよいでしょう。

筆者も8080を使って試作装置を開発しました。当時のプログラム開発はミニコンピュータを使ったアセンブラ言語*による開発で、これを翻訳するアセンブラやデバッグツールも自分たちで開発していました。

メモリへのプログラムの書き込みは当時のミニコンピュータで使われていた方法と同じで、テレタイプライタASR-33を使った写真1-7-5のような「さん孔紙テープ*で行うもので現在からは隔世の感があります。

> **アセンブラ言語**
> 機械語に1対1に対応した言語。

> **さん孔紙テープ**
> 列に8個の穴があいている紙テープで、1バイトが1列で表現されていた。穴が開いていれば1、なければ0とみなされた。

●**写真1-7-5　さん孔紙テープの外観**

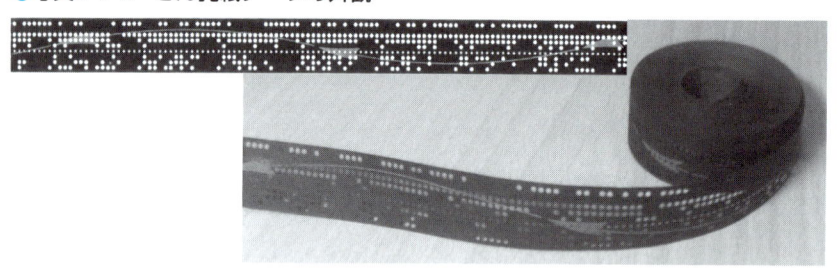

（写真提供：http://elroy.extrem.ne.jp/tsuzuri/computer.html）

その後のファジンは、当時のインテル社がメモリ製造を主軸としていたため、1974年インテルを退職しマイクロプロセッサ専門メーカとして「ザイログ社」を創業しています。

嶋正利も、この後インテル社をスピンアウトしてファジンが創業したザイログ社に加わっています。1976年このザイログ社から8ビットの高性能マイクロプロセッサ「Z80」が発売されています。Z80は高性能であったため、多くの制御装置に使われましたし、パソコンのCPUとして使われたこともあります。

1-7-3 マイクロプロセッサの発展

　4ビットから始まったマイクロプロセッサは、8ビットになって市場で使われるようになると性能向上が強く求められるようになり、16ビット、さらに32/64ビットと急激に進歩し、矢継ぎ早に新製品が開発され発売されていきました。その開発の中心となったのはインテル社です。

　しかし、家電製品や制御装置では4ビットや8ビットの小型マイクロプロセッサが多く使われており、やはりその性能や機能向上が求められていました。このためマイクロプロセッサの開発は図1-7-1のように当初のインテル社を中心とした「**マイクロプロセッサ**」と、もっと小型安価で高機能なものを求める「**マイクロコントローラ**＊」に分かれて開発がすすめられることになります。

> **マイクロコントローラ**
> 本書ではこちらをマイコンと呼ぶ。

●図1-7-1　マイクロプロセッサ発展の二つの流れ

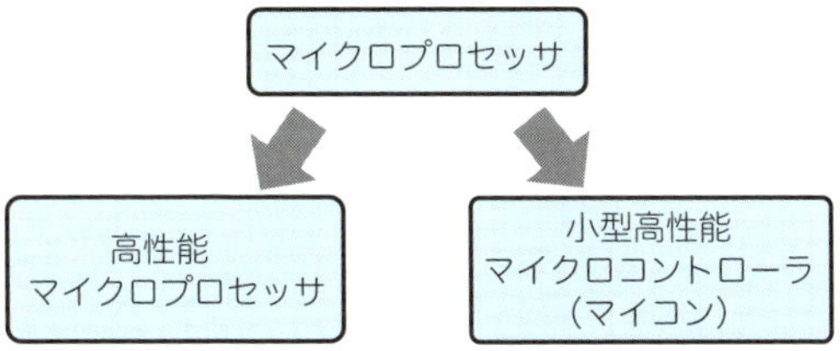

```
            マイクロプロセッサ
           ↙              ↘
     高性能              小型高性能
  マイクロプロセッサ    マイクロコントローラ
                        （マイコン）
```

　　用途：　　パーソナルコンピュータ　　　家電、産業用制御機器
　　　　　　　ワークステーション　　　　　ロボット、人工衛星など
　　性能、仕様：32/64ビット　　　　　　　　8/16/32ビット
　　　　　　　高性能プロセッサ　　　　　　周辺機能内蔵ワンチップ
　　生産メーカ：インテル、AMD　　　　　　　ルネサス、フリースケール
　　　　　　　　　　　　　　　　　　　　　インフィニオン、マイクロ
　　　　　　　　　　　　　　　　　　　　　チップ・テクノロジー

■驚異的なマイクロプロセッサの性能向上

　パソコンを主な用途とするマイクロプロセッサ側の開発は、インテル社を中心として性能向上が継続され、32ビット、64ビットへと高性能化が進んでいきました。その性能向上に伴うマイクロプロセッサチップのトランジスタの集積度アップの早さは図1-7-2のように驚異的なものです。**ムーアの法則**＊と呼ばれ2年で2倍の集積度になっていきます。100万トランジスタはPentinumであっという間に超え、現在は10億個を超えるトランジスタが集積される世界となっています。

> **ムーアの法則**
> インテル社のゴードン・ムーアが論文で示した経験則。

1-7　電子計算機からマイクロプロセッサの発明

1　電気の発見からトランジスタの発明まで

73

●図1-7-2　ムーアの法則に沿う集積度アップ

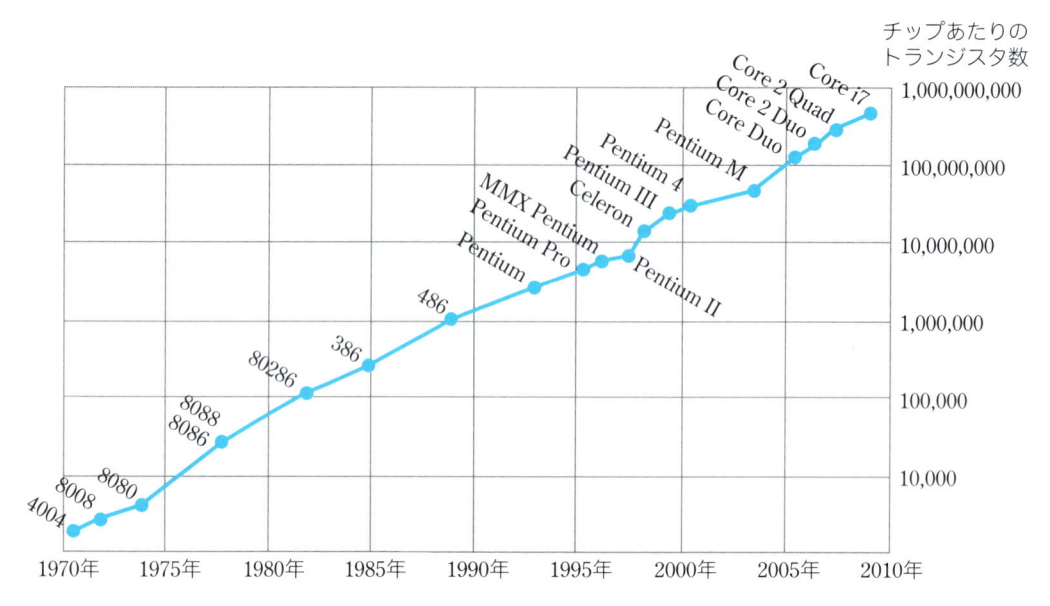

（データ：インテル社Webサイトより）

■ワンチップ化が進むマイクロコントローラ

　マイクロプロセッサ側が性能向上のため集積度を驚異的に高めていったのに対し、マイクロコントローラ（以降マイコン）側は多くの周辺機能を内蔵させたワンチップ化へと進んでいきます。

　当初のマイクロプロセッサは、ICの集積度をあまり高くできなかったので、機能ごとに独立のICで構成され、図1-7-3（a）のような外部バス構造として、アドレスバスとデータバス上に周辺制御用のICを接続しプログラムで制御するというものでした。この構造では多くの配線や多ピンのコネクタが必要で、産業用途ではコストアップとなり、構造上も小型化を難しくしていました。

　しかし、マイコンではマイクロプロセッサほどのCPU性能は必要なく8ビットや16ビットが中心でしたから、CPU本体のトランジスタ集積度はそれほど必要ありません。そこで、LSIの集積度が高くなるにつれ、CPUの性能をアップする代わりに周辺のLSIをCPUチップ本体の中に実装してしまって外部バスをなくすという図1-7-3（b）のような構造のワンチップ化が進んでいきました。

　現在では周辺のほとんどを制御するモジュールが写真1-7-6のような1個のICで構成されたCPUチップに内蔵されてしまっていて、ICのピンに直接周辺機器が接続できるような構成となっています。このようなマイコンを「ワンチップマイコン」と呼んでいます。現在のマイコンメーカはCPUの性能の差ではなく、内蔵した周辺モジュールの機能で差別化している状態です。

1-7 電子計算機からマイクロプロセッサの発明

● 図1-7-3　マイコンのワンチップ化

(a) マイクロプロセッサのバス構造

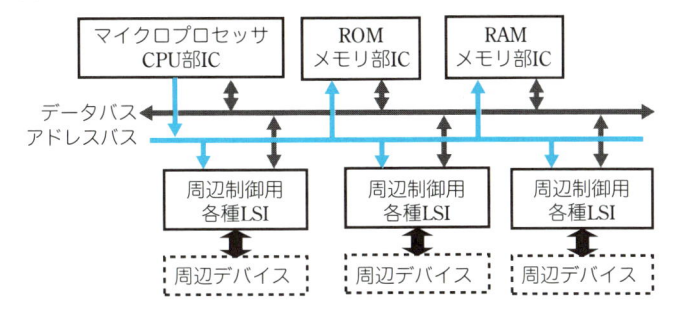

- マイクロプロセッサ CPU部IC
- ROM メモリ部IC
- RAM メモリ部IC
- データバス
- アドレスバス
- 周辺制御用各種LSI
- 周辺制御用各種LSI
- 周辺制御用各種LSI
- 周辺デバイス
- 周辺デバイス
- 周辺デバイス

(b) ワンチップマイクロコントローラの構造

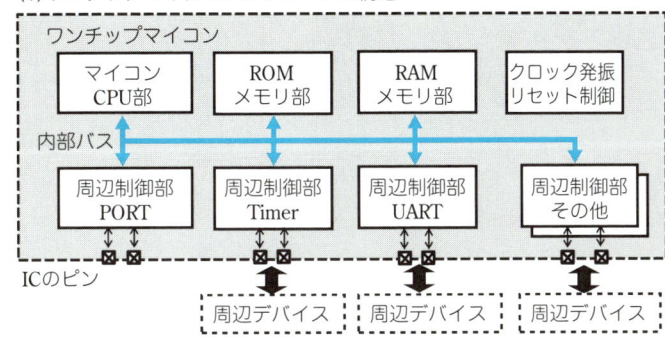

ワンチップマイコン
- マイコンCPU部
- ROMメモリ部
- RAMメモリ部
- クロック発振リセット制御
- 内部バス
- 周辺制御部 PORT
- 周辺制御部 Timer
- 周辺制御部 UART
- 周辺制御部 その他
- ICのピン
- 周辺デバイス
- 周辺デバイス
- 周辺デバイス

● 写真1-7-6　最新のマイクロコントローラの外観

■マイクロプロセッサとマイクロコントローラの違い

　ここで、現在のマイクロプロセッサとマイクロコントローラ（マイコン）の差異を見てみると、表1-7-1のような状況になっています。

　マイコンの目標は低コストで小型で低消費電力であることですし、マイクロプロセッサは高性能化が一番の目標ですから、このポイントで大きく異なったものとなっています。

▼表1-7-1　マイクロプロセッサとマイクロコントローラの差異

項　目	マイクロプロセッサ	マイクロコントローラ
外形サイズ	35×35mm 〜 50×50mm	3×3mm 〜 20×20mm
ピン数	775 〜 1744ピン	6ピン〜 176ピン
消費電力	50W 〜 150W	10mW 〜 300mW
CPUコア数	4個〜 14個	1個〜 4個
CPUビット数	32、64ビット	8、16、32ビット
最高速度	3GHz 〜 5.8GHz	4MHz 〜 600MHz
内蔵モジュール	データ処理用が主 メモリ、周辺外付け 画像、音声処理 大規模データ処理	制御用が主 メモリ、周辺すべて内蔵 アナログ機能も内蔵
用途	パソコン ワークステーション スマートフォン	制御システム 家電、おもちゃ、 車載機器制御
価格	数千円〜数万円	数十円〜数千円

1-8 モデム通信からインターネットへ

1-8-1 電話の発明からモデム通信が始まる

　1876年にベルが電話機を発明し、1906年に真空管が発明されたことで、音声による通信が長距離でも可能になり、交換機による電話網が発達しました。

　1900年代半ばころから、この音声による電話網を利用して、データ通信をしようというアイデアが生まれ「モデム*」が開発されました。

モデム
Modem。名前の由来は、modulatr（変調器）＋demodulator（復調器）

　最初にモデムを開発したのは、アメリカのAT＆T社で、1962年のことです。このモデムはダイアルアップで相手を呼び出して接続し、論理「0」を1300Hz、論理「1」を2100Hzの周波数で送るというもので、速度は300bpsでした。

　日本でこのモデムを使ったデータ通信が初めて使われたのは1963年で、国鉄の「みどりの窓口」と、日本航空の「座席予約システム」です。そのあと多くの企業間でデータ通信として使われました。1980年代に入ると、通信速度は1200、2400、4800、・・・33.6Kbpsと数年ごとに倍になる改良が行われました。

　これら企業間の通信とは別に、1970年代後半になりパソコンが普及しはじめた頃、電話回線を使ってパソコン同士で通信をする「パソコン通信」が始まりました。当初は電話回線によるデータ通信が許可されず、写真1-8-1のような「音響カプラ」というアダプタを電話に付けて音声会話と同じ使い方でデータを送るという仕組みだったため、速度も300bpsと遅くマニアだけの間で使われました。

●写真1-8-1　NECから発売された音響カプラ

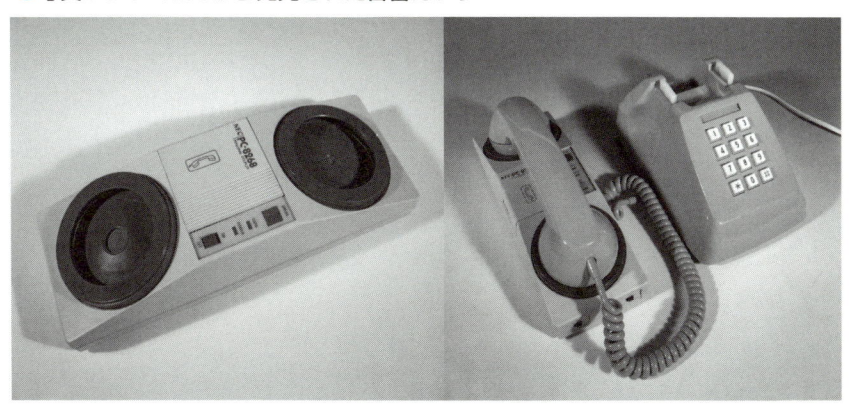

出典：波多利朗のFunkyGoods ©funkygoods.com

1985年に日本で第3次回線開放が行われ、通信回線を使ったデータ交換サービスが自由になったことで、「**プロバイダ**」と呼ばれるパソコン通信の接続サービスをする会社が急増しました。最初の本格的なプロバイダが「ASCII-NET」で、そのあと「PC-VAN」、「Nifty-Serve」と大手のプロバイダがサービスを開始しました。

　筆者もこのころからパソコン通信を始め、毎年速度アップするモデムを買い直していました。しかし、パソコン通信はプロバイダ内の通信に限られていて、他のプロバイダ間での通信はできませんでした。それでも、多くの掲示板や、データ交換による情報交換は有意義なものでした。

●図1-8-1　パソコン通信のしくみ

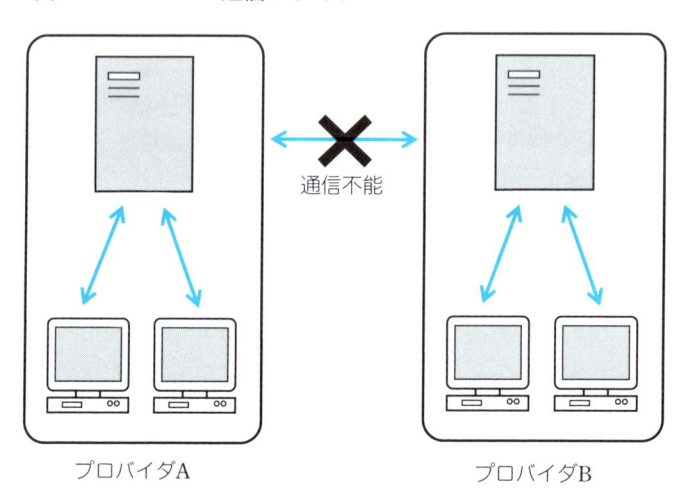

　パソコン通信が急激に広まった要因の一つに1995年に発売された**Windows95**にパソコン通信機能が標準搭載されたことがあります。当初はモデムを使ったダイアルアップでの通信でしたが、そのあとのアップデートでインターネット接続をサポートしたことにより、「Windows95を使えばインターネットに接続できる」ということでWindowsが急拡大しました。

1-8-2 パケット通信からインターネットへ

モデムによるデータ通信は大型コンピュータと端末間での通信として使われてきましたが、この進歩の中でコンピュータ同士を接続するため、「パケット通信[*]」という研究が進められました。

ARPANET[*]をはじめとする多くのパケット交換網が1970年代に開発され、コンピュータ同士を接続したネットワークが実現しましたが、それぞれ独自の「通信プロトコル」が使われていたため、ネットワーク同士の接続はできませんでした。

このような中でARPANETから、複数のネットワークを相互接続し、ネットワークのネットワークを構築するインターネットワーキングのためのプロトコルが1974年に発表されました。ここで初めて「インターネット」という用語が使われました。

このプロトコルによる接続が拡大し、1982年「インターネットプロトコルスイート (TCP/IP)」として標準化され、ネットワークの標準プロトコルとして確立されました。

さらに、このTCP/IPを採用したネットワーク群を世界規模で相互接続する「インターネット」という概念が提唱され、多くのコンピュータ間の接続が実現していきました。1990年代にはインターネットの商業化が完了し、営利目的の利用でも制限がなくなりました。

このプロトコルの開発と並行して、通信回線の速度アップを目指して、1973年ゼロックス社のパロアルト研究所で「イーサネット」という通信方式が開発されました。同軸ケーブルを使ってコンピュータ同士を接続するというものでした。

このイーサネットは短距離間のコンピュータ同士の接続には、設置が容易で高速通信が可能であったため、瞬く間に普及し、LAN[*]として確立されていきました。

この拡大とともにイーサネット規格とTCP/IPプロトコルは広域網へも拡大され、従来のダイアルアップ通信回線から、常時接続のインターネット網へと展開しました。これで文字通りネットワーク間の常時接続というインターネットが実現することになりました。

1990年代半ば以降、インターネットは文化や商業に大きな影響を与えています。電子メールを使えば即時に相手と通信できますし、インターネットを使った多種類のサービスの提供を享受することができます。

これまでのパソコン通信のプロバイダもインターネットのプロバイダになって、パソコン通信加入者にインターネット利用も提供するようになりました。これに対応して、パソコンにもイーサネットを使ったLANを接続できる

パケット通信
データをパケットという小さな単位に分割して送信する通信方式。受信側では個別に送信されたパケットを集めてデータを再構築する。

ARPANET
Advanced Research Projects Agency Networkの略。4つの大学や研究所の間の通信に使用された、世界初のパケット通信網。

LAN
Local Area Network

NIC
Network Interface Card

写真1-8-2のような **NIC*** と呼ばれるアダプタが登場し、パソコン通信もインターネット接続で行われるようになっていき、現在のようなインターネット利用の原型が形成されました。

●写真1-8-2　カードタイプのNICの例

　現在では、個人でもパソコンだけでなくスマホを使ってインターネットにアクセスするのは当たり前ですし、多くのクラウドサービスを使うのも日常となっています。

第2章
電子工作の始め方

2-1 電子工作とは

2-1-1 電子工作の誕生

　第1章の歴史で説明したように、交流送電が始まったころは産業革命の真最中でしたから、電気はもっぱら照明やモータという大きなエネルギーを使う機器に使われ、大きく産業が発展しました。

　このころの電気を使った工作は、「電気を使って何か便利にできることはないか」という発想から始まっています。実際にこれらの工作が発展して家電機器や工業機器を含めた現在の電気機器へとつながっています。

　これと並行して通信に電気が使われていきました。通信も当初は電池を使った電信でしたが、やがて真空管ができて「電子回路」という分野が始まりました。

　電子工作という言葉が使われるようになった背景にあるのは、「真空管」から始まり「半導体素子」への急速な進歩と、その圧倒的な広がりです。つまり、これらの素子の進歩は、その中で動き回る「電子の振る舞い」の研究の成果であり、電子そのものの動きを把握できるようになったことで、次々に新しい半導体素子を産み出すことができるようになりました。電子工作はそうやって新たに生まれた「半導体素子」を使った工作であることから「電子工作」と呼ばれるようになりました。

　そうこうしているうちにコンピュータが現れ、さらにマイクロコンピュータへと発展し、あらゆる電子機器に組み込まれると同時に、電子工作にも当然のように使われていきました。コンピュータを使えば、プログラム次第でできることが無限に拡がっていきます。電子工作でもアイデア溢れる作品が多く作られ、それを元に製品化されることも珍しくありません。

　このようにアイデア次第で無限の広さを持つのが「電子工作」で、しかもアマチュアが工作で実現できる範囲も無限大です。

　この興味尽きない世界に入ってみましょう！

2-1-2 半導体素子とは

　この半導体素子と呼ばれるものにはどんなものが含まれるのでしょうか。これはもう、全部を挙げたらきりがないほど最近では多種類の素子があります。その中でも、私たちが電子工作で使うものは主に表2-1-1のようなものです。

▼表2-1-1　半導体素子の種類

名　称	特性、機能	用　途
ダイオード	電気を一方向だけ通す	整流：交流を直流に変換する 検波：変調された高周波に含まれる低周波を取り出す
トランジスタ	電流を増幅する	アンプ：微小な信号を大きくする ドライブ：わずかな信号で大きな電流を制御する
光半導体 発光ダイオード 受光ダイオード 半導体レーザ等	発光、受光	電飾などの発光 デジタルカメラ、ロボットなどのセンサ 通信用発光、受光素子
アナログIC	アンプなど多くの機能をICとして実装	計測用高精度オペアンプ 安定化電源、ステレオアンプ ラジオ受信機
デジタルIC	論理回路を構成	制御装置 計算機
マイクロコンピュータ	演算機能やメモリ機能	家電機器、ロボット、パソコンなどの処理装置
各種センサ	光、温度、加速度、磁気などの検出	ロボット、制御装置などの検出器、測定装置

　これらの半導体素子を元にして電子工作を進めていきます。

2-1-3 標準回路を活用する

　本当なら自分ですべて設計できればそれに越したことはありませんが、そのための知識の全部を身に付けることはとても大変です。しかし、実は、**電子回路には標準的なパターンがいくつもあり、実際に新しい何かを作るときでも、それらの標準回路のほんの一部を変えたり、組み合わせたりするだけで大部分ができることが多いものです**。したがって、電子工作を自由に設計するためには、既に設計ずみの回路を自分の知識の中にどれだけ持っているかがポイントになります。

　この知識を得るには、まずは他人の作った回路を真似て作ってみて動かしてみることから始まります。そうやって製作を楽しんでいるうちにどんどん標準回路が頭に入っていき、やがて新たなものを作るときでもその標準回路

をベースにして自分で考え出すことができるようになります。

　最近では、ICが高性能化し、ほとんど基本的な設計をしなくとも機能や性能に満足するものができるようになってしまいました。それでも、やはり作ったものが動かないとき、ちょっとした付加回路を付けたいときや新しいアイデアを実現したいときなどには、この標準回路が効いてきます。

　電子工作の常識は、「まずは真似して作る」ことです。本に掲載された記事を自分で試してみたり、工作キットで作ったりしながら、できるだけ多くの標準回路を身に付けることで、自由に電子工作を楽しめるようになるのです。

　本書は、これらの標準回路そのものについて詳しく説明はしませんが、実際に自作するときに「わかりにくい」、「取り付きにくい」と感じやすいところに焦点を当てて説明しています。これにより、新たに電子工作を始めようという方々の障壁を少しでも減らすことを目指しています。

2-2 電子工作を始めるには

電子工作を始めるためには、「これを動かしたい」「自動的に制御したい」、「これができたら面白い」などの「**やりたいことありき**」です。

まず自分がやりたいことがあるとすれば、それが可能なのかどうかが一番の疑問点になるかと思います。電子工作では、単純にできるかできないかを問われれば、論理的に矛盾したものでなければ、「できる」ということになります。

やりたいことがあったら、それを実際に実現する方法を調べることから始まります。調べるには標準的な手順があり、それを間違うととんでもない遠回りをしたり、難しくてあきらめざるをえなくなったりします。できるだけ近道でやりたいことを実現する手順を説明します、

2-2-1 対象物の動かし方を知る

まずは何かを、使いたい、動かしたいとなったら、それを可能にする方法を知ることから始めます。

例えば、電気で光るものを作りたいのであれば、電気で光るものを探します。電球がすぐ思い浮かびますが、最近は「**発光ダイオード**[*]」という半導体があります。発光ダイオードを使いたいとなれば、発光ダイオードの発光のさせ方の知識が必要です。つまり、発光ダイオードには一定の電流を流す必要があって、その電流の大きさで光り方の強さが変わるということ、電流を流すには一定以上の電圧が必要であることなどです。

あるいは**モータ**[*]で車を動かしたいような場合には、車の重さと動かしたい速度により、どういうモータが必要で、ギヤが必要かどうか、ギヤの比はどの程度にすればよいかという機械的な検討が必要になります。その次が電子回路でどう動かすかという課題になります。速度を可変し、回転方向も切り替えるかどうか、加える電圧と最大流れる電流はどの程度になるかを検討してから駆動回路と部品が決まり、次にそれを制御する方法の課題になります。駆動回路を制御するには単純なアナログ回路だけでよいか、マイコンが必要かというような検討です。

このように、簡単に思われることでも自作するにはある程度の知識が必要になります。初心者が「これらの勉強を全部してからでないと電子工作はできない」と言われたら手が付けられないことになってしまいます。電子工作が初めての方にはこれが大きな難関です。

発光ダイオード
LEDともいう。電流を流すと発光する半導体で、電流に光度が比例する。電球に比べて発生する熱が少なく、光への変換効率がよい。本書では第5章で扱う。

第8章を参照。

しかし、世の中にはこれを一気にクリアする方法があります。「電子工作キット」です。自分が動かしたいものと同じような対象を動かすことを目的としたキットを購入すれば、その中には必要な部品が一式揃っていて、部品から集める必要もないですし、組み立て方が丁寧に解説されているので組み立て方を調べる必要もありません。必要な道具についても説明されていることがあります。

キットを組み立てて動かしてみれば、対象物を動かすにはどういう回路や電子部品が必要なのかということが、とりあえずは理解できます。こういう理由で、**電子工作を始めるには、まず市販の工作キットから始めるのがよい**といわれているのです。

このような目的の工作キットをいろいろ販売しているメーカには表2-2-1のようなところがあります。これらのキットの中で目的に近いものを選んで試すことから始めましょう。

▼表2-2-1　工作キットメーカ一覧

メーカ名	サイトアドレスと特徴
エレキット	http://www.elekit.co.jp/ 子供向け工作キットを中心に多種類のキットが用意されている 初心者から中級者向け
共立エレショップ	http://eleshop.jp/shop/c/c3311/ ワンダーキットという初心者から上級者向けまで多種類のキットが用意されている
マルツパーツ館	http://www.marutsu.co.jp/categories_080000/ 比較的実用的なキットが多く、中/上級者向け
アイテンドー	https://www.aitendo.com/ 初心者向けの多くのキットや部品が用意されている
秋月電子通商	http://www.akizukidenshi.com/ キットだけでなく多くの電子部品の販売もしている 電子工作に必要な大抵の部品が揃っている キットは中/上級者向けが多い

2-2-2　動かすために必要なものを探す

対象物の動かし方がわかったら、それを何で実現するかを調べます。電子工作キットを使えばこの段階は自動的にクリアできることになります。キットを使わない場合でも、最近はインターネットで似たようなことをしている例を調べることもできますから、比較的容易に必要なものや、やり方を調べることができます。

このとき必ず必要になるものが「変換器」です。最近の電子工作は半導体の電子回路を使って製作しますから、大部分が数Vで動作しています。つまり、入力や出力は数Vしか扱えません。したがって、外部に接続する機器をすべて数Vの電気信号で接続するようにする「変換器」が必要になるわけです。

2-2 電子工作を始めるには

例えば、光や温度や圧力などのエネルギーの種類が電気とは異なるものは、電子機器には直接接続はできませんから、何らかの変換器が必要です。このような目的で作られたものが「**センサ**」です。いろいろな物理現象を使ったセンサが開発され、表2-2-2のように、いまではほとんどの種類の物理量が電気信号に変換されて接続できるようになっています。

▼表2-2-2　センサの例

名　称	変換内容	変換方式
マイク	音を電気信号へ	空気の振動を電気の振動に変換
超音波センサ	超音波を電気信号へ	ピエゾ素子を利用
フォトダイオード	光から電気信号へ	半導体のエネルギー変換機能を活用
加速度センサ	加速度を電気信号へ	半導体の歪を電気信号に変換
圧力センサ	圧力を電気信号へ	ピエゾ素子などで歪を電気信号に変換
温度センサ	温度を電気信号へ	半導体などの温度特性を電気に変換
湿度センサ	湿度から電気信号へ	高分子素材などで抵抗変化に変換
気圧センサ	気圧を電気信号へ	半導体の変化を利用
スイッチ	機械的動作を電気信号へ	金属の接触による導通
可変抵抗	回転角を電気信号へ	位置を電気抵抗で電気に変換

逆に電子回路から何かを駆動する場合、例えば、商用100Vで動くものをオンオフ制御するには、**リレー**と呼ばれる変換器が必要ですし、電気信号を音に変換するには**スピーカ**が必要です。このように駆動する場合に必要となる変換器には表2-2-3のようなものがあります。

▼表2-2-3　駆動用の変換器の例

名　称	変換内容	変換方式
モータ	電気から動力へ	電磁気による回転
リレー	強電*のオンオフ	電磁石による可動接点の吸着、反発
ソリッドステートリレー	交流強電のオンオフ	半導体によるオンオフ
ヒータ	電気から熱へ	電気抵抗による発熱、ジュール熱
ペルチェ素子	電気から熱へ	ペルチェ効果を利用
MOSFETトランジスタ	高圧、大電流のオンオフ	高耐圧、大電流用MOSFET
スピーカ	電気振動を音へ	電磁気による振動を空気の振動に変換
超音波スピーカ	電気信号を超音波へ	ピエゾ素子を利用
発光ダイオード	電気から光へ	半導体のエネルギー変換機能を活用

強電
大きな電圧・電流のことを指すことも、それを扱う機器や配線、設備を指すこともある。省令では48V以上。

例えばステレオアンプを作ることを考えてみましょう。音楽などの電気信号を増幅して大電力の電気信号として出力するという機能は、電子回路だけ

で実現できます。しかし、音量調節つまみ動作や電源オンオフ動作などは電子回路だけでは実現できないので、何らかの変換器を必要とします。つまり図2-2-1のような可変抵抗やスイッチが変換器となります。さらに出力を音に変換することも電子回路ではできないので、スピーカという変換器で音にすることになります。

●図2-2-1　電子部品の例

(a) スイッチ　　　　　(b) 可変抵抗 　　　　　(c) スピーカ

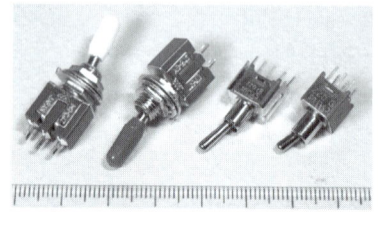

このような可変抵抗やスイッチなどは電子回路に頻繁に使われているため、「**電子部品**」として分類されていて、電子工作の部品として扱われています。
　このような電子部品は基本回路素子*を含め非常に種類が多いため、電子工作を難しくしてしまっていますが、基本的には**電子回路では直接動かせないものを変換器としてできるようにするもの**と思って下さい。
　このように電子工作は、基本回路素子による電子回路と、それ以外の電子部品として用意された変換器を使って作ります。この電子部品をいかにうまく使うかということが重要な検討項目になります。つまり**電子部品に関する知識が必須**になることになります。

基本回路素子
抵抗、コンデンサ、コイルなどの受動部品と、トランジスタやICなどの能動部品で構成される。

2-2-3　電子回路を設計し、組み立てる

　変換器や対象の動かし方がわかったら、これを動かすための回路を考え実際に動かしてみます。この段階が電子工作では一番高い壁です。
　類似のものを探して真似ることから始めるのが王道です。工作キットの中に作りたいものにぴったり当てはまるものがあるときは、それだけで済んでしまいますからことは簡単です。しかし、多くの場合はそうはなりません。
　そこで次のステップに入ります。購入したキットを改造するか、キットを元にして部品を追加して自分が目的とするものを作ります。改造の仕方を検討する段階でいろいろな知識が必要になります。このような改造をするときに困るのは大体次のようなことでしょう。

① 対象物のことを知らない → どうすれば動かせるかわからない
② 変換器の知識がない → 何が必要かわからない
③ 回路図が読めない → 改造の仕方がわからない
④ 部品の知識がない → どういう部品を使ったらよいかわからない
⑤ 道具がない → 必要な道具がわからない

　結構たくさん困ることがありますが、①と②については、キットを使うことで必要最小限の知識は得られているはずですから、当面は省略できます。場合により、⑤もキット組み立ての段階で揃えられているかもしれません。
　そこでこれから必要になるのは、③の回路図に関する知識と、④の電子部品に関する知識です。そこで、これらの必要最小限の知識について説明します。
　特に、回路図や電子部品の知識には、常識とされている前提があって、これを知らないとなかなか理解できないことがありますので、次節以降でこれらの常識から説明します。
　改造してみて回路が思うように動かないときが進歩のチャンスです。いろいろ調べ、変更し、部品を交換し、ときには煙が出たりなどの失敗を重ねたりすることでしか、真の進歩は得られません。

2-2-4　電子工作でできないこと

　電子工作をする場合、どうしてもできないことがあります。これらのできない条件を説明します。

■1 工具による制限

　最近の電子機器は小型化が進み、私たちが電子工作で使うには小さすぎて扱えないものがあります。つまり、私たちが使える道具が電子工作の限界を決めることになります。
　例えば、最近のスマートフォンを電子工作で作れるかというと、実装密度が高すぎて私たちが使える道具では自作ができません。抵抗やコンデンサなどの基本回路素子も、スマートフォンに使われているサイズは $0.6×0.3mm$ 以下の超小型ですから、これらはもはやはんだごてでの実装は無理です。

■2 部品の入手性による制限

　スマートフォンなどの自作には、もう一つ難しい問題があります。それは部品が入手できるかどうかということです。電子工作は基本的に個人やグループで進めるものですから、個人で入手可能な部品であることが必須です。
　最近ではインターネットを使ったオンライン販売で大抵のものを個人で入手可能ですが、スマートフォンなどに使われている集積回路などは一般販売

されていないことが多く、個人での入手は不可能です。これも電子工作を制限する大きな要素になります。

したがって電子工作を始める場合、まずは電子部品として何が必要かを調べ、それらを入手する方法を確認する必要があります。

しかし、いきなり電子部品を調べるといっても知識がなければ調べることさえ難しくなります。これらの知識を得るには、やはりキットとして販売されているものから始め、それらを応用したものを作りながら知識を拡張していくというのが王道かと思います。このためには、電子部品の調達先として有名なお店やオンラインサイトの情報を集めることです。また質問できるサイトを探すことも有効かと思います。

3 電気の大きさによる制限

電子工作で扱う電気の大きさは数Vです。これより高い電圧の場合には変換器が必要になりますし、低い電圧の場合には増幅器が必要になります。では、どれくらいの範囲が電子工作で可能なのでしょうか。これはおよそ次のような限界で決まってきます。

❶ 高い電圧の場合

変換器としてリレーやMOSFETトランジスタを使えば高い電圧でもオンオフ制御が可能ですが、それぞれの耐圧や法規制などから、**家庭内のAC100Vが通常の上限です**。これ以上になると安全保護などいろいろな法規で制限されていたり、素子の限界だったり、ノイズの問題だったりと多くの制限項目が出てきて、アマチュアの電子工作の範囲では難しくなります。

ただし電流が非常にわずかな場合、例えば200Vでも電流が数十mA以下の場合には、感電しても傷になることはありませんから、電子工作で扱うことは可能です。

例えば真空管のアンプ回路などでは300V位まで扱います。筆者も昔真空管アンプを製作中に何度も感電しましたが、ビリッと来て反射的に手が跳ね返る程度で傷になることはありませんでした。

❷ 低い電圧の場合

電子工作で私たちが増幅器を作った場合、**直流信号でも交流信号でも安定に増幅可能な範囲は1mV程度までです**。これ以下になると急激に難易度が上がります。ノイズや温度変動、経年変化などかなりの変動要素を加味した、高度な設計と製作の技術を必要とします。

実際の変換器ごとにどの程度の電圧かを調べると、表2-2-4のようになります。

▼表2-2-4 変換器の出力電圧

変換器	扱う電圧範囲	備 考
マイク	数mV	マイク種類により電圧範囲は異なる
ステレオアンプ入力	最大1V	AUX入力の場合
レコードカートリッジ	0.1mV	MCカートリッジの場合
	数mV	VMカートリッジの場合
温度センサ出力	0.1V〜2V	半導体温度センサの場合
圧力センサ	数十mV 数V	センサ単体の場合 IC回路内蔵の場合
振動センサ	数mV〜数百mV	IC回路内蔵の場合
AM放送の受信出力	数mV〜数十mV	AM同調回路の出力電圧

4 周波数による制限

　扱う信号の制限という意味では、信号の変化速度にも対応できる限界があります。通常変化速度は周波数や時間で表現されます。直流が周波数0で時間は無限大ということになります。したがって時間の要素が現れるのは交流や、直流のパルスということになります。

　電子工作で可能なのはどの程度の範囲でしょうか。交流やパルスの場合はおよそ表2-2-5のような条件であれば電子工作で可能な範囲と思われます。これ以上の周波数は製作が不可能ということではなく、非常に高度な設計と製作の技術を必要とするということです。

　しかし、**回路を自分で作ることは無理でも、モジュールとして提供されている電子部品を使えば限界を破ることができます**。例えば、BluetoothやWi-Fiなどのモジュールを使えば、2.4GHzなどという高い周波数をいとも簡単に使うことができます。

▼表2-2-5 電子工作可能な周波数の上限

製作物	最高周波数上限	備 考
高周波回路	100MHz	FM放送は70〜90MHz
低周波アナログ回路	100kHz	ステレオアンプなど
広帯域アナログ回路	5MHz	計測器用アンプやビデオアンプなど
デジタル論理回路	50MHz	デジタルICを使う回路

2-2-5 マイコンにより世界が広がる

電子工作では、マイクロコンピュータを使うと、プログラムで自由に動かすことができますから、実現可能な機能が数段ステップアップします。最近ではワンボードのコンピュータの種類も多くなり、比較的簡単に使えるものも増えています。

本書でも、電子工作のステップアップとして図2-2-2のような**マイコンボード**を使います。マイコンを使うとどの程度のステップアップができるかを体験してみて下さい。

● 図2-2-2　本書で使ったマイコンボード

(a) XIAO RP2040

品名	：XIAO RP2040
メーカ	：Seeed社
CPU	：RP2040 133MHz ARM Cortex M0＋
メモリ	：ROM 2MB　RAM 264kB
電源	：3.3V〜5V I/O電圧 3.3V
書き込み	：内蔵USB接続
実行言語	：MicroPython/Arduino Raspberry Pi Pico互換
入出力ピン	：11ピン
スイッチ	：リセット、ブート

(b) Raspberry Pi Pico W

品名	：Raspberry Pi Pico W
CPU	：RP2040 133MHz ARM Cortex M0＋
メモリ	：ROM 2MB　RAM 264kB
電源	：1.8V〜5.5V I/O電圧 3.3V
無線機能	：Wi-Fi Bluetooth/BLE
書き込み	：内蔵USB接続
実行言語	：MicroPython/Arduino
入出力ピン	：30ピン
スイッチ	：ブート

（写真：秋月電子通商）

2-3 電子工作に必要な道具

電子工作を始める際に必要な道具について説明しましょう。このような道具には必須のものと、揃えたほうがよいものとがあります。

2-3-1 必須の道具

電子工作ではんだ付けをする前提の場合に必須となる道具です。電子工作を始めるとき最初に揃えなければならない道具となりますが、家庭での電気製品などの修理などにも便利に使えます。

1 必要最小限の道具

本書では**ブレッドボード**という試作実験用の基板を使うので、当面、はんだ付けは必要ありません。しかし、次のステップの電子工作でははんだ付けは必須のものになりますから、その前提での必須の道具として説明します。

はんだ付けをする電子工作に必須の道具には表2-3-1のようなものがあります。特にはんだごてには電気容量やこて先の形状で多くの種類がありますが、**ちょっと高価ですがこて本体に温度調整つまみが付いていて調整できるタイプがお勧めです**。50Wから80W程度の容量があって、高速な温度調整機能によりはんだ付けする際に温度が下がるのを防いでくれるのではんだ付けがしやすく上手にできます。

▼表2-3-1 電子工作に必須の道具

名　称	外　観	用途・選び方
ニッパ		線材の切断と被覆剥きに使う。数種類のものがあるがあまり小型でなく中型がよい
ラジオペンチ		端子折り曲げやナットなどの固定に使う。中型が使いやすいが先の細のほうが役に立つ
ワイヤストリッパ	①	線材の被覆剥きに便利、線材太さに合わせて剥くので芯線を傷つけることがない。やや高価だがぜひ揃えておきたい道具
ドライバ		プラス、マイナスと大きさでいくつかの種類が必要

名　称	外　観	用途・選び方
はんだごて	②	はんだを溶かしてはんだ付けするための道具。高価だが温度調整付きが便利
はんだ	①	0.8mmφ程度の細めのフラックス*入りで基板用と配線用は同じものでも可。鉛フリーのものより鉛含有のほうが扱いやすい
こて台とクリーナ	①	重量のあるものが安定感があって安全。こて先清掃用のスポンジが付いているものを選ぶ。このスポンジには水を含ませて時々こて先をクリーニングしながら使う。スポンジでなく、金属のワイヤをまとめたクリーナも便利に使える

フラックス
はんだ付けをやりやすくするための補助剤。

2 追加で必要な道具

さらにチップ部品などの表面実装部品を扱う場合や、はんだ付けを修正する場合に追加で必要となる道具が表2-3-2となります。

▼表2-3-2　追加で必要になる道具

名　称	外　観	用途・選び方
精密ピンセット	②	表面実装部品など特に小型の部品をつかむのに使う
ルーペ	③	表面実装部品の位置確認やはんだ付けのチェック用に使う拡大鏡、フィルムチェック用のルーペで拡大率が10倍以上のものが扱いやすい
はんだ吸い取り線	①	銅の網線の毛細管現象で溶けたはんだを吸い取って取り外すときに使う。フラックスが浸み込ませてある
基板用フラックス洗浄剤	④	吸い取り線を使ったあとや、はんだ付けをしたあと、残ったフラックスをこれできれいにする。綿棒を使うとやりやすい
はんだ吸い取り		溶かしたはんだを吸い取って取り外すときに使う道具。小型基板には小型のほうが扱いやすい

（写真：①秋月電子通商、②太洋電機産業、③新潟精機、④サンハヤト）

2-3-2　ケース加工用の道具

　必須ではありませんが、電子工作にはあったほうがよい道具が表2-3-3となります。ケースを作る場合の穴あけや切断する場合などの加工に必要な道具です。これらの工作には多くの道具があります。必要になった都度揃えていけばよいかと思います。

▼表2-3-3　穴あけや切断に必要な道具

名　称	外　観	用途・選び方
電動ドリル		穴あけには必須の道具、手回しドリルもあるが最近は価格も大して変わらないのでぜひ電動にしたい 回転数可変のものが扱いやすい
ドリル刃		セットで揃えると便利、1.5mm～6.5mmが必要で金属用、アクリルや木材の穴あけには木工用が必要
シャーシリーマ		穴を大きくするのに使う最大15mm程度の穴あけが可能、ヤスリで広げることもできるので必須ではないが丸穴を広げるときには便利
ヤスリ		穴を広げたり、四角穴に形を変えたりするときに使う、平、丸、平丸の3種類で金属用 小型より中程度のものが使いやすい
アクリルカッター		アルミ、プリント基板などの切断用、刃の形に特徴あり
金属定規		切断時の補助に使うため金属製が丈夫で良い
ポンチ		穴あけの中心に印を付ける ドリルの刃がずれないようにする

■コラム

はんだ付けのコツ

　はんだ付けの善し悪し、上手下手で電子工作の成功、不成功が左右されます。何と電子工作の動作不良の90％がはんだ付け不良だといわれています。はんだ付けが上手にできるようになれば、電子工作もさらに楽しいものとなってきます。うまくなるにはやはり練習です。繰り返しやってみることです。

はんだ付けのコツとして、次のことを守っていればうまくできます。

❶ はんだ付けの面がきれいで油や錆が付いていないこと

　はんだは油面や錆ではじかれて、付きが悪くなってしまいます。線材で芯線がむき出しになっている部分や基板のパターンなどは、古くなると表面が酸化してしまうので、線材は新たに剥き直し、基板はフラックスなどを使ってはんだが載りやすくなるようにします。

❷ はんだ付けするものに予備はんだ付けをしておくこと

　配線材をはんだ付けする場合には、あらかじめ線材にはんだを付けておくと、はんだが流れやすくなって上手に付けられます。ただし、プリント基板は予備はんだをすると穴がふさがってしまうので、避けたほうがよいでしょう。

❸ こての先を常にきれいにすること

　はんだごてを購入したら、すぐに先端にはんだを溶かしてメッキしたような状態にします。そして使用中は、こて台に付いているスポンジ等に水を含ませて時々こて先を拭き取ってきれいにしながら使います。常に銀色に光っているようにして使います。

❹ 十分はんだが溶けるまでこてを当てたままにしておくこと

　数秒の間、こてを当ててはんだが溶けるように両者を熱し、そこに糸はんだを当てて溶かし込むようにします。そしてさらに数秒そのままとすると、溶けたはんだが部品の間に溶けこんでなじむようになりますので、そこで完了です。こてをちょこちょこ動かすことは禁物で、当てたまま動かさないようにします。

　特にプリント基板のときには、スルーホール（穴の内部の銅箔部分）の場合は自然に浸み込んでいくまで、ランド（穴の周りの丸い銅箔部分）の場合には、はんだが溶けて広がるようになるまで待ってからはんだごてを離します。この待つ時間は慣れるに従って短くなっていきますので、最初はあせらずじっくりはんだを溶かし込むのがコツです。これで部品が壊れることは、まずありません。

❺ はんだ付けのやり直しは吸い取り器を使うこと

　間違って部品を取り付けたような場合には、はんだ吸い取り器を使って次の手順で交換します。

- はんだごてを取り外す部品の基板上のはんだ部分に当てて、はんだを十分溶けた状態にする。
- こてを当てたままで、吸い取り器をあてがい、はんだごてを離した直後に吸い取る。
- すべてのリードの吸い取りが完了したら、部品をペンチなどで挟んで引っ張って取り外す。
- 抜いたあとの基板の穴が完全にあいていないときは、再度こてを当てて溶かしたあと、もう一度吸い取って穴をあける。

　はんだ吸い取り器の代わりに、はんだ吸い取り線を使っても部品を取り外すことができます。方法は吸い取り線を取り除きたい部品のランドの上に置き、はんだごてをその上から当ててはんだを溶かせば、吸い取り線に溶けたはんだが吸い取られ部品が外れるようになります。ただし、両面基板のスルーホールの場合は難しくなります。

2-4 電子工作にはパソコンが必須

最近では電子工作を始めるにはパソコンは必須の道具となっています。電子工作では次のようなときにパソコンを使います。

1 調査の道具として

電子工作の対象となる変換器、つまりセンサや駆動回路の調査や、類似の製作例の調査など、インターネットを使った調査にはパソコンはなくてはならないものです。

YouTubeやブログなど、「電子工作」というキーワードで多くの製作例が紹介されていますし、新製品や新たな使い方の紹介などもたくさんあります。

2 部品入手の道具として

最近は電子部品の入手は、オンラインで購入するのが一般的になっています。各メーカのオンライン販売サイトもありますし、電子部品に特化したオンライン販売サイトもたくさんあります。筆者がよく活用する部品購入サイトは表2-4-1のようになっています。なんでもありなのがAmazonですが、**偽物も結構あるので注意が必要です。**

▼表2-4-1　よく使うオンライン販売サイト

サイト名とURL	扱う主要部品
秋月電子通商 https://akizukidenshi.com/	多種類の電子部品、工具、キット、コネクタ マイコンボード、センサ、半導体 ほとんどの電子部品が揃えられている
アイテンドー https://www.aitendo.com/	半導体、キット、液晶表示器、電子部品 廉価な中華系部品
DigiKey https://www.digikey.jp/	電子部品、半導体、コネクタ マイコン
サトー電気 https://sato-electric.cocotte.jp/	電子部品、半導体、工具、コネクタ 昔の電子部品
マルツオンライン https://www.marutsu.co.jp/	電子部品、半導体 チップ部品
スイッチサイエンス https://www.switch-science.com/	マイコンボード、モジュール製品

3 回路図作成、基板パターン作成の道具として

筆者はずいぶん長いこと手書きで回路図やパターン図を作成していました。仕事ではかなり高価なECAD[*]ツールを使っていたので、個人でパソコンが使

ECAD
Electronic Computer-Aided Design の略。電子機器の設計用のCADソフトウェア。

えるようになってから、何とかパソコンで回路図を描きたいと思っていました。パソコンで使えるツールが手に入るようになり、夢のような世界が拡がりました。

　最近では無料で使えるECADツールが数多くあり、回路図やプリント基板作成用のパターン図なども作成できてしまいます。これはとてつもなく便利な道具です。よく使われているのは表2-4-2のようなツールです。これ以外にもたくさんありますが、この2つがよく使われていて、解説書もあり、ネットでの情報もたくさんあるので使いやすいと思います。

▼表2-4-2　無料で使えるECADツール

名称	入手先と機能概要	価格・制限事項
EAGLE	提供元：Autodesk https://www.autodesk.com/jp/products/eagle/free-download 回路図作成とパターン図作成を一体化した強力なツール。オートルータという自動パターン描画機能もあるが、思い通りにならないので筆者は使っていない	無料版と有償版がある。無料版は基板サイズ制限あり。書籍もある
KiCAD	http://kicad.jp/ オープンソースのEDAで、回路設計とプリント基板両方が可能。3Dの表示もできる	使用は無料。書籍もある。頻繁に更新されるので注意

　例えばEagleを使って実際に設計した回路図が図2-4-1で、Raspberry Pi Pico Wを使ったトレーニング用の基板です。それぞれの部品は既にライブラリとして用意[*]されているものが多くあり、ドラッグドロップして配置したあと、ピン間を接続して配線するという簡単な作業できれいな回路図ができあがります。

*ライブラリにない部品は自分で追加できる。

　回路図に描いた部品は基板のパターン図用の部品図[*]も用意されていて、連動して描かれるようになっています。

*これをフットプリントと呼ぶ。

　さらにこの回路図を元に作成したプリント基板用のパターン図が図2-4-2となります。回路図を描くと自動的にこのパターン図にも部品が追加され、それらを基板の上に配置してから、パターンを作成していきます。回路図通りに接続線[*]が描かれていて、その接続線に従ってパターンを作成しますから、間違うことはありません。この基板は表と裏の両方にパターンを配置する両面基板となっていて、赤色が表側、青色が裏側のパターンとなっています。パターン図は本書サポートサイト（p.327参照）からダウンロードできるので、色を確認してみて下さい。パターンが重なってしまう場合に、裏と表を使って重ならないようにします。

*これをラッツネストと呼ぶ。

2-4 電子工作にはパソコンが必須

● 図 2-4-1　ECAD の回路図例

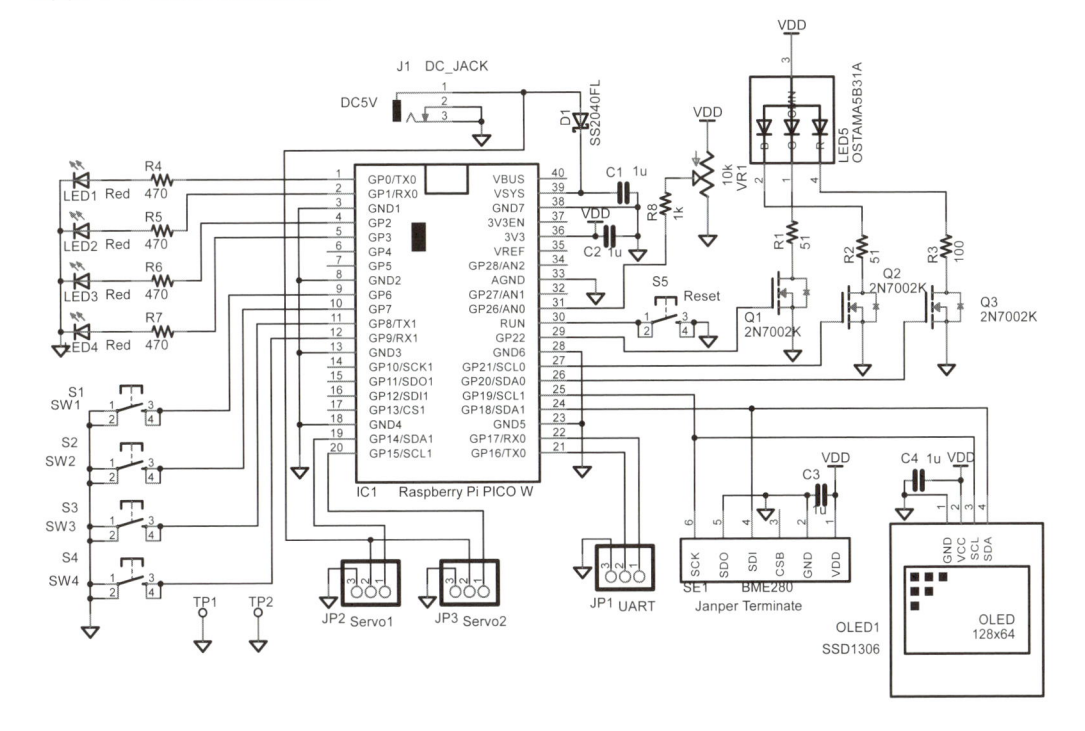

● 図 2-4-2　例題のパターン図

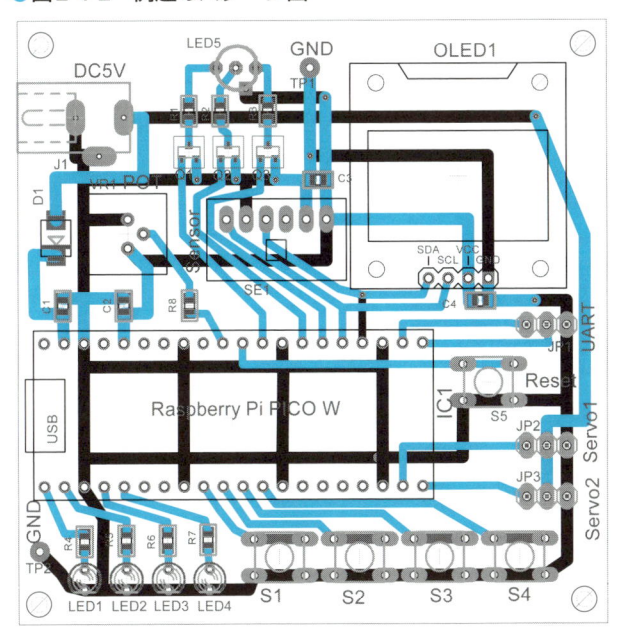

このパターン図で実際に作成したプリント基板が写真2-4-1となります。基板は専門業者に発注*して作ってもらい、部品実装を自分ですることになります。最近はこのようなプリント基板を10枚単位で数ドル＋送料で発注できてしまうので、気軽に注文できます。

2-5-3項を参照。

●写真2-4-1　完成した基板

4 構造設計の道具として

ケースや、製作品の筐体設計用のCADツールとしてパソコンを使うことができます。最近では無料で使える表2-4-3のCADツールがあります。いずれも使い方の書籍もあるので使いやすいと思います。これらのツールで設計して3Dプリンタで実際のものを製作するということも当たり前になってきています。

▼表2-4-3　無料で使えるCADツール

名称	入手先と機能概要	価格・制限事項
Jw_CAD	https://www.jwcad.net/ 2次元汎用CAD　日本語での利用も可能	無料で特に制限なし
Fusion 360	https://www.autodesk.com/jp/products/fusion-360 3次元CAD	無料では非商用利用に限定、期間限定

5 回路シミュレータの道具として

回路図の動作をシミュレーションしてパソコンの画面で信号をグラフ化して表示することで、回路動作を確認することができます。有名な無料のシミュレータとして表2-4-4のようなものがあります。

2-4 電子工作にはパソコンが必須

▼表2-4-4 無料で使える回路シミュレータ

名称	入手先と機能概要	価格・制限事項
LTspice	https://www.analog.com/jp/resources/design-tools-and-calculators/ltspice-simulator.html アナログデバイス社が提供	無料、制限なし

6 計測器の表示用として

最近ではオシロスコープ*などもUSB接続で動作するものが多くなり、表示画面としてパソコンを使うツールとなっています。本書では万能計測ツールである写真2-4-2の「Analog Dicovery3」を2-6節で解説しています。

オシロスコープ
電子回路内の電圧の変動を測定し、波形としてグラフィカルに表示する測定器。

● 写真2-4-2　Analog Discovery3

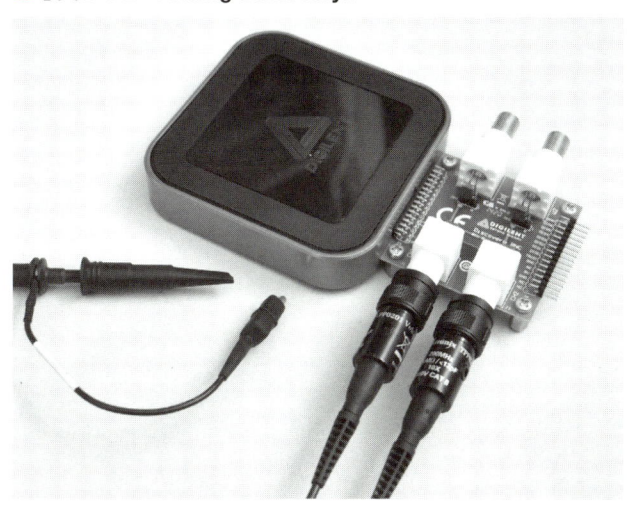

7 プログラム作成の道具として

最近では電子工作といえば、マイコン*を使うというのが当たり前のような世界になっています。このマイコンのプログラム開発の道具としてパソコンを使います。

マイコンをICチップ単体で使うこともできますが、電子工作としてはやや敷居が高くなります。これに比べてマイコンを小さなボードに実装し必要な周辺部品を実装したワンボードコンピュータが使いやすくなっています。

よく使われている電子工作用のワンボードコンピュータには、表2-4-5のようなものがあります。この他にも多くの種類のボードがあり、それぞれに多くの互換のものが市販されています。

本書では、安価で高性能なRaspberry Pi Pico W*とその互換のXIAO RP2040というシングルボードコンピュータを使いました。

マイコン
マイクロコントローラ、マイクロコンピュータ、シングルボードコンピュータ、ワンコンピュータ等として使われる。

Pico WHなどのように末尾にHがついている品番は、ピンヘッダがはんだ付け済みのもの。

▼表2-4-5　電子工作用ワンボードコンピュータ

名　称	概　要	価　格
micro:bit V2	BBCで開発された学生向けの教育用シングルコンピュータ。小型だが無線機能を搭載している。ScratchやPythonでプログラミング	3千円前後
Arduino Uno Rev3 Arduino Uno R4 Minima Arduino Uno R4 WiFi	基板の両端に入出力ピンがコネクタで出ていて、多くの拡張ボードが用意されているので扱いやすい。 プログラムはArduino IDEという専用の環境でスケッチという比較的簡単なプログラミング言語、ライブラリが非常に多く用意されている	3千円台から 4千円台
Raspberry Pi Pico Raspberry Pi Pico 2 Raspberry Pi Pico W Raspberry Pi Pico 2W	ラズベリー財団が開発した小型ボードで、高性能、大容量メモリのマイコンが搭載されている。安価で入手しやすい。Arduino、MicroPython、C言語で開発。無線機能も搭載されている。ライブラリも充実している	千円から 千五百円
Raspberry Pi 4B Raspberry Pi 5B	ラズベリー財団が開発した高性能ワンボードコンピュータでLinux OSで動作する。あらゆる言語で開発可能。AIや機械学習も可能	1万円から 2万円

　　実際のワンボードコンピュータの外観が図2-4-3となります。いずれも小型の基板に多くの機能が組み込まれています。さらに無線機能として、Wi-FiやBluetooth、BLE*が搭載されているので、応用範囲が広くなっています。

BLE
Bluetooth Low Energy

●図2-4-3　ワンボードコンピュータの外観例

(a) micro:bit V2

(b) Arduino Uno R4 WiFi

(c) Raspberry Pi Pico 2W

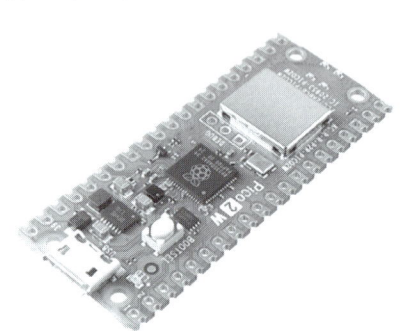

(d) Raspberry Pi 5B

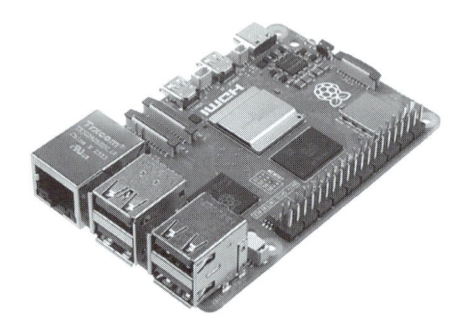

（写真：秋月電子通商）

2-5 電子工作の組み立て方法

作りたいものが決まり、部品の入手もできたら、いよいよそれを組み立てるわけですが、電子工作での組み立てにはいくつかの方法があります。よく使われるのは次の3つの方法です。

①ブレッドボードによる方法
②ユニバーサル基板による方法
③プリント基板を注文する方法

それぞれの実際について説明します。

2-5-1 ブレッドボードによる方法

ブレッドボードという穴が開いていて、その中があらかじめ接続されているボードを使う方法です。部品を穴に差し込んで固定し、接続も専用の線材で接続します。組み立て後の修正も簡単ですし、元に戻すこともできますが、**穴の自由度が少ないので複雑な回路の組み立てには向いていません。**

実際のブレッドボードは図2-5-1のようになっていて、大きさは数種類あり、ブレッドボードだけのものと鉄板の上に固定されているものとがあります。0.1インチピッチで穴が開いています。これはICを含め多くの部品の端子が0.1インチピッチでできているためです。

●図2-5-1 ブレッドボードの実際

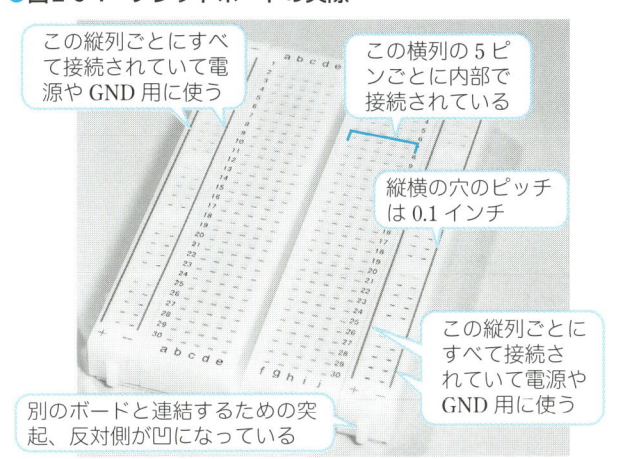

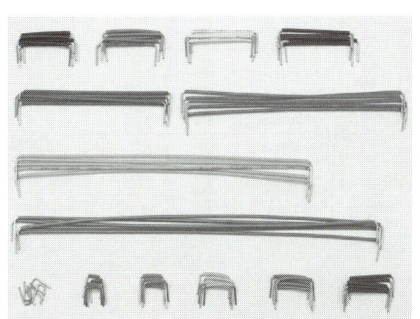

この縦列ごとにすべて接続されていて電源やGND用に使う

この横列の5ピンごとに内部で接続されている

縦横の穴のピッチは0.1インチ

この縦列ごとにすべて接続されていて電源やGND用に使う

別のボードと連結するための突起、反対側が凹になっている

ブレッドボード用ジャンパワイヤ
（秋月電子通商より）

DIP
Dual Inline Package
ピンが2列に並んでいて、基板の穴に差し込むタイプの部品。手作業で実装できる。

秋月電子通商から入手可能。

写真のように横の数個の連続した穴が内部で接続されていて、ここに部品と接続用の線材を挿入して配線をします。穴に挿入するだけなのではんだ付けは不要ですが、部品のリード線や配線を適当な長さに切断して曲げたりするため、ペンチとニッパなどの道具を使います。

最近このブレッドボードによる組み立てがよく使われるようになったため、図2-5-2のように、各種の電子部品をこのブレッドボードで使いやすくするように変換基板に実装したものも販売されています。これらは「DIP*化キット*」などと呼ばれています。

●図2-5-2 ブレッドボード用に用意された部品の例

ステレオジャック　　DC電源ジャック　　　2連の可変抵抗

実際にブレッドボードで組み立てたものが図2-5-3となります。これは防犯チャイムで人感センサとメロディICを使ったものです。詳細は6-3節を参照して下さい。

●図2-5-3 ブレッドボードの組み立て例

バラックセット
本格的な製品として完成させる前に、部品を仮組してプロトタイプとして作成したもの。部品が固定されていないため、接触不良を起こすことがある。

このように比較的簡単な回路でしたらブレッドボードで組み立てができますが、いわばバラックセット*ですから、完成品としては低レベルとなります。しかし、最終的な作品ではなく、ちょっと実験で動作を確認するためというような目的にも使われることがあり、このような使い道には便利に使えます。

104

2-5-2 ユニバーサル基板による方法

ユニバーサル基板は、穴が等間隔にあけられ、はんだ付け用のランドが用意されているプリント基板で、はんだ付けで配線します。やや複雑な回路まで組み立てられますが、自分で配置と配線を考えて進めなければならないので、意外と難しい方法です。

実際のユニバーサル基板が写真2-5-4に示すようなもので、こちらもブレッドボードと同じように0.1インチピッチで穴が並んでいます。写真のように穴だけで穴の間はすべて接続されていないものと、4個とか3個のいくつかがパターンで接続されているものとがあります。

さらに図右側のようなブレッドボードと互換の穴とパターンがプリントされた基板もあります。これであればブレッドボードからそのまま写して製作できるので、間違いも少なく便利に使えます。

● 図2-5-4 ユニバーサル基板の例

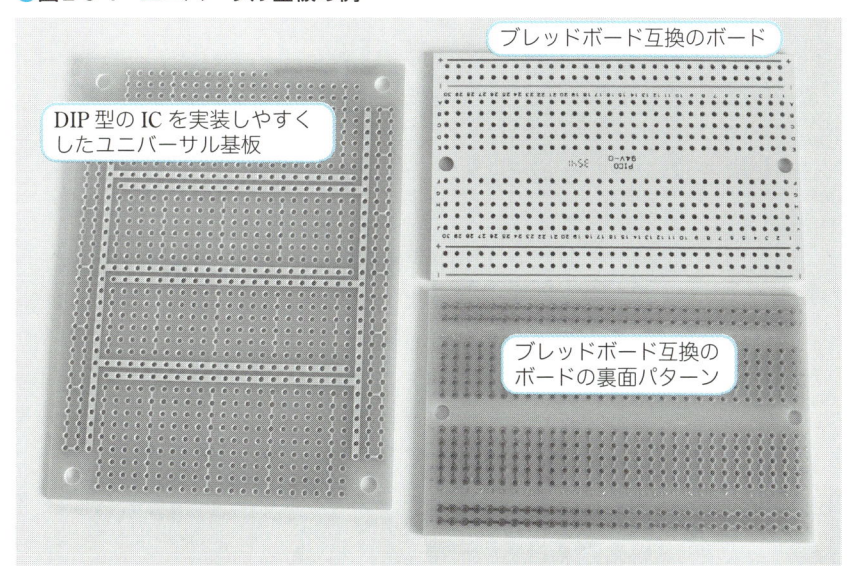

DIP型のICを実装しやすくしたユニバーサル基板

ブレッドボード互換のボード

ブレッドボード互換のボードの裏面パターン

いずれの場合も、配線をはんだ付けすることで穴の間を接続します。

ブレッドボード互換のユニバーサル基板を使った製作例が図2-5-5となります。一度ブレッドボードで組み立ててから同じように配置すればよいので間違いもなく楽に組み立てられます。これで接触不良*もなくなり、壊れることもなくなります。

古いブレッドボードでは接触不良が起きやすい

●図2-5-5　ユニバーサル基板の組み立て例

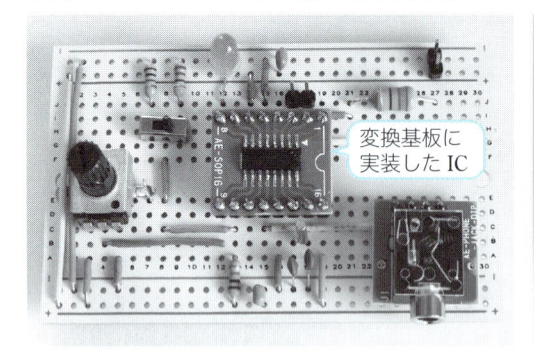

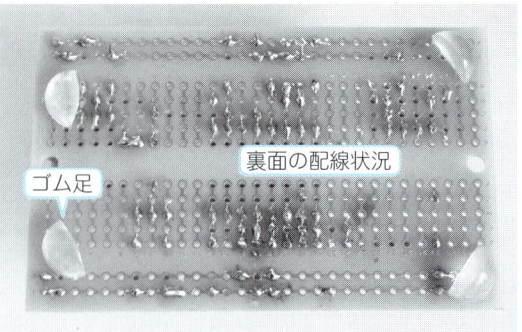

変換基板に実装したIC

裏面の配線状況

ゴム足

2-5-3　プリント基板を注文する方法

　プリント基板のパターンを作成するソフトウェア（ECAD）を使って、パターン図を作成し、プリント基板を専門の会社に発注して作成してもらう方法です。最近はこの方法が非常に安価になり、気楽に注文することができるようになりました。

　筆者がよく使っている基板メーカはSeeed社のFusion PCBですが、10cm四方以下であれば10枚で4.9ドル、これに送料が加わるだけですので、3千円以下でできてしまいます。URLは以下です。

　　　https://www.fusionpcb.jp/

　プリント基板さえできれば組み立ては簡単で出来栄えもきれいです。また、回路が間違っていたような場合の修正も、パターンをカッターでカットしたり、細い線材で接続し直したりと、ちょっと面倒にはなりますが可能です。ただし穴径が合わないときは修正が難しくなるので、**穴径は発注前に十分確認する必要があります**。

　プリント基板の例が図2-5-6となります。最近の部品はチップ型の部品や小型ICなど、表面実装といってプリント基板に直接はんだ付けするタイプのものが多くなっています。このような表面実装の部品が多い場合には、プリント基板で組み立てる方法が必須となります。

●図2-5-6　プリント基板の例

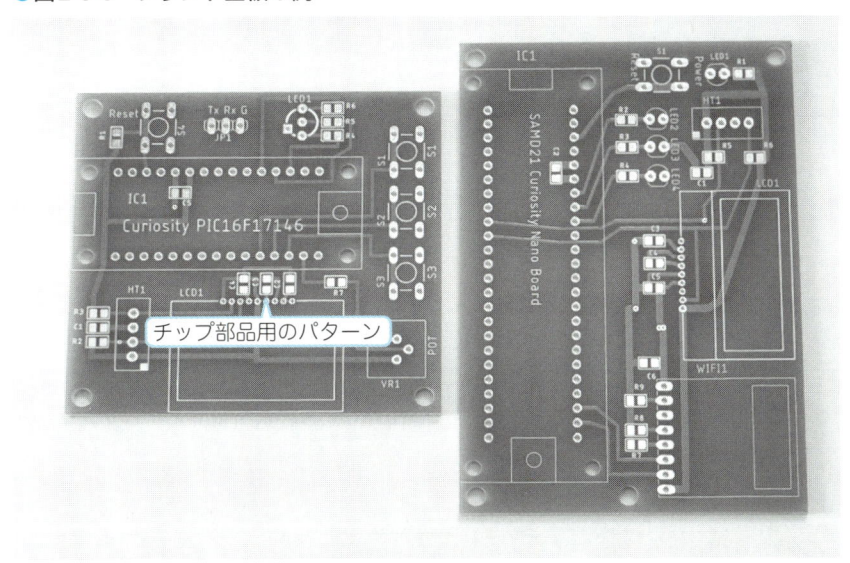

実際に組み立て完了したものが図2-5-7です。出来栄えはこれが一番きれいで完成度も高くなります。

●図2-5-7　プリント基板の組み立て例

2-6 電子工作用の計測器の使い方

　せっかく製作した作品が無事に動作するか、それとも失敗に終わるかは測定器の使い方次第といえます。電子工作用の測定器は非常にたくさんあってどれを使ったらよいか迷うところですが、本書では最近高機能化が著しく、しかも安くなった「デジタルマルチメータ（DMM）」を必須の道具として使い方を説明します。

　また、もう一つ、今後、電子工作を趣味とするのであればぜひ揃えたい測定器として、USB接続の万能測定器「Analog Discovery3」を挙げ、基本的な使い方を説明します。

2-6-1 デジタルマルチメータ（DMM）

DMM
Digital Multi Meter

　デジタルマルチメータ（DMM*）は、いわゆるテスタと同じで、電圧、電流、抵抗などの基本的な測定機能を1台にまとめた汎用デジタル測定器です。最近はこれに加えて、温度、周波数カウント、コンデンサ容量、トランジスタ増幅率、コイルインダクタンスなどの測定機能や信号出力機能までも含まれた高機能なものが、非常に安価に入手できるようになりました。

●図2-6-1　デジタルマルチメータ（DMM）の外観例

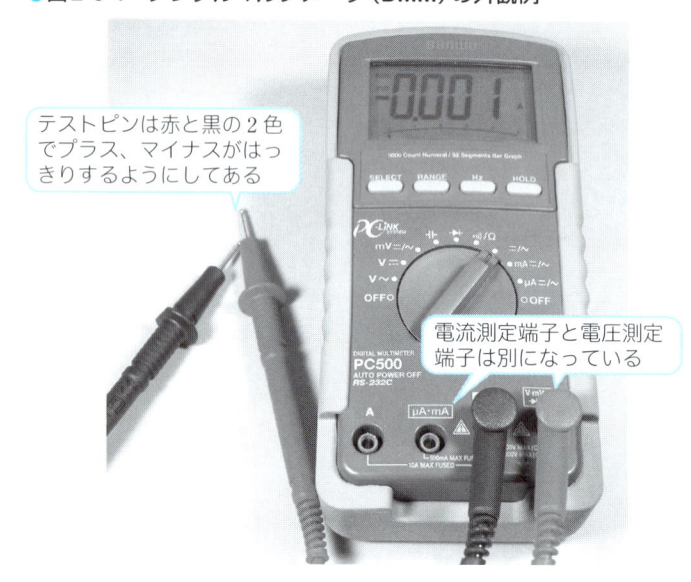

テストピンは赤と黒の2色でプラス、マイナスがはっきりするようにしてある

電流測定端子と電圧測定端子は別になっている

DMMの表示は電池駆動のため液晶が使われています。その表示桁数は3 1/2桁〜4 1/2桁です。ここで3 1/2桁というのは、例えば、最大表示が"1999"のように3桁（0〜999）と4桁（0〜9999）の間であることを意味しています。

私たちが電子工作をする範囲では、この**DMMが1台あれば、まず大抵の場面での測定は間に合うので、これだけはぜひ揃えましょう。**

筆者が使っているDMMは図2-6-1のような4桁表示（9999）のもので、その仕様は表2-6-1となっています。やや高価ですが、これがあれば、基本的な測定関係で他の測定器が必要になることは少ないでしょう。

▼表2-6-1　デジタルマルチメータ（DMM）の仕様

測定機能	測定範囲	確度
直流電圧 オートレンジ	50.00mV 500.0mV 5.000〜1000V	0.3% 0.06% 0.08%
交流電圧 オートレンジ	50Hz〜60Hz 50.00mV〜1000V	0.5%
	40Hz〜500Hz 50.00mV、500.0mV 5.000〜500.0V 1000V	0.8% 1.0% 1.2%
	20kHz以下 50.00mV、500.0mV 5.000〜500.0V 1000V	0.5dB 3dB
直流電流 オートレンジ	500.0μA〜10.00A	0.2%
交流電流 オートレンジ	50Hz〜60Hz 500.0μA〜50.00mA 500.0mA 5.000A〜10.00A	0.6% 1.0% 0.6%
	40Hz〜1kHz 500.0μA〜50.00mA 500.0mA〜10.00A	0.8% 1.0%
抵抗 オートレンジ	50.00Ω 500.0Ω 5.000〜500kΩ 5.000MΩ 50.00MΩ	0.4% 0.2% 0.2% 1.0% 1.5%
コンデンサ容量 オートレンジ	50.00nF、500.0nF 5.000μF 50.00μF 500.0μF 9999μF	0.8% 1.0% 2.0% 3.5% 5.0%
ダイオード	5.000V	1%
周波数	5Hz〜125kHz	±0.01%
温度	−50℃〜1000℃	0.3%
導通	20Ω〜120Ω	スレッショルドレベル

切り替えスイッチには記号で測定対象の種類を示していますが、通常は図2-6-2のような意味になっています。

● 図2-6-2　スイッチの記号と意味

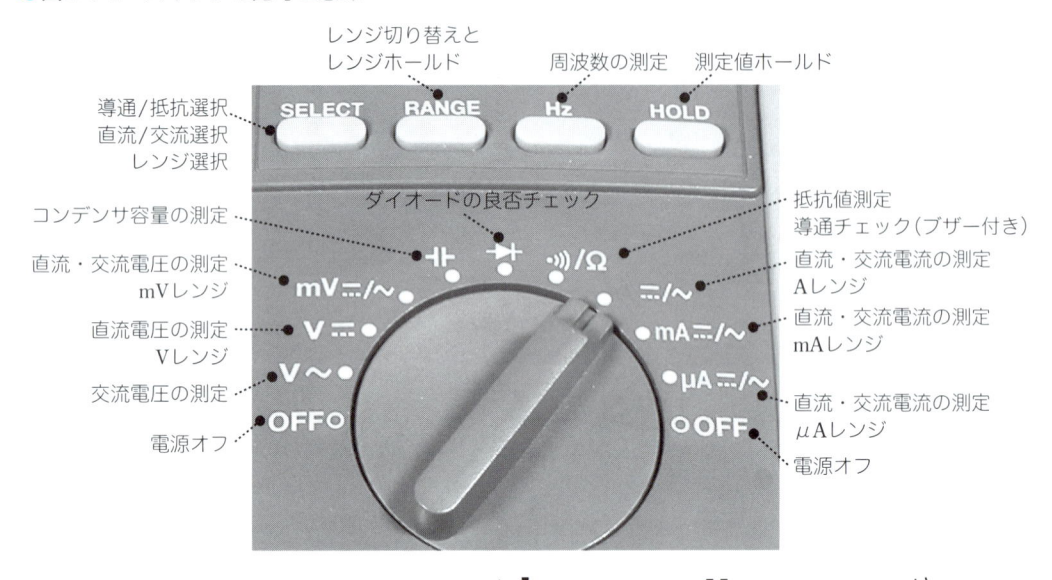

（図中のラベル）
- レンジ切り替えとレンジホールド：RANGE
- 周波数の測定：Hz
- 測定値ホールド：HOLD
- 導通/抵抗選択、直流/交流選択、レンジ選択：SELECT
- コンデンサ容量の測定
- ダイオードの良否チェック
- 抵抗値測定、導通チェック（ブザー付き）
- 直流・交流電圧の測定 mVレンジ
- 直流・交流電流の測定 Aレンジ
- 直流電圧の測定 Vレンジ
- 直流・交流電流の測定 mAレンジ
- 交流電圧の測定
- 直流・交流電流の測定 μAレンジ
- 電源オフ
- 電源オフ

（記号の意味）　━━：直流　∿：交流　▶︎｜：ダイオード　─┤├─：コンデンサ　•))): ブザー

2-6-2　デジタルマルチメータの使い方

実際にデジタルマルチメータ（DMM）を使うときの注意事項や測定方法について説明します。

❶ 測定内容の切り替え

自分の行いたい測定に合わせ、「切り替えつまみ」を回して測定内容を切り替えます。まず測定内容が、電圧か電流か、あるいは抵抗かなどにより、さらに電圧や電流の場合には、直流か交流かにより切り替えが必要です。次に、測定値を予測し、この中からレンジの決定をします。オートレンジになっている場合は、このレンジ選択は不要となります。

例えば、**ロジック回路**[*]の電源電圧（電圧：3.3V ～ 5V）の電圧を測定する場合でいえば、電源は直流なのでDC電圧測定レンジを選択します。通常プラス側の端子は電圧測定用と電流測定用に分かれているので、それぞれの測定内容に合わせて接続変更が必要です。

ロジック回路
デジタル回路やマイコンなどの回路。

110

2 電圧測定

電圧測定の基本は、対象の**回路に並列に接続して測る**ということです。また、**直流回路の場合は極性（プラス、マイナス）に注意が必要です**。図2-6-3に測定のためのDMM接続例を示します。このプラス、マイナスは間違っても壊れることはなく、表示の＋と－が逆になるだけです。

●図2-6-3 電圧測定方法

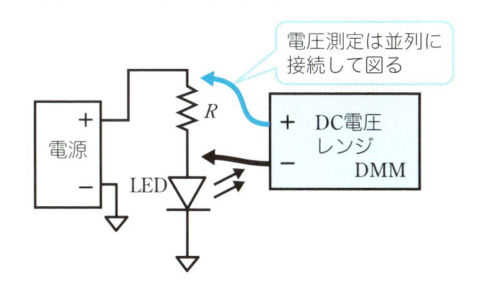

3 電流測定

電流測定の基本は、対象の**回路に直列に挿入して測る**ということです。また、**直流回路の場合は極性（プラス、マイナス）に注意が必要です**。逆に接続しても表示の＋と－が逆になるだけですので問題はありません。

図2-6-4に電流測定のためのテスタ接続例を示します。図のように電流を計測するためには、回路を切断してその間に直列にDMMを挿入することになります。

このときDMMを挿入したことにより、DMMの内部抵抗が回路に直列に挿入されることになりますが、DMMの電流測定レンジでの内部抵抗は非常に小さく、0Ωとみなして構いません。つまり回路には影響を与えないということです。

●図2-6-4 電流測定方法

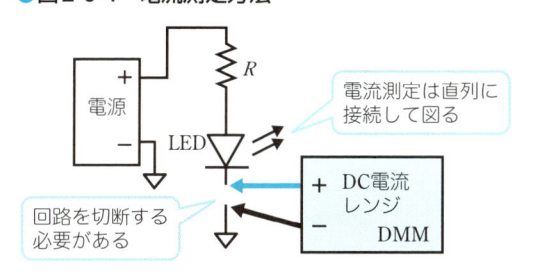

電流測定のときに注意が必要なのは、大電流が流れるような場合です。例えば**電源の電圧を測定しようと思って、電流測定状態にしたままテストピンを当てると、電源を直接ショートしてしまう接続となり、大電流がDMMに**

流れてしまいます。そのようなときのために安全ヒューズが付いていますが、危険なことには変わりはないので注意しましょう。

4 抵抗測定

抵抗測定は、電圧測定と同じ要領で対象に並列に接続して測りますが、問題があります。それは、回路が接続された状態で測定すると、接続されたものすべての抵抗の合成値を測ることになってしまうことです。つまり図2-6-3のようにして抵抗測定すると、実際には、電源を経由してダイオードや電源の内部抵抗など、いろいろなものの合成した結果の抵抗値を測定してしまうことになるわけです。**抵抗値を測定するときには、必ず周りの回路を切り離した単体の状態で測定するようにします。**

5 ダイオードの極性を知る方法

テスタの抵抗測定機能の応用として、ダイオードの極性がよくわからない場合にテスタを使って知ることができます。ダイオードには、一方の極（A：アノード）から、他方の極（K：カソード）へ向かっては電流が流れやすく、その逆は電流が流れにくいという性質があります。

一方、テスタを抵抗測定とした場合、マイナス端子（黒のテストリード）と、プラス端子（赤のテストリード）の間で一方向に向かって電流が流れる回路となっています。

したがって、**あらかじめ方向がわかっているダイオードで確認してから、わからないダイオードの抵抗値を測定すれば向きを知ることができます。**

例えば、マイナス側からプラス側に電流が流れるようなDMMであれば、導通がある（抵抗が小）ように指示されたときの、マイナス端子（黒のテストリード）を当てたダイオードのリード側から、プラス端子（赤のテストリード）を当てたダイオードのリード側に向かってが、ダイオードの導通方向であるとわかります。図2-6-5にダイオードの極性を知るためのテスタ接続方法を示します。

● 図2-6-5 ダイオードの向きを知る方法

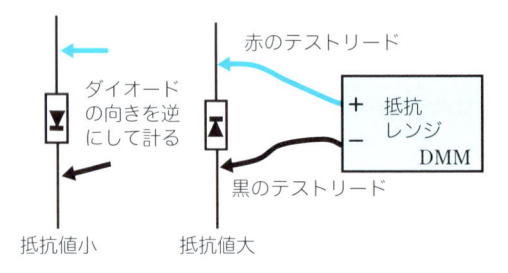

本例のDMMにはダイオードテスト機能があり、ダイオードの順方向電圧

2-6 電子工作用の計測器の使い方

降下値を表示します。これが0だったり無限大（断線の場合）だったりした場合は、ダイオードが不良とわかります。

6 交流電圧の測定

交流電圧測定も直流電圧測定と同じ接続方法で測定できます。しかし**交流の場合には、低電圧の交流測定（100mV以下）では外部ノイズによる影響に注意が必要です**。露出した測定リードがアンテナの役割を果たして、電磁波や商用電源からの誘導ノイズが測定値に誤差を生じさせる場合があるので、シールド線の使用や測定系全体のシールドが必要になります[*]。

さらにDMMで交流測定という場合には、**DMMの保証周波数範囲に注意が必要です**。通常は数十Hzから数kHz程度が多いのですが、この範囲外の周波数の測定では誤差が大きくなってしまいます。

> アルミ箔で囲ったりして、アルミ箔をグランドに接続する。

7 交流電流の測定

交流の場合も直流と同じ方法で電流を計測できます。この**電流の場合も、微小な電流測定の場合には、外部ノイズによる誤差に注意が必要です**。

8 コンデンサ容量の測定

容量の大きなコンデンサの場合には、長めのリード線で接続しても誤差の心配はありません。しかし数百pF以下の容量を計測するときは、リード線間の浮遊容量による誤差が加わるので、できるだけ短いリード線で計測して誤差を少なくします。

9 導通テスト

パターンや回路チェックのために、接続されているかどうかは抵抗値を計ることで確認できます。数十Ω以下の抵抗値であればその間は配線されているとみなし、ブザーで知らせます。

2-6-3　Analog Discovery3

最近はUSB経由でパソコンと接続して、表示と操作をパソコンに任せる測定器が多くなっています。価格も専用測定器よりは安く、小型で扱いやすいのでアマチュアの電子工作には最適な測定器です。その中でもここで解説する**Analog Discovery3**は万能測定器といわれていて、やや高価ですが、非常に多くの機能を持っています。さらに別売りのアダプタ類を追加するとより多くの測定機能が追加できます。

Analog Discovery3の外観は図2-6-6のようになっていて、単純な四角の箱になっているだけです。USB Type Cのケーブルでパソコンに接続し、専用アプリをパソコンにインストールして使います。

●図2-6-6　Analog Discovery3の外観

USB Type C と
AC アダプタ用ジャック

32 ピンのコネクタ

このAnalog Discovery3の機能仕様は次のようになっています。

❶オシロスコープ
- チャンネルあたり最大125MS/s、14ビット分解能で、オプションのBNCアダプタ使用時は±25V、入力範囲、30MHz帯域幅の差動2チャンネル
- 10MHz程度までの信号の観測ができる
- ユーザ設定可能な入力フィルタとロックインアンプ
- FFT、スペクトログラム、アイダイアグラム、XYプロットビューなど

❷ロジックアナライザ、パターン発生器
- デジタルI/O 16チャンネル（1チャンネルあたり最大125MS/s）
- 個別に設定可能な3.3Vデジタル入力および出力、5V許容入力
- SPI、I^2C、UART、CAN、JTAG、ROMロジック、カスタムプロトコルなど

❸プログラム可能電源
- 0.5V〜5Vおよび-0.5V〜-5Vの可変電源
- 補助電源（ACアダプタ）を使用した場合、チャンネルあたり最大800mA

❹任意波形発生器
- 2チャンネル、14ビット分解能、1チャンネルあたり最大125MS/s、±5V出力範囲、12MHz帯域幅、BNCアダプタ付き
- 標準波形、振幅変調信号、周波数変調信号、アナログ入力からの直接再生、カスタム波形、その他

❺追加のソフトウェア、機器：
- スペクトラムアナライザ、ネットワークアナライザ、インピーダンスアナライザ
- プロトコルアナライザ、ボタン、スイッチ、LEDなどの仮想デジタルI/O
- データロギング、電圧計、アプリ内スクリプティング

2-6-4 オシロスコープとして使う

Analog Discovery3を最も基本の機能であるオシロスコープとして使う方法を説明します。まず、測定用のプローブが使えるようにするため、図2-6-7のようにBNCアダプタというオプションボードを接続します。さらにプローブも2本、別途購入して接続します。これでオシロスコープとして使う準備ができます。

このBNCアダプタは、入力だけでなく、波形ジェネレータとして使う場合の出力もできるようになっています。

●図2-6-7 BNCアダプタを接続

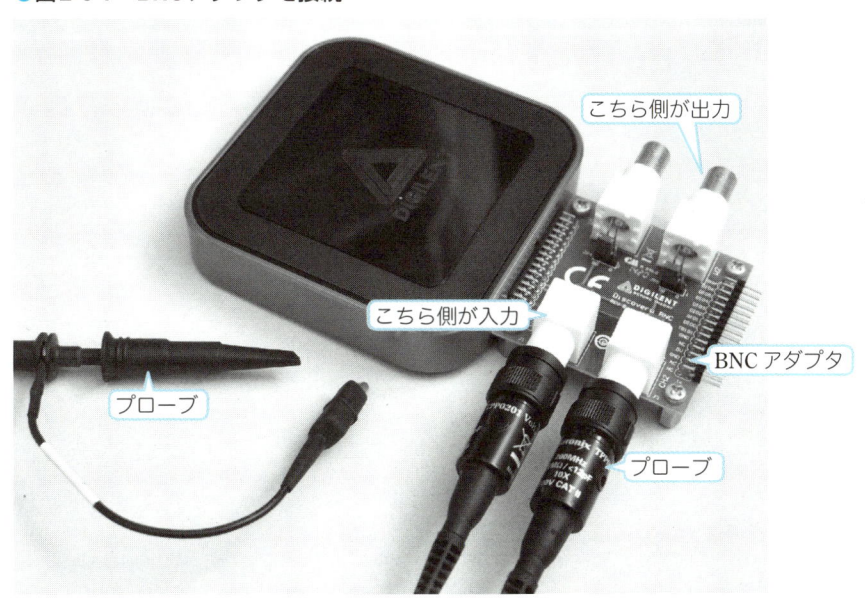

そして専用のアプリである、「Wave Forms」を起動して、オシロスコープを選択します。これで図2-6-8左側のような機能の選択肢*が表示されますから、一番上にある[Scope]を選択することで、オシロスコープ画面がパソコン画面で表示され、測定した波形を表示することができます。

図2-6-8のように、2チャネルの選択、表示電圧、表示周期の設定、トリガの設定*を行うことで、オシロスコープとして使えるようになります。実際の実用域は10MHzプラスアルファの周波数まで十分観測できます。

> この選択肢の多さからも多機能であることがわかる。

> 波形のどの時点から取り込むかを指定する機能。電圧レベルと立ち上がりか立下りかで指定する。

表示された波形は拡大縮小が自由にできますし、パソコンの大画面で長時間の表示もできますから、電気信号を目で見ることができる素晴らしい測定器となります。高速パルスも波形で直接確認できますから、つぶさに動作を調べることができます。

　詳しい使い方はネット情報でたくさんあるので参照して下さい。

●図2-6-8　オシロスコープの表示例

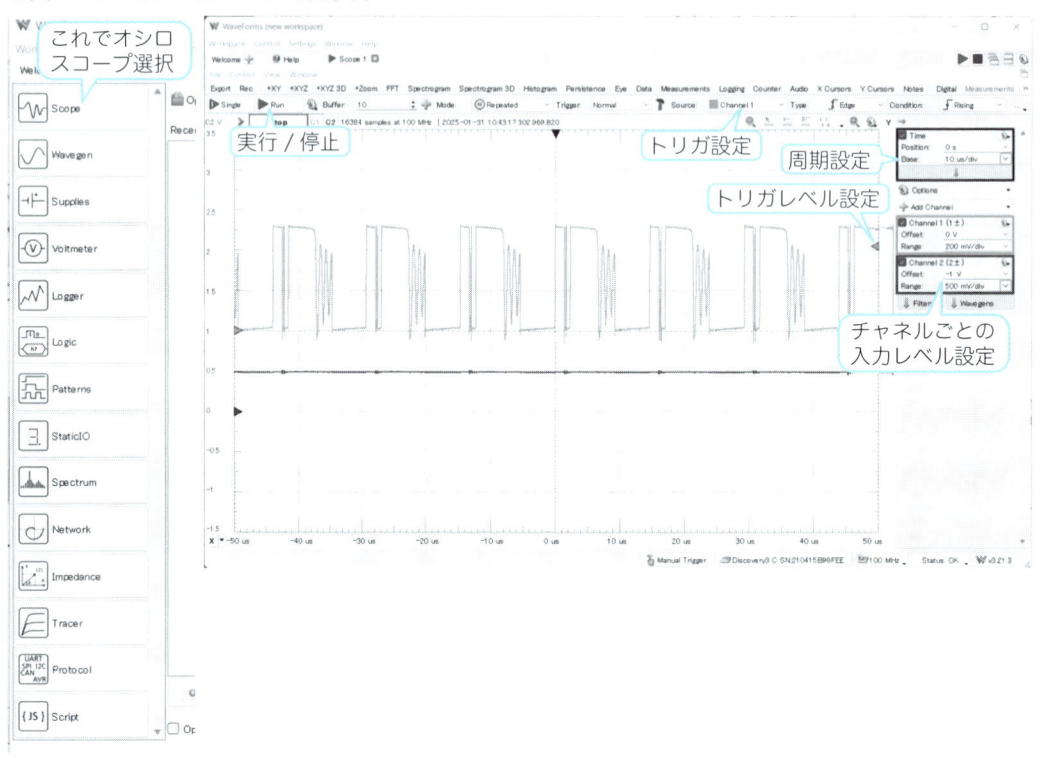

第3章
電子回路設計の基礎

3-1 回路図が読めて描けるようになるには

　電子回路の働きを他の人に伝えたり、同じものを作れるようにしたりするためのいわば「言葉」が「回路図」です。したがって、**回路図が読めないと、言葉がわからないのと同じで内容を理解することはできません。**

　電子回路を趣味で始める場合でも、本当は自分で最初から設計できればよいのですが、初心者ではそこまで全部はなかなかできません。そこで電子工作キットのように先人が作ったものを利用することになりますが、この場合でも、回路図が読めるのと読めないのでは利用して実現する範囲に圧倒的な差が出てしまいます。そこで、まず回路図が読め、描けるようにしましょう。

3-1-1　回路図の基本的な要素

　回路図には、電子回路を図として表現し内容を伝えるため下記のような内容が表現されています。したがって、これだけのことが理解できれば回路図を読むことができます。

① 使っている部品の区別
② 部品の種別、定数値
③ 部品同士の接続関係

　たったこれだけの内容ですから、誰でも回路図は見ることができます。しかし、中に使われている部品や記号に基本的な約束事があり、これがわかっていないと回路の働きを理解することが難しくなってしまいます。いわゆる回路図を見ることができても、読むことができないという状態になります。そこで、以下に基本的な約束事を説明します。

■ 回路の接続と交叉

　回路図で部品同士を接続することを表現するために、一般には直線で結びます。このとき混乱するのは、直線同士が交叉しているときの接続です。回路図では一般に交叉した直線は図3-1-1の条件としています。

❶ T字交叉は接続されている

　行き場のないT字交叉なので直感的に接続されていることはわかるのですが、紛らわしいのでできるだけ黒丸を付けるようにします。

3-1　回路図が読めて描けるようになるには

❷ 十字交叉の場合、交叉点が黒丸なら接続、なければ横切っているだけ

この十字交叉が最も紛らわしいので、接続する交叉はできるだけT字交叉とし、単なる横切る交叉もできるだけ少なくなるように回路図の線の描き方を工夫します。

❸ 十字交叉の交叉点で線が弧を描いていれば単に横切るだけ

最近は使われなくなったのですが、十字交叉で明確に接続されていないことを表現しています。

●図3-1-1　回路図の接続と交叉

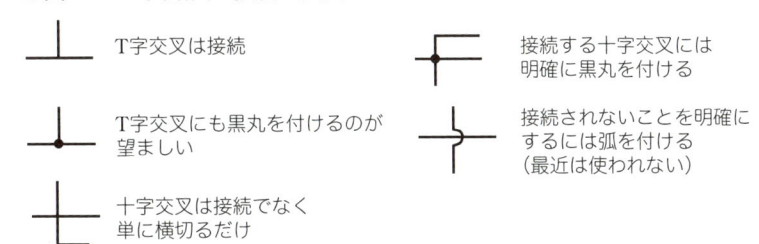

┬	T字交叉は接続	接続する十字交叉には明確に黒丸を付ける
●	T字交叉にも黒丸を付けるのが望ましい	接続されないことを明確にするには弧を付ける（最近は使われない）
✚	十字交叉は接続でなく単に横切るだけ	

2 部品の略号と記号

回路図を読めるようにするためには、回路図によく現れる部品の略号と記号についての知識が不可欠です。表3-1-1に代表的な部品の略号と記号を示します。これ以外にもまだまだたくさんの部品がありますが、表3-1-1は基本的にこれだけ知っていればとりあえずは回路図が読めるというレベルのものです。

▼表3-1-1　代表的な電子部品と回路図記号、略号

略号	日本語	回路図記号	備考
R	抵抗	$R1$ 10k	すべての回路で使う。電圧、電流の変換用
VR	可変抵抗器	$VR2$ 10k	電圧や電流の調整用に使う。連続的に可変できる
C	コンデンサ	$C1$ 0.01　$C3$ 10uF	すべての回路で使う、用途により多種類あり
L RFC	コイル インダクタンス	$L1$ FCZ7MHz　$RFC2$ 10uH	高周波回路の同調やフィルタとして使う

119

略号	日本語	回路図記号	備考
D	ダイオード	D20 1S953	整流素子、高周波から電源用まで多種類ある
LED	発光ダイオード	LED5 red	発光する機能を持つダイオード
Tr Q	トランジスタ	Q2 2SC2458	基本の半導体増幅素子
MOS-FET Q	金属酸化被膜電界効果トランジスタ	Q1 2SK2231	高い入力インピーダンスを持つトランジスタの1種で、ON抵抗も低いので大電流が扱える
IC OPA U	オペアンプ、演算増幅器	U10A LMC662	アナログ増幅回路をIC化したもので汎用素子として多く使われている
SW S	スイッチ	S1 SWST	スイッチ
T PT	トランス 電源トランス	PT1 Power Transformer	交流を変圧して2次側に出力する。電源の電圧変換に使われる
XTAL X	水晶振動子 クリスタル振動子 セラミック振動子	Y1 10MHz	高周波で周波数の安定な発振回路を得るのに使う
IC U	デジタルIC	U2A 74HC00	論理回路を構成する集積回路、非常にたくさんの種類がある

3 電源とグランド

　回路図の中で表現はされていますが、接続することが明確には表現されていないのが電源とグランドです。記号としてはいくつか種類がありますが、代表的なのは図3-1-2です。

3-1 回路図が読めて描けるようになるには

●図3-1-2 電源とグランドの記号

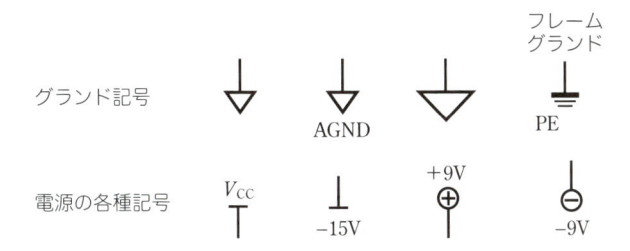

グランド記号　　　　　　　　　　　　　　　　　　　　フレームグランド

　　　　　　　　　　　　　　　　　　　　　　　　　　　PE
　　　　　　　　　　　　　AGND

電源の各種記号　　V_{CC}　　　　　　+9V
　　　　　　　　　　　　−15V　　　　　　　　−9V

　これらの記号があった場合、実際にはどこに接続するのでしょうか。基本は、**電源記号はすべて電源のプラス端子またはマイナス端子へ、グランド記号は、すべて電源のグランド端子（0Volt端子）へ接続することになっています。**しかしそれ以外にも記号でいろいろ表現があり、次のようにします。

❶ 電源供給

　電源記号に「5V、−12V」のように電圧値が記入されている場合には、それぞれ電源の5V、−12Vの供給元端子に接続することを表しています。また明確に電圧値ではなく、V_{CC}とかV_{DD}*とか+Vとかの記号で表現されているときもあります。このような場合にも、電源の供給元に同じ記号があり、そこと接続することを表しています。

　電源の記号では、通常プラス電源は上側で下向きに、マイナス電源は下側で上向きにして使います。

❷ グランド

　グランドは基本的にすべて電源の0Volt端子に接続します。特に電源がプラスとマイナスがある場合には、0Voltの端子とマイナス端子を間違えないようにする必要があります。電源が1個の電池のような場合には、マイナス端子がグランドとなります。

❸ ICの電源とグランドは省略されることがある

　デジタルICやオペアンプの場合には、電源とグランドの接続ピン番号が統一されていて決まっているので、回路図に特に描かないこともよくあります。このような場合には**パターン図を描くときや、配線するときには忘れないように注意が必要です。**

　図3-1-3は実際の回路の電源とグランドがどこに接続されるかを表したものですが、図3-1-3(a)は直接回路図上でグランドを接続した書き方の場合です。このような描き方では、簡単な回路ではよいのですが、複雑な回路になるとごちゃごちゃした接続になり非常に見づらくなってしまいます。

　そこで、通常は図3-1-3(b)のように**電源やグランドは記号で接続を表します。**したがって図3-1-3(b)のような場合には、グランドは同じグランド記号を全部接続して、電源の0V端子に接続するということを表しています。

V_{CC}とV_{DD}
もともとはバイポーラTrを使ったときV_{CC}、CMOSTrを使ったときV_{DD}とした（CはCollector、DはDrainの略）。現在は区別しないので、単にどちらも電源記号とする。

121

●図3-1-3　電源とグランドの実際の接続

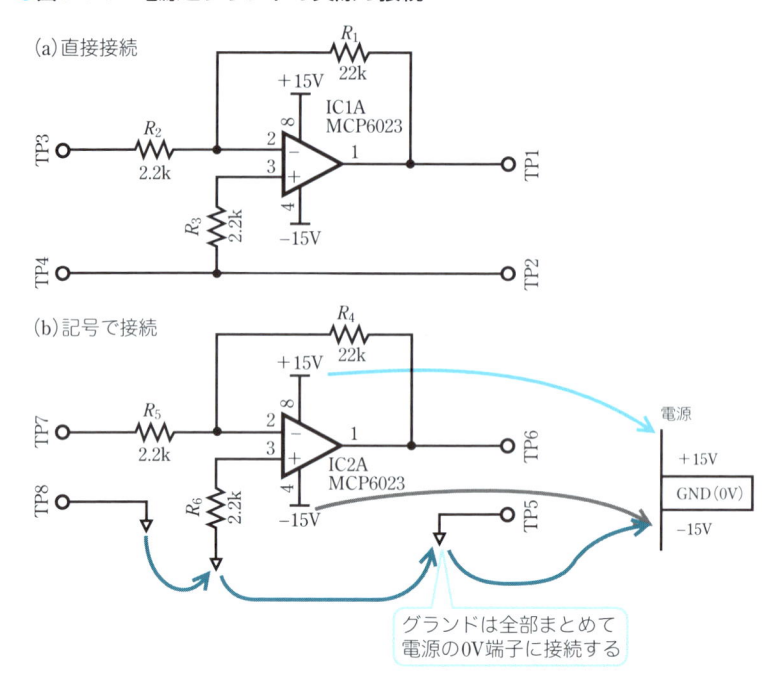

(a) 直接接続

(b) 記号で接続

グランドは全部まとめて電源の0V端子に接続する

3-1-2 回路には直流動作と交流動作がある

　回路の動作を見る場合、直流信号での動作の場合と交流信号での動作の場合とがあります。特に**回路にコンデンサやコイル、オペアンプなどが含まれていると、直流動作と交流動作は全く異なってきます。**

　直流動作の場合は、電圧と電流がオームの法則で簡単に求められますので、回路の動作も簡単に理解できますが、交流の場合には、周波数が関係することになり、ちょっと複雑になります。つまり回路動作に**周波数特性**という要素が加わってきます。この動作は回路図からはすぐには求められず、オペアンプなどのデータシートや、コイルやコンデンサによるフィルタ効果を計算で求める必要があります。

　それでも次のような基本がわかっていればどのように動作するかは理解できるようになります。

①抵抗は直流でも交流でも同じ抵抗となる
②コンデンサは直流を通さない。交流は高い周波数ほど通過しやすい
③コイルは直流を通すが交流に対しては抵抗となる。高い周波数になるほど大きな抵抗となる

④オペアンプには周波数特性があり、周波数が高くなるほど増幅率が下がる
⑤MOSFETトランジスタはオンオフ制御用のスイッチとして使われることが多い

3-1-3 回路図に描いていないこと

さてこれだけのことがわかれば回路図が読めるはずです。では次の図3-1-4はどのように動作するのでしょうか。

左端にMOSFETトランジスタがあって、PowerLED*が接続されているので、LEDをオンオフ制御するということは理解できるかと思います。また電源には外部からDC5Vが加えられるのだとも理解できます。

問題はIC1と書かれているICがどういう動作をするのか、この回路図では全くわからないことです。つまり、ICなどの機能については回路図には描いていないのです。

PowerLED
照明に使えるほどの明るいLED。5-1-3項 参照。

●図3-1-4　例題の回路図

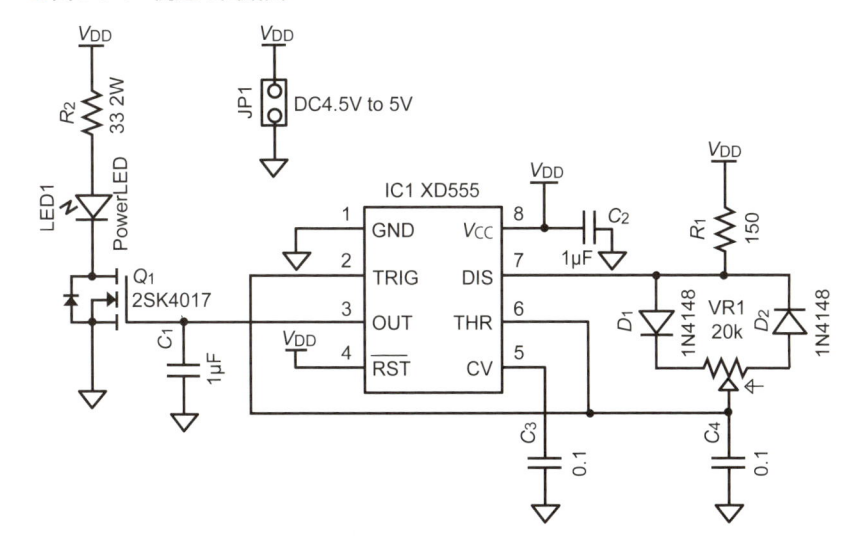

このように、**一般的な（標準的な）規則に従って描かれた回路図には、明確に表現されていないことがいくつかあります**。このことが、初心者が回路図から実際に自作することを難しいものにしているのかもしれません。しかし、これにもある一定の規則や経験則があり、慣れれば苦にならなくなるものです。標準的に回路図に描かれないことには次のような項目があります。

1 機能やタイミング関連

　実際の動作や、信号のタイミングについては回路図には描かれません。また組立図などにも表記されないので、全く別の解説が必要となります。必要なタイミングは、使用している部品の**データシート***から知ることができます。したがって、これらの部品の**データシートが読めるようにしていく必要があります**。

　同じように、特に最近の高集積IC（LSI）を使った回路は、回路図を見ただけでは動作を理解することは不可能です。これは、LSIのデータシートで機能を理解した上で回路図を読むしかありません。

　それでも回路図やデータシートからは全く動作や機能が理解できないものもあります。それは、最近多くなったマイコンなどのプログラムで機能が組み込まれる場合です。これらの動作や機能を把握するには、プログラムの理解が必要です。

> **データシート**
> 電子部品の説明書。メーカや販売店のWebサイトからダウンロードできる。

2 部品の配置と実装方法

　部品をどのように配置して実装し配線をどう通すかは、回路図には描かれません。実際に組み立てるときには非常に重要なことなのですが、回路図上は全く明記されないのです。これを描いたものが**組立図**になります。

　例えば、特に短く配線しなければならないとか、太い線材を使う必要があっても、回路図には明記されていません。高性能のオーディオアンプなどでは、この辺りがノウハウとなっていますが、これはもう実際に製作してみて経験で学ぶしか他に方法はありません。また、高周波回路では、配置や配線ルートなどで異常発振したりすることがあります。これもノウハウで一応の経験則がありますが、経験を積むしかありません。

　このような経験則が少しでも伝わるように、雑誌などの紹介記事では、必ず回路図以外に組立図も一緒に説明しています。この組立図で部品の配置や実装方法を知ることができます。そして作ってみて経験してノウハウを学ぶことになります。

3 部品の特性や種類

　回路図には、特別のもの以外は部品の種類の指定は表現されません。どの種類の部品を使うべきかには経験則があります。雑誌記事などで組み立て例の紹介記事を参照していれば自然にわかるようになってきますので、あまり気にしなくともよいでしょう。

　それでも部品ごとにどんな種類があってどんな特性を持っているかは、知っておくことが肝心です。その際に気にすべきポイントは、温度特性、周波数特性、許容電力、大きさ、精度などです。

4 使用環境

　回路図で製作されたものが前提としている使用環境、例えば、周囲温度、湿度、電源の変動などなど、これらの使用条件は回路を設計する上では非常に重要な要素なのですが、なぜか回路図には表現されません。これを知るには設計仕様書のようなものが必要となってしまい、なかなか調べることは難しいようです。したがって、使用している部品の規格から推定し、あとは自分で考えて確認するしかないようです。

　ここまで考えて回路設計ができるようになれば、もう一人前の設計者です。あとは自分で考えるだけです。

■コラム

グランドとは

　「グランド」という言葉は、一般的には「**電子回路の電位の基準となる場所**」という意味と「**大地に接続すること**」の2つの意味で使われています。本書では、あいまいにならないよう、大地との接続は「アースをとる」とか「接地する」とかということにします。この場合のアースは大地のことです。

　グランドは電子回路の電位の基準ですから、0ボルトの電位となります。その回路の中の基準であればよいので、どこでも構いませんが、通常は、広い面積を持っているところや、電源の0ボルト端子に接続している場所をグランドとします。電池の場合はマイナス端子を基準とし、そこを0ボルトとします。

　このように決めた基準ですから、**グランドというのは、その回路の中だけの基準で、別の回路のグランドとは独立**です。したがって、例えば2枚の基板の回路を接続する場合には、必ずグランド同士を接続して基準を同じ電位にする必要があります。

　ただし、基準が0ボルトでなく、マイナス電源だったり、プラス電源側だったりすることもあるので、0ボルト同士であることを確認してから接続する必要があります。

　次に**フレームグランド**という言葉があります。こちらは電子機器の筐体を大地の代替えとしてグランドを筐体に接続することを指しています。通常は一か所だけで接続するようにします。筐体自身は通常は感電防止のため大地に接続されているので、間接的に大地に接続されます。

　アナログ回路などで、筐体と別の筐体間に大きな電位差があるとノイズになることがありますので、筐体やシールド線のシールドをフレームグランド、つまり大地に接続して筐体の電位をすべて同じ電位にしてノイズを回避します。

3-2 抵抗の使い方

電子部品の中でも基本となる部品に、受動部品（パッシブ素子）と呼ばれるものと、能動部品（アクティブ素子）と呼ばれるものがあります。

受動部品とは自分自身では信号を処理する機能を持たず、他の能動部品と連携して初めて機能を発揮する部品のことを呼んでいます。代表的な受動部品としては、抵抗、コンデンサ、コイルがあります。

能動部品は、入力信号に対して何らかの処理を加えて出力できる機能を持った部品のことを指していて、何らかの電源を必要とします。代表的なものにはトランジスタやオペアンプやデジタルロジックなどのICが含まれます。

この基本回路部品の中でも受動部品の使い方が最も基本となりますので、この受動部品の使い方について解説します。まず抵抗の使い方からです。

3-2-1 抵抗の使い方

抵抗はその名前の通り電気の通過を邪魔するものですが、電子回路での役割は、電圧を下げるか電流を制限することで、いずれの場合もオームの法則に従います。では、実際の抵抗の使い方を説明しましょう。

❶ 電流を制限する場合の使い方

電流を制限する目的には、単純に抵抗を直列に挿入します。例えば発光ダイオード（LED）を安定に点灯させるには、一定の電流を流す必要があります。この場合、図3-2-1のように電源との間に直列に抵抗を挿入して電流を制限します。電圧 V が一定であれば、オームの法則に従って、図中の式1で決まる電流がLEDに流れることになります。LEDはダイオードですから順方向電圧 V_F は一定値[*]となりますので、電源電圧が一定であればLEDに流れる電流も一定ということになります。さらにこのような場合、抵抗の位置は図のようにダイオードの上と下のどちら側にあっても同じです。

詳しくは第4章を参照。

● 図3-2-1 発光ダイオードの電流制限

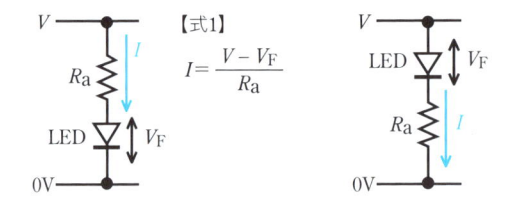

【式1】
$$I = \frac{V - V_\mathrm{F}}{R_\mathrm{a}}$$

実際の設計での抵抗値の値は流す電流Iの大きさによって決定されます。例えばLEDのデータシートから流す電流を5mAとすれば十分光ることがわかったとします。電圧Vを5Vとしたとき、LEDのデータシートから順方向電圧V_Fが2Vと読み取れたとすると、

$$R_a = (5V - 2V) \div 5mA = 600\Omega$$

ということになります。

2 電圧を下げる場合の使い方

抵抗を実際の回路で使う場合、例えば電圧を下げるときには図3-2-2のような**分圧回路**と呼ばれる直列回路を使います。入力電圧V_{IN}に対し出力電圧V_{OUT}は必ず小さくなります。この回路に流れる電流をIとすると、オームの法則から、V_{IN}とV_{OUT}は式1のようになります。これからV_{IN}とV_{OUT}の比は図の式1のように抵抗の比で決まります。

この回路で注意しなければならないことは、V_{OUT}側の先に接続されるものの入力抵抗(R_x)がR_bに対して十分高抵抗でなければならないという条件が付くことです。 もともとR_xは図のようにR_bに並列に接続された抵抗となっているわけですから、その並列抵抗値R_{OUT}は図の式2のようになります。ここでR_xがR_bに比べて十分大きければ式2のようにほぼR_bとなり無視できることになりますが、R_xが大きくないと無視できなくなりR_bとR_xの並列抵抗値R_{OUT}として考えることが必要になります。

●図3-2-2 分圧回路

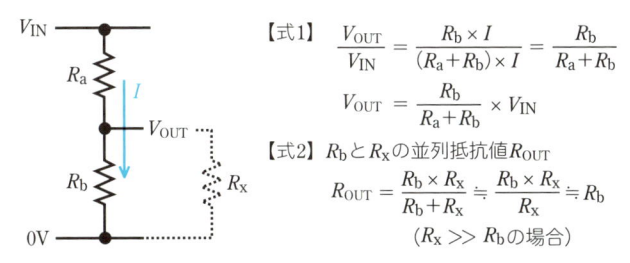

【式1】
$$\frac{V_{OUT}}{V_{IN}} = \frac{R_b \times I}{(R_a + R_b) \times I} = \frac{R_b}{R_a + R_b}$$

$$V_{OUT} = \frac{R_b}{R_a + R_b} \times V_{IN}$$

【式2】R_bとR_xの並列抵抗値R_{OUT}

$$R_{OUT} = \frac{R_b \times R_x}{R_b + R_x} \fallingdotseq \frac{R_b \times R_x}{R_x} \fallingdotseq R_b$$

($R_x \gg R_b$の場合)

実際の設計でR_a、R_bの値を決める際には、流す電流Iの大きさによって値が決定されます。

例えば、$V_{IN} = 15V$のとき$V_{OUT} = 3V$となるようにするための抵抗値を求めるものとし、流す電流Iを10mAとすると、まず、

$$R_a + R_b = 15V \div 10mA = 1.5k\Omega \quad となります。$$

次に $R_a + R_b$ と R_b の比が15対3ですから、

$R_a = 1.5\text{k}\Omega \times (15 - 3) \div 15 = 1.2\text{k}\Omega$
$R_b = 1.5\text{k}\Omega \times 3 \div 15 = 0.3\text{k}\Omega$　となります。

ここで10mAでは消費電流が増えてしまうということで、電流Iを1mAとすると、それぞれの抵抗値は10倍となって

$R_a = 12\text{k}\Omega$、$R_b = 3\text{k}\Omega$　とすることになります。

3 プルアップ・プルダウン用の使い方

論理回路
0、1（オン、オフ）の2値で表される信号を扱う。ANDやORなどの論理演算を処理する。

論理回路*で、Highを決める回路に使われるのが**プルアップ抵抗**で、Lowを決める場合に使われるのが**プルダウン抵抗**です。

実際の例では、図3-2-3(a) のようなスイッチで使われるのがプルアップ抵抗で、電源に接続することで、スイッチがオフの場合に電源電圧（High）となるようにします。オンの場合、入力ピンはグランドに接続されますからLowとなります。

また図3-2-3(b) のようにMOSFETトランジスタで使われるのがプルダウン抵抗です。入力信号がない（**ハイインピーダンス**状態）とき、抵抗経由でグランド（Low）に接続することで、ゲート端子をLowとしてオフ状態とします。

これらの場合に使う抵抗の抵抗値は、数kΩから数十kΩの範囲であれば任意に選択できます。

●図3-2-3　プルアップ抵抗とプルダウン抵抗

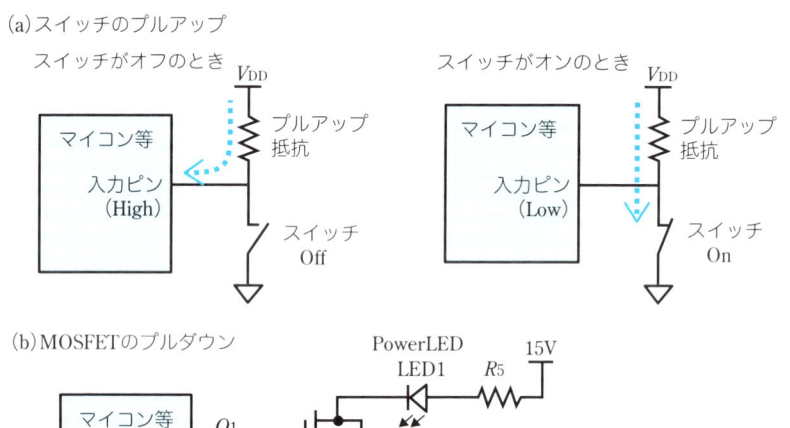

(a) スイッチのプルアップ

(b) MOSFETのプルダウン

3-2-2 抵抗は必ず発熱する

抵抗は電気の流れを邪魔するわけですが、その**邪魔をした分だけ熱になります**。つまり**ジュール熱**として仕事をしていることになり抵抗自身の発熱になります。

この熱の量を**ワット（W）**で表し、抵抗の規格として「**許容電力**」で規定されています。この許容電力とは、抵抗自身が耐えられる発熱量を示しています。現在簡単に入手可能な抵抗の許容電力としては、1/8Wから50W程度までとなっています。当然ながら大きな許容電力の抵抗は形も大きくなりますし、抵抗の素材そのものも異なっています。

許容電力には実際に使う場合に注意が必要なことがあります。抵抗自身が高い温度になると抵抗値が変化しますし、長時間の発熱で抵抗自身や実装している基板が焼けて炭化し絶縁不良などを起こしてしまいます。このため、**許容電力は数倍の余裕を見て使い、プリント基板のパターンも面積を広くして放熱を考慮するのが常識**となっています。

3-2-3 抵抗の種類

部品としての抵抗には多くの種類があります。用途により素材も異なり表3-2-1のような種類があります。

▼表3-2-1 抵抗器の種類

抵抗器種類	外　観	特徴と使い方
カーボン皮膜抵抗器		細いセラミック筒の表面にカーボン皮膜を形成したもので、汎用で安価。大電力以外の大抵のところで使える 抵抗範囲：1.0Ω ～ 3.3MΩ（E24系列値） 電力範囲：1/8W、1/4W、1/2W 公称誤差：±5%（J） 温度係数：＋350 ～ －1500ppm/℃
金属皮膜抵抗器		セラミック筒の表面に金属皮膜を蒸着させたもので、抵抗値が安定していて雑音発生も少ない。高精度で良い温度特性を持つ。 アナログ回路などで高精度を求めるときや、オーディオで雑音を少なくしたいときなどに使う 抵抗範囲：20Ω ～ 2MΩ（E96系列値） 電力範囲：1/8W、1/4W、1/2W 公称誤差：±0.5%、1%、2% 温度係数：±25 ～ ±250ppm/℃

抵抗器種類	外観	特徴と使い方
酸化金属皮膜抵抗器		セラミック筒の表面に、酸化第二スズの皮膜を形成したもので、熱に強く小型でも大電流を流せる、電源などの電流が大きいところに使う 抵抗範囲：10Ω ～ 100kΩ（E24系列値） 電力範囲：0.5W、1W、2W、3W 公称誤差：±2%、5% 温度係数：±200 ～ ±350ppm/℃
セメント抵抗器		巻線をセメントでセラミック容器の中に封じ込めたもので大電力用、耐電力と抵抗値が数字で印刷されている 抵抗範囲：0.01Ω ～ 400kΩ 公称誤差：±5% 電力範囲：2W ～ 100W
チップ抵抗器		厚膜形成により小型平板の上に抵抗を作ったもので、表面実装用の小型抵抗で、電力によりサイズが異なる 抵抗範囲：1Ω ～ 10MΩ 電力範囲：1/16W、1/10W、1/8W、1/4W、1/2W、1W 公称誤差：±0.5%、1%、2%、5% 温度係数：±100 ～ 600ppm/℃

3-2-4 抵抗値

　抵抗器に用途による種類があることがわかりましたが、今度は抵抗値にはどんなものがあるのでしょうか。表3-2-1では非常に広い範囲の抵抗値となっていますが、この間のどんな値でも、というと無限の種類となってしまいます。
　そこで、**JISで値の標準値が決められています**。これを「**E系列**」といい、例えば1から10までの1桁の間を何等分するかによって「E3、E6、E12、E24、E96」と呼ばれています。つまり、12個に分けた場合をE12系列というわけです。ただし等分といっても等比級数での等分なので、表3-2-2のように一見中途半端な値になっています。通常はE24系列の値を使います。

▼表3-2-2　E系列の値

値の系列	E6系列	E12系列	E24系列	E96系列
公称誤差	±20%	±10%	±5%	±1%
抵抗値 1桁中に存在 する標準の 抵抗値	1.0	1.0	1.0	等比級数で 96等分 （詳細省略）
			1.1	
		1.2	1.2	
			1.3	
	1.5	1.5	1.5	
			1.6	
		1.8	1.8	
			2.0	

抵抗値1桁中に存在する標準の抵抗値	2.2	2.2	2.2	等比級数で96等分（詳細省略）
			2.4	
		2.7	2.7	
			3.0	
	3.3	3.3	3.3	
			3.6	
		3.9	3.9	
			4.3	
	4.7	4.7	4.7	
			5.1	
		5.6	5.6	
			6.2	
	6.8	6.8	6.8	
			7.5	
		8.2	8.2	
			9.1	

3-2-5 抵抗値とカラーコード

　実際の抵抗値は表3-2-2のE系列値を10の何乗倍かしたものとなっています。最近の抵抗器は非常に小型になったため、数字を直接書けないので、色の付いた数本の線で、抵抗の値、誤差を表しています。これを**カラーコード**と呼び、表3-2-3のように数値と対応しています。

▼表3-2-3　カラーコード表

カラー	各桁数値 (100位、10位、1位)	乗数	公称誤差
黒	0	$\times 10^0$	—
茶	1	$\times 10^1$	±1%（F）
赤	2	$\times 10^2$	±2%（G）
橙	3	$\times 10^3$	—
黄	4	$\times 10^4$	—
緑	5	$\times 10^5$	±0.5%（D）
青	6	$\times 10^6$	—
紫	7	$\times 10^7$	—
灰	8	$\times 10^8$	—
白	9	$\times 10^9$	—
金			±5%（J）
銀			±10%（K）
色なし			±20%（M）

最もよく使われるカーボン皮膜抵抗器もカラーコードを使っているので、これはどうしても覚える必要があります。通常のカーボン皮膜抵抗器は、図3-2-4のように4本のカラー線で抵抗値が表現されています。カラーコードのどちらが始めかを見分けるには、印刷が端のほうによっているほうが最初の線です。このカラーコードによって抵抗値と誤差を読み取ります。

●図3-2-4　カーボン皮膜抵抗器のカラーコード

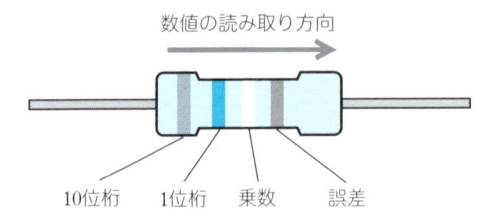

　例えば、カーボン皮膜抵抗器でカラーコードが第1色帯から順に 茶 黒 赤 金 だったとしたら、抵抗値はいくつになるでしょうか？

　　　［第1色帯（10の位）第2色帯（1の位）］×10の［第3色帯］乗（Ω）

　　　茶 … 1　　　　　　黒 … 0　　　　　　赤 … 2　　　　　　金 … ±5%

したがって下記となります。

　　　$10 \times 10^2 = 1000$ （Ω）＝ 1（kΩ）　公称誤差　±5%

　さらに高精度の金属皮膜抵抗ではE96系列を使うため、有効数値が3桁となります。そこで、これをカラーコードで表現するために、図3-2-5のようにカラー線を5本使っています。このときは始めの3本をそのまま数値とし、4番目で乗数をかけてやり、5本目が誤差という見方をします。

●図3-2-5　高精度金属皮膜抵抗器のカラーコード

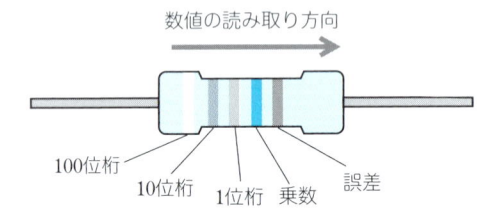

3-3 コンデンサの使い方

コンデンサは抵抗に比べなかなか動作を理解し難い電子部品で、電子工作の初心者を悩ませるものです。基本の機能は電気を貯めるということなのですが、これ以外に直流を遮断し交流だけ通過させるというために使うことも多くあります。この交流が関わってくるため、少し話がややこしくなります。

3-3-1 コンデンサの直流に対する特性

まずコンデンサに直流電圧を加えた場合、電圧と電流がどうなるかを見てみましょう。

図3-3-1がコンデンサに直流を加えた場合です。コンデンサの電極間にはまだ電荷がない状態ですから、いきなり電流が流れ出して電荷が蓄えられていきます。

これによりコンデンサの端子間の電圧は徐々に上昇し、これに伴って電流も減少していきます。電荷がたまって端子間電圧が電源の電圧と同じになると、もうこれ以上電荷が蓄えられず電流も流れなくなります。つまりコンデンサに直流を加えると一瞬だけ電流が流れますが、そのあとは全く流れません。

このときコンデンサには電荷として電気が蓄えられています。この状態のとき直流電源の代わりに抵抗を接続すると、電気が流れて電荷が減少します。つまり**コンデンサは電気を蓄えることができる**ということです。

●図3-3-1 コンデンサに直流電圧を加えると

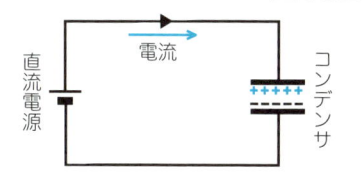

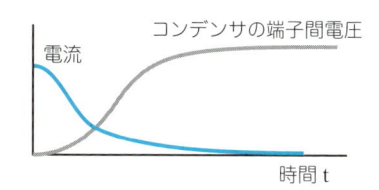

実際にコンデンサを、電気を貯めるものとして使う用途としては、メモリや時計用ICなどの電源バックアップがあります。実際の回路は図3-3-2のようになります。このような用途で使うコンデンサには電気二重層コンデンサなどの大容量コンデンサを使ってバックアップ時間を確保します。

この回路では、常時は D_1 を経由して V_{DD} から電源がメモリ等へ供給されています。このとき同時に R_1 を経由してコンデンサにも充電しています。R_1 の

役割は、コンデンサへの充電電流が極端に大きくならないように制限するためのものです。

V_{DD} がオフとなったときは、コンデンサから R_1 または D_2 経由でメモリ等へ電源を供給します。R_1 による電圧降下が大きくなる* と D_2 経由で供給することになります。このときコンデンサから V_{DD} 側には電気が流れないようにするため D_1 があります。

> *D_2 の順方向電圧より大きくなった場合。

●図3-3-2　コンデンサによる電源バックアップ例

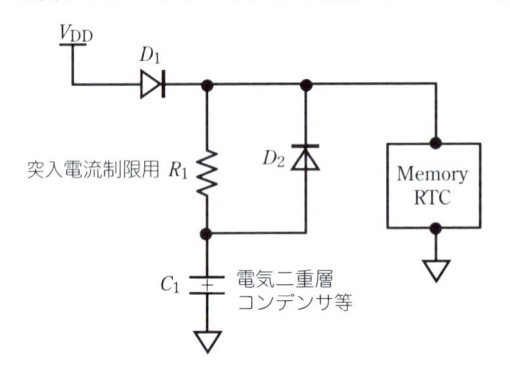

3-3-2　コンデンサの交流に対する特性

コンデンサに正弦波のような交流を加えた場合には、図3-3-3(a) のように電圧が交互に切り替わりますから、電荷もプラスマイナスが交互に蓄えられ直すことになります。こうして常に電荷の蓄え直しが繰り返されることで、交互の向きで電流が流れ続けます。つまり**交流電流が流れ続けることになります。**

この場合のコンデンサの電極間の電流と電圧は図3-3-3(b) のようになります。図のように電流はコンデンサの電圧が0のとき、つまり電荷がないときに最も多く流れようとします。また電圧が最大値から減り始めるときに電流の向きが逆になります。

これを正弦波で見ると、電流のほうが電圧より正弦波の1/4だけ先に進むことになります。つまり**位相が$\pi/2$（90度）だけ先に進む**ことになります。正弦波の動作は図のように円グラフとして表現されることがあります。円の反時計回りの1周が1サイクルとなります。

3-3 コンデンサの使い方

● 図3-3-3 コンデンサに交流電圧を加えると

(a) コンデンサに交流を加えた場合

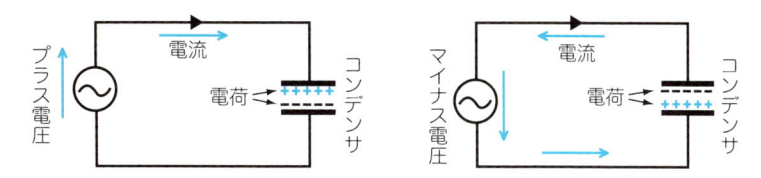

(b) 電流と電圧の関係

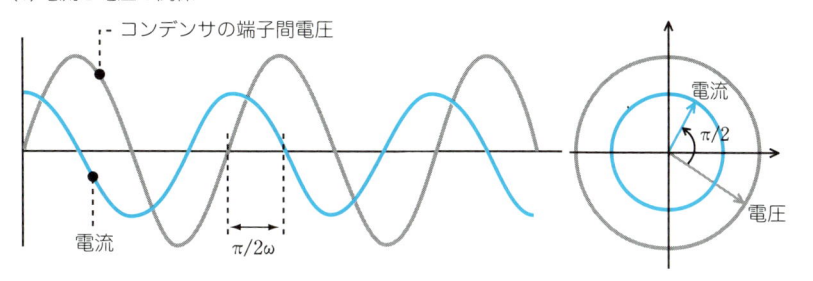

1 コンデンサのインピーダンス

コンデンサは交流に対して次のような式で表される抵抗となります。この交流に対する抵抗のことを**リアクタンス**(Z_C)といいます。fは信号の周波数、Cはコンデンサの容量となります。リアクタンスを使うと交流に対して直流と同じようにオームの法則を適用できます。

$$Z_C = \frac{1}{2\pi f C} = \frac{1}{\omega C} \text{（単位 }\Omega\text{）} \quad \omega = 2\pi f$$

この式から、直流の場合は$f=0$ですからリアクタンスは無限大ということで電流は流れません。さらに周波数が高くなるほど抵抗が小さくなりますから、電流が流れやすくなるということになります。また、コンデンサの容量が大きくなるとリアクタンスが小さくなりますから、この場合も電流が流れやすくなることになります。

実際の値でいうと、Cが1μFで周波数が1kHzの場合のリアクタンスは

$$Z_C = 1 \div 2\pi f C = 1 \div (6.28 \times 1000 \times 1 \times 10^{-6}) = 1000/6.28 = 159\Omega$$

10kHzでは15.9Ω、100kHzでは1.59Ωとなります。1kHzでも容量が10μFとなれば、$Z_C = 15.9\Omega$となりますから、1μFに比べ10倍電流が流れることになります。

2 コンデンサを直流遮断に使う

コンデンサの実際の使い方としては、交流増幅器で直流成分を遮断する場合によく使います。

例えば、オペアンプ回路で交流増幅回路を構成する場合、図3-3-4のように入力回路と出力回路に直列にコンデンサを挿入します。オペアンプは、小さな入力電圧を一定の増幅率で大きくする便利なICです。その増幅率Aは、図のようにR_3とR_4の比だけで決まるため、扱いやすい能動素子となっています。

このようにコンデンサを挿入するとコンデンサのインピーダンスが周波数により異なることになりますから、アンプが周波数特性を持つことになり、低い周波数を通しにくい**ハイパスフィルタ**となります。したがって必要な周波数特性からコンデンサの容量を決める必要があります。直流の場合は周波数が0ですから、無限大の抵抗になって直流では電流が流れないことになり遮断されます。

●図3-3-4　オペアンプによる交流増幅回路

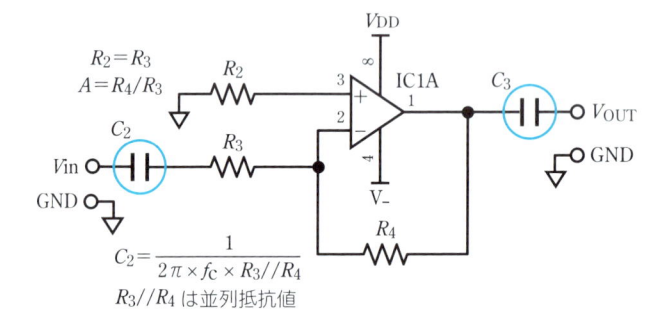

$R_2 = R_3$
$A = R_4/R_3$

$$C_2 = \frac{1}{2\pi \times f_C \times R_3//R_4}$$

$R_3//R_4$ は並列抵抗値

3 バイパス用に使う

詳細な説明は4-4節を参照。

コンデンサが交流を通過させることを利用した使い方が**バイパスコンデンサ**[*]です。

マイコンやデジタル回路でパルス状に電流が流れるとき、パルスの立ち上がりで高い周波数の大きな電流が流れます。このときグランドにパルス状のノイズが現れ、回路の誤動作につながります。これを避けるため電源とグランドの間に高周波特性の良いコンデンサを接続してノイズを減らします。

電子回路でのコンデンサの容量値の決め方は、フィルタ用以外では計算で決めることはほとんどないといってもよいくらい適当で、$0.1\mu F$から$10\mu F$の範囲であれば問題ありません。ただし、高周波特性の良い種類のものを使います（後述）。セラミックコンデンサや積層セラミック、チップ型セラミックコンデンサが適しています。

モータやパワーアンプなどの大電流を流す必要がある電源のバイパス用としては、大容量のコンデンサが必要になります。この場合には電解コンデンサを使います。容量値は電流が大きいほど大容量のものを使うことになりますが、数十μFから数百μFの範囲で、適当なもので大丈夫です。ただし**極性と耐電圧に注意が必要**です。

3-3-3　コンデンサの種類

コンデンサも非常に種類が多く、特性も異なるので用途に応じて使い分けが必要です。主なコンデンサの種類には表3-3-1のようなものがあります。

▼表3-3-1　コンデンサの種類と特徴

コンデンサ種類	外　観	特徴と使い方
アルミ電解コンデンサ		直流回路の電源バイパスや交流回路の接続やフィルタ用として使う。 使用可能周波数が低い。リード線の長いほうがプラス極。 容量が大きい（0.1μF～15000μF）。 ±の極性がある。逆極性で使うとパンクする。 定格電圧がありそれ以下で使用（2V～500V）。 許容差が大きい（±10%、±20%、-10%～+30%）。 低周波帯域用（DC～数百kHz）。 表面実装タイプ（写真下）もある
タンタルコンデンサ		周波数特性が比較的よい（DC～数十MHz）。 漏れ電流が少なく周波数特性が比較的よいので、ノイズリミッターやバイパス、交流結合、電源フィルタとして使う。 逆極性で使うと破裂するので要注意。 小型で容量が大きい（0.1μF～220μF程度）。 ±の極性がある。 定格電圧が比較的低い（3V～35V）
セラミックコンデンサ		高周波帯域での使用に適しているので高周波用バイパス、同調用、高周波フィルタとして使う。極性はない。 比較的容量が小さい（数pF～数千pF）。 適用周波数帯域が広い（数kHz～数GHz）。 定格電圧があるが高電圧に耐える（25V～3kV）。 許容差は大きい（±10%、±20%）

コンデンサ種類	外観	特徴と使い方
積層セラミックコンデンサ		安価であるため電源バイパス用に多用される。 セラミックコンデンサに比べ容量が大きい （数十μFまで）。 適用周波数帯域が広い。 低格電圧はセラミックに比べ低い。 温度による容量変動が大きい
チップ型積層セラミックコンデンサ		安価であるため電源のバイパス用に多用される。 リード線がないので高周波回路に最適。 小容量から大容量まである（数pF～数十μF）。 適用周波数が広い。 定格電圧は低い（数十V程度までのものが多い）。 容量値の表示がないので要注意
フィルムコンデンサ （マイラーコンデンサ、ポリカーボネートコンデンサ、ポリスチレンコンデンサ）		温度特性に優れ雑音特性が良いためオーディオに多用される。 熱に弱いのではんだ付けに要注意。 漏れ電流が少ないのでサンプルホールド回路などに使う。 ポリプロピレンフィルムコンデンサは特に絶縁特性がよく、測定器などに使われる。 容量は比較的小さい（数pF～数μF程度）。 極性はない
電気二重層コンデンサ		直流の蓄電用、バッテリの代用として使える。 メモリのバックアップ電池代用やモータ駆動用に使う。 特別に大容量なコンデンサ（0.01F～数千F）。 定格電圧が比較的低い（数Vが一般的）。 周波数特性は悪い。±の極性がある

3-3-4　容量値と定格電圧

　　　　コンデンサの大きさ、つまり容量値はどう表現されているかを説明します。コンデンサの容量は許容差が大きくあまり精度は高くないので、容量値をあまり細分しても意味がありません。そのため、抵抗の項で説明したJISのE系列の中で、「E3系列」か「E6系列」が採用されています。したがって一般に入手できる値は下記となります。

- E3系列：1.0、2.2、4.7
- E6系列：1.0、1.5、2.2、3.3、4.7、6.8

　そして、実際のコンデンサには、上記値と桁表示を一緒にして下記のような2つの方法で容量値が示されています。

3-3 コンデンサの使い方

❶ 電解コンデンサ、タンタル電解コンデンサ、電気二重層の場合

普通は下記のような2項目が直接数値で表現されています。

 10μF　→　静電容量値

 16V　→　定格電圧

❷ セラミックコンデンサやフィルムコンデンサの場合

一般的に下記4桁の表現となっています。単位は「pF」です。

 203K　→　これは $20 \times 10^3 \text{pF} = 0.02 \mu\text{F}$　±10%

  上位2桁　　容量値有効数値2桁
  3桁目　　　10の乗数
  4桁目　　　許容差　となっています。

これを簡単に見るための早見表が表3-3-2になります。

▼表3-3-2　コンデンサ容量早見表

表　示	変換値	単　位
101	100	pF
102	1000 1 0.001	pF nF μF
103	10 0.01	nF μF
104	100 0.1	nF μF
223	22 0.022	nF μF
333	33 0.033	nF μF
473	47 0.047	nF μF
474	470 0.47	nF μF

許容差の表示は次の通りです。

 J：5%以内
 K：10%以内
 M：20%以内

3-4 コイルの使い方

コンデンサと同様にもう一つ理解が難しい電子部品に**コイル**があります。コイルは、鉄心などに銅線を巻きつけたもので、直流に対しては単純に銅線の抵抗だけとなりますが、交流に対してはさらに大きな抵抗となるようになります。つまり交流が通りにくくなります。またコイルもコンデンサと同じようにエネルギーを蓄える働きがあります。

3-4-1 コイルの直流に対する特性

コイルに直流電圧を加えると図3-4-1のように電流が流れます。スイッチオンにより電流が流れ始めますが、電流により右ネジの法則に従ってコイル内に強い磁界が発生します。この磁界は、ファラデーの法則により電流が流れないようにする力が働くため、電流は徐々に増加します。つまり**コイルは電流を流れにくくする**という抑制機能を持っています。最終的にコイルに流れる電流はコイルの直流抵抗で制限されます。この電流は単純なオームの法則に従って、$I = E/R$* となります。

> Rはコイルの直流抵抗、Eは加える電圧、Iが流れる電流。

このとき電圧はどうなるかというと、スイッチをオンにした瞬間だけ、コイルの両端には電流を流れにくくする逆方向の電圧が発生します。これを**逆起電圧**と呼びます。このあとはコイルの直流抵抗による電圧がオームの法則にしたがって発生します。

●図3-4-1 コイルに直流を加えると

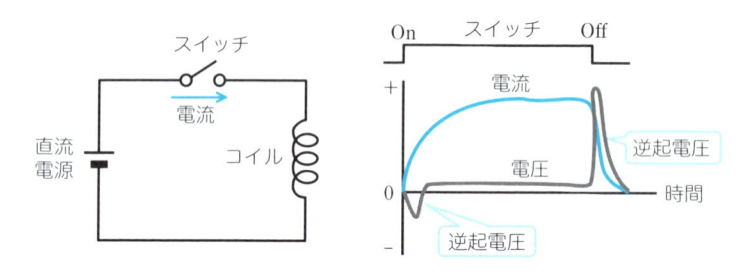

スイッチをオフにすると電流はすぐ降下しますが、コイル両端には大きな正の逆起電圧が発生*します。これはコイルに蓄えられたエネルギーによるものです。つまり**コイルもエネルギーを蓄積することができますが、コンデンサと異なり瞬時に放電してしまいます**。この逆起電力が非常に大きいため電

> コイルに加えた電圧の数十倍の電圧となることがある。

3-4 コイルの使い方

子回路には大敵です。マイコンなどのプログラムが暴走したり、コイルの駆動回路が壊れたりといろいろな障害をもたらします。

コイルのエネルギーを蓄積する機能を活用した使用例としては、**スイッチング電源**があります。実際の使用回路例は図3-4-2のようになります。この回路は降圧型スイッチング電源の場合で、MOSFETトランジスタ*がオンの期間に負荷に電源を供給しながら、コイルにエネルギーを蓄積します。次にMOSFETがオフになったときには、コイルに蓄積したエネルギーをダイオードD_1経由でコンデンサと負荷に供給します。この繰り返しをコンデンサで平滑して*直流出力とします。MOSFETのオン時間とオフ時間の比により出力電圧をコントロールすることができます。つまりオン時間が長ければ出力電圧が高くなることになります。

電流をオンオフできるトランジスタでオン時の抵抗が小さいため大電流をオンオフできる。

コンデンサの電気を貯める機能を活用して、V_{OUT}が大きく変化しないようにする。

●図3-4-2 コイルの使用例　降圧型スイッチング電源

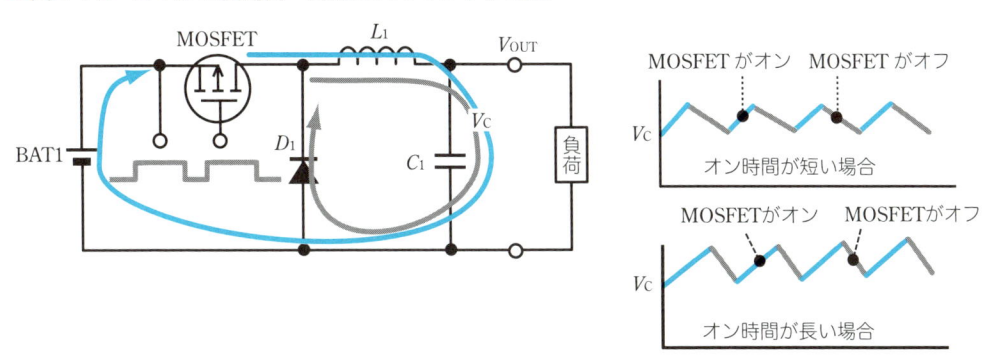

もう一つの例は同じスイッチング電源で、昇圧する場合のコイルの働きです。昇圧電源の場合の基本構成は図3-4-3となります。

MOSFETがオンの間はコイルとMOSFET間に電流が流れ、コイルにエネルギーが蓄えられます。MOSFETがオフになると、コイルに蓄えられたエネルギーが高電圧となって放出され、コンデンサと負荷に流れます。コンデンサで電圧が平滑されて入力電源より高い電圧となって出力されます。ダイオードはコンデンサに蓄えられた電荷が入力側に逆流しないようにします。

●図3-4-3 コイルの使用例　昇圧型スイッチング電源

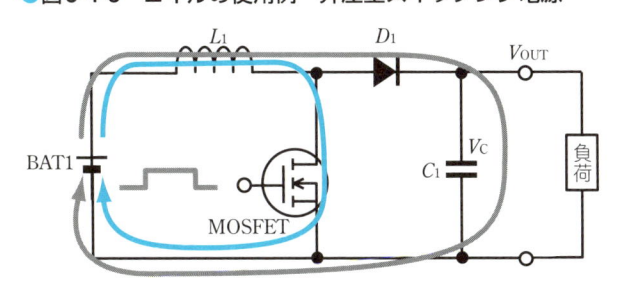

3-4-2 コイルに交流を加えると

コイルに交流を加えた場合は、電流と電圧は図3-4-4(b)のように変化します。つまり電圧が加わるとファラデーの法則に従って抑制され、電流は徐々に増えていきますから、電流が遅れることになります。そして電圧が0になったとき電流が最大になりますから、π/2つまり90度だけ電流の位相が遅れます。

●図3-4-4 コイルに交流を加えると

(a) コイルに交流を加えた場合

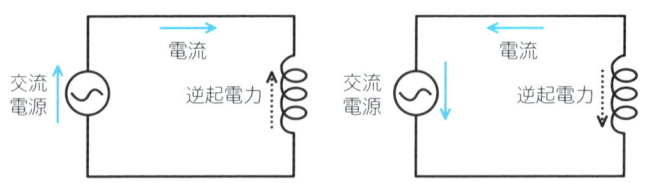

(b) 電流と電圧の関係

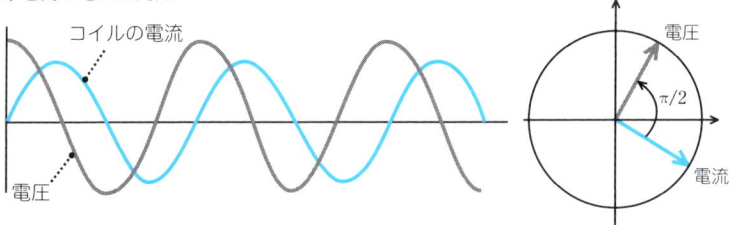

■ コイルのインピーダンス

コイルが交流に対して示す抵抗はコンデンサと同様に**リアクタンス**(Z_L)として次の式で定義されます。fは周波数(Hz)、Lはコイルのインダクタンス(H)となります。この式から、コイルのインダクタンスが高いほど、周波数が高くなるほどリアクタンスが大きくなります。

$$Z_L = 2\pi f L = \omega L \text{ (単位 } \Omega\text{)} \qquad \omega = 2\pi f$$

実際の値でいうと、例えばインダクタンスが100μHのコイルが1kHzで示すリアクタンスは、

$$Z_L = 2\pi f L = 6.28 \times 10^3 \times 100 \times 10^{-6} = 0.628 \Omega$$

となります。同様に10kHzで示す抵抗は6.28Ω、100kHzでは62.8Ωとなります。

3-4 コイルの使い方

2 コイルをフィルタ用に使う

高周波が通過しにくいという効果を使ったのが電源などの**ノイズフィルタ**です。実際の使用例としては、図3-4-5のようにコンデンサと協調して非常に低い周波数の**ローパスフィルタ**として動作するようにします。

この回路ではUSB経由でパソコンから電源を供給してもらい、一段目のノイズフィルタを通してからマイコンなどのデジタル用電源として供給し、もう一段のノイズフィルタを通してからアナログ回路用の電源として供給しています。さらにアナログ回路とデジタル回路のグランドを分離し、抵抗R_6の（抵抗値は0Ω）の位置の一か所で接続するようにしています。これでデジタル回路からのノイズがアナログ回路に影響を与えないようにしています。

●図3-4-5 コイルの使用例 電源のノイズフィルタ

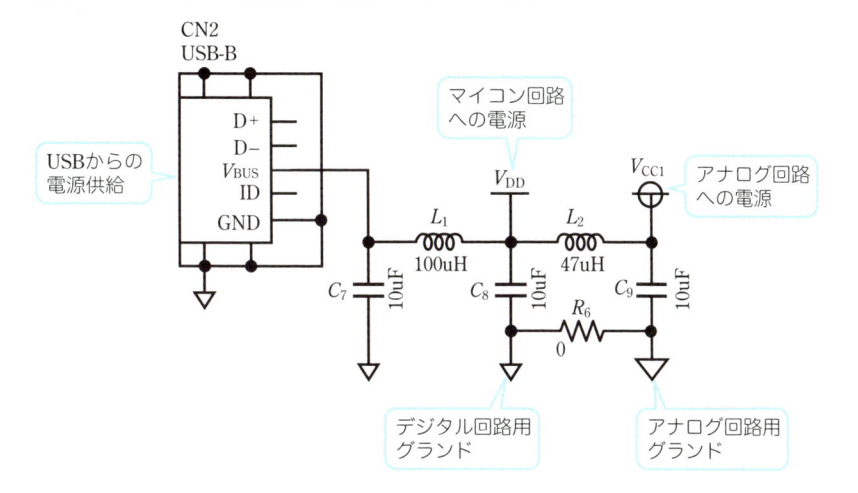

3 電源トランス

コイルのもう一つ重要な働きは電磁誘導を利用した**トランス**です。電源にトランスがなぜ必要かというと、私たちが使う電源は商用交流電源（AC100V）が元になります。しかし**実際に必要なのはもっと低い数Vから数十Vの直流（DC）電源**です。

このため何らかの方法で電圧を下げる必要がありますが、この**変換を簡単にしかも効率良くできるものがトランス**なのです。交流のまま電圧を下げてから直流電圧に変換するため、AC/DC電源には必ずトランスが実装されています。

従来は50Hzか60Hzの商用電源を直接トランスで降圧していたので、トランスが大型でロスが大きく、発熱も大きなものでした。最近は、この低い周波数の交流を100kHz以上の高い周波数に変換してからトランスで降圧することが多くなりました。周波数が高くなるとトランスを小型化でき、効率も良

くなって発熱も少なくなるためです。このため最近の電源装置は非常に小型で発熱も少なくなっています。

トランスにはもう一つのメリットがあります。それは**一次側と二次側が完全に電気的に絶縁できる**ということです。一次側巻線と二次側巻線はどこでもつながっていませんから、絶縁されることになります。

商用電源はAC100Vですから直接触れば感電することもあり得ますし、落雷で被害を受けることもあり得ます。これを避けるには、商用電源と電気的に絶縁するのが一番確実です。トランスはこのために使うには最適なものとなっています。

3-4-3　コイルの種類

実際に使われているコイルには表3-4-1のようなものがあります。

▼表3-4-1　コイルの種類と特徴

コイル種類	外　観	特徴と使い方
チョークコイル RFCコイル		ノイズフィルタなどに多用される小型のコイル。 コイル容量：数μHから数mHまで幅広い。 ラジアルリード型とアキシャルリード型 がある。やや大型のスイッチング電源用もある
トロイダルコイル		電源のノイズフィルタ用と、スイッチング電源用とがある。 スイッチング電源用は数百kHzまで使える。 コイル容量：数μHから数百μH。 電流容量　：0.1A〜10A程度
バーアンテナコイル		AMまたは短波用ラジオの同調用コイル。 バリコン と並列にして使う。 コイル容量：AM用300μH程度
電源トランス		50/60Hzの電源用で、降圧用に使う。 容量により大きさが異なる。 入力電圧：AC100 出力電圧：6V〜24Vが多い 出力容量：0.1A〜3A程度

ラジアルリード
同じ面から2本のリード線が平行に出ている形状。
アキシャルリード
両端からそれぞれリード線が出ている形状。

バリコン
バリアブルコンデンサの略。つまみを回すと数pFから数百pF程度の間で容量が変化する。ラジオの同調回路に使われる。

3-5 能動部品の概要

3-5-1 能動部品とは

　抵抗などの受動部品に対し、電源を供給してもらって自ら信号を変換する機能を持つ部品を**能動部品**（**アクティブ素子**）と呼んでいます。

　この能動部品は最近ではすべてといってよいほど半導体が使われていて、非常に種類が多くなっています。ここでは全部は説明しきれないので、私たちが電子工作で使う能動部品の代表的なものに絞って、その概要だけ紹介します。これらには表3-5-1のようなものがあります。実際の使用例は、以降の各章で説明します。

▼表3-5-1　能動部品の種類と概要

能動部品名	外　観	特徴と使い方
ダイオード		一方向にしか電流を流さないという基本機能以外に、スイッチング、定電圧、可変容量、電源整流など多くの種類がある。用途により大型のものもある
トランジスタ 電界効果 トランジスタ MOSFET		基本の電流増幅機能を持つ素子。電流容量などにより各種のパッケージがある。低周波用、高周波用などの用途で分かれている。 MOSFETは大電流のスイッチング用に多用されている
電圧 レギュレータ		一定の電圧を出力するICで、電流容量によりパッケージが異なる。出力電圧を可変できるものもある 出力電圧：±1.8V 〜 15V 出力電流：0.1A 〜 5A

能動部品名	外　観	特徴と使い方
アナログIC		アナログ信号を直接扱うICで、オペアンプ、パワーアンプ、モータ用ドライバなど数多くの種類のICがある。ほとんどが何らかの機能の専用ICになっている
デジタルIC		論理回路を組むための基本ICで、AND、ORなどの基本機能の他に、ラッチやカウンタ、シフトレジスタなど非常に数多くの種類があり汎用である。最近はFPGAやマイコンで置き換えられるようになり、あまり出番がない
CPLD/FPGA		デジタルICと同じ論理回路をプログラマブルに設定できるLSIで大規模な回路も構成できるものがある。構成できる回路規模により多くの種類がある。最近ではマイコンも内蔵されている高機能なものがある。プログラムはパソコンで作成し書き込む

3-5-2　能動部品の選択ガイド

　多くの能動部品がありますが、用途により選択する必要があります。この選択がなかなか初心者には難しいところです。
　まず扱う信号がデジタルかアナログかで大きく分かれます。
　デジタル信号で論理回路を構成する場合は、ほとんど汎用ICを使えばできてしまいますから、その中での選択になります。しかし、最近ではマイコンを使ってこれらの機能をプログラムで実現することが多くなっています。**マイコンを使うと制御論理やタイミングは自由になりますから、ぜひ電子工作にもマイコンを使えるようにしたいものです。**
　デジタル信号で高電圧や大電流が必要な場合、つまり何らかの電気機器をオンオフ制御する場合には、多くの場合**MOSFETトランジスタ**を使います。MOSFETの駆動には標準的な方法がありますので、比較的容易に構成できます。
　アナログ信号を扱う場合は、信号のレベルが非常に幅広いので、扱う信号レベルで使える素子が異なってきます。
　まず低レベルのアナログ信号を扱う場合には、電圧か電流の増幅が必要になります。これまでの電子工作ではこのような増幅にトランジスタを使うことが多かったのですが、このトランジスタを増幅に使う場合の設計は結構難しいものです。安定で正確な増幅機能をトランジスタで行うためには、温度

3-5 能動部品の概要

特性やトランジスタや周辺素子のばらつき、電源変動など非常に難しい設計が必要になってしまい、電子工作の初心者にはお勧めできません。

最近は、トランジスタによる増幅回路の代わりに、**オペアンプ**を使う増幅回路を使います。オペアンプを使うと安定で正確な増幅回路を容易に設計できますので、**電子工作でのアナログ信号の増幅にはオペアンプがお勧めです。**

高レベルのアナログ信号を扱う場合、つまり高電圧や大電流を扱う場合には、オペアンプの後段にトランジスタを追加することで対応できますので、こちらがお勧めです。

またモータ駆動やオーディオアンプなどのような用途には、専用のICが用意されているので、このような用途のICを探すことから始めることになります。

CPLD＊や**FPGA**＊というのは、大規模な論理回路を1個のICで構成できますので便利ですが、これらを使うには、ハードウェア記述言語（**HDL**＊）と呼ばれる言語の学習が必要です。マイコンでは対応できない高速処理が可能ですので、数MHz以上の信号を直接扱うような用途に使います。

CPLD
Complex Programmable Logic Device

FPGA
Field Programmable Gate Array

HDL
Hardware Description Language

第4章
電源に何を使うか

4-1 電源の種類と使い方

電子工作で使う電源にはどんなものを使うのでしょうか。本章ではアマチュアが電子工作で使える電源について説明します。

4-1-1 電源の役割と種類

電源の役割はもちろん電子回路のエネルギー源として動作に必要なエネルギーを供給することにあります。

電子回路は現在ではほとんど数Vから数十Vというレベルの直流電源が使われています。なぜ直流かというと、制御装置がほぼすべて半導体で構成されているためです。トランジスタや、内部がトランジスタで構成されているICは原理的にすべて直流で動作し、交流は使えません。しかも数Vレベルの直流電圧で動作しています。

電気機器との接続部分（インターフェースと呼ぶ）に12Vや24V程度の直流電源が使われることがあります。これは、相手となる電気機器がリレー[*]などの素子で制御されているものが多く、このリレーが直流の12Vや24Vで動作しているためです。これらの直流電気を供給するものが電源となります。

これらの電子機器用として使われる電源としては、次のようなものがあります。

> リレー
> 継電器とも言う。電磁石と接点で構成されていて、電磁石に通電されると接点が引き寄せられてオンまたはオフとなる。

①バッテリ ── アルカリ電池、マンガン電池
　　　　　　　 ニッケル水素電池、リチウムイオン電池
②自然エネルギー ── 太陽電池
③商用電源を利用 ── ACアダプタ（機器に外付け）
　　　　　　　　　　AC-DC電源装置（機器に内蔵）

4-1-2 バッテリの種類と使い方

バッテリにはアルカリ電池やマンガン電池のような使いきりの**一次電池**と、ニッケル水素電池（NiMH）やリチウムイオン電池のような充電できる**二次電池**とがあります。

同じ容量の電池の放電特性のイメージは図4-1-1のようになっています。リチウムイオン電池だけは、他と電圧が異なり容量も異なります。

どの種類も放電時間とともに電圧が下がっていきます。この低下曲線を見ると、一次電池いわゆる乾電池は徐々に降下するのに対し、ニッケル水素電

池やリチウムイオン電池は平たんの部分が長く、ほぼ一定電圧を維持しています。

一般的に電子機器が動作可能な電圧を1.0Vまでとすると、**ニッケル水素電池は最初電圧が低くても、使用可能な電圧を長く維持していますから長時間使えることになります**。リチウムイオン電池も電圧は他と異なりますが、放電特性はニッケル水素電池と同様となっています。

マンガン電池は、急激に電圧が下がるため、価格は安いのですが動作可能な時間が短く、持ちはよくないということになります。

●図4-1-1　バッテリの放電特性

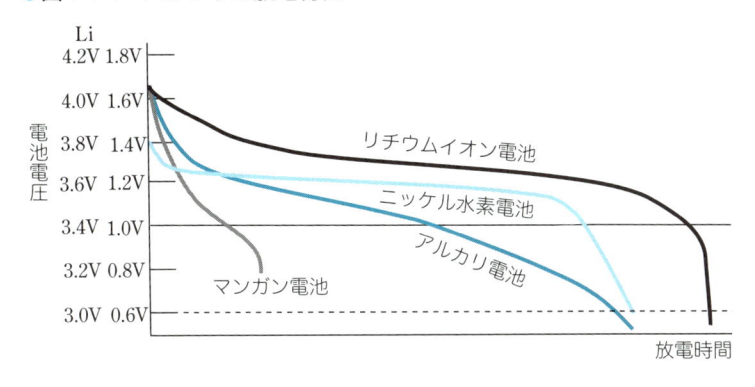

実際のニッケル水素電池（NiMH）の放電時間を見てみましょう。例えば有名なエネループ電池＊では、同じサイズでも表4-1-1のような3種類があります。それぞれ電池容量が異なりますから、放電時間も異なることになります。

このデータから二次電池の放電持続時間は、例えば2000mAhの場合は、2000mAの電流を1時間流せるという意味なので、100mAであれば20時間連続で流せるということになります。連続でなく断続の場合は、一般的にこれより長くなります。

電池を使う場合には、この電池容量と、デバイスの消費電流と必要な電圧から持続時間を推測して電池のサイズを決める必要があります。

> エネループ電池
> Panasonic社が販売するニッケル水素電池。

▼表4-1-1　エネループの種類と容量

名　称	電池容量 単3型	電池容量 単4型	充電回数
エネループ プロ	2500mAh	930mAh	約150回
エネループ	2000mAh	800mAh	約600回
エネループ ライト	1050mAh	680mAh	約1500回

4-1-3 二次電池の充電方法

　二次電池の充電は、基本的に専用の充電器を使います。特に**リチウムイオン電池の充電は過充電すると発熱し、最悪爆発したりするので専用の充電器を使う必要があります。**

　市販のリチウムイオン電池の充電器にも、ピンからキリまであります。特に最近はワンチップの充電専用ICが使われていて、写真4-1-1のような超小型の充電器も市販されています。

　ニッケル水素電池の場合も、写真4-1-2のような専用の充電器があります。ニッケル水素電池も充電すると発熱はしますが、急に発熱したり爆発したりすることはないので、比較的ラフに充電できます。しかし充電終了がわかりにくいので、やはり専用充電器を使ったほうが安心できます。

●写真4-1-1　超小型のリチウムイオン電池充電器

●写真4-1-2　ニッケル水素電池用充電器の例

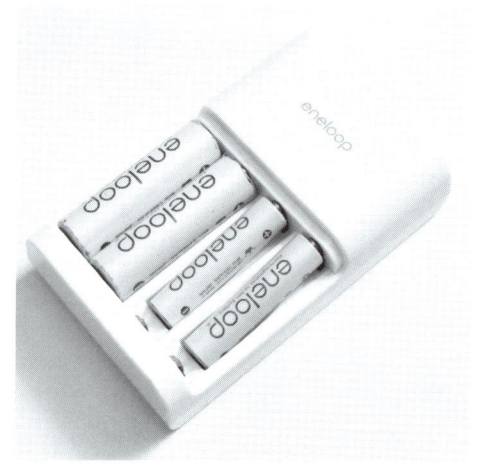

　また、ニッケル水素電池には**トリクル充電方式**が使えます。これは、電池容量の1/10から1/20の電流で充電すれば、充電しっぱなしにしても急激に発熱したりすることがないので、充電しながら電源供給するということができます。自然放電分を補って、満充電状態で待機できるので、いざというときに備える非常用電源などにも使われています。

4-1-4 太陽電池の特性と使い方

Amazonなどで購入可能。

太陽電池は、その構造と出力容量により多くの種類があります。私たちアマチュアが容易に入手*できるものには図4-1-2のようなものがあります。出力容量によっていくつかの種類があり、用途によって選択する必要があります。これらよりはるかに大容量のものも容易に入手できます。

●図4-1-2 太陽電池の例

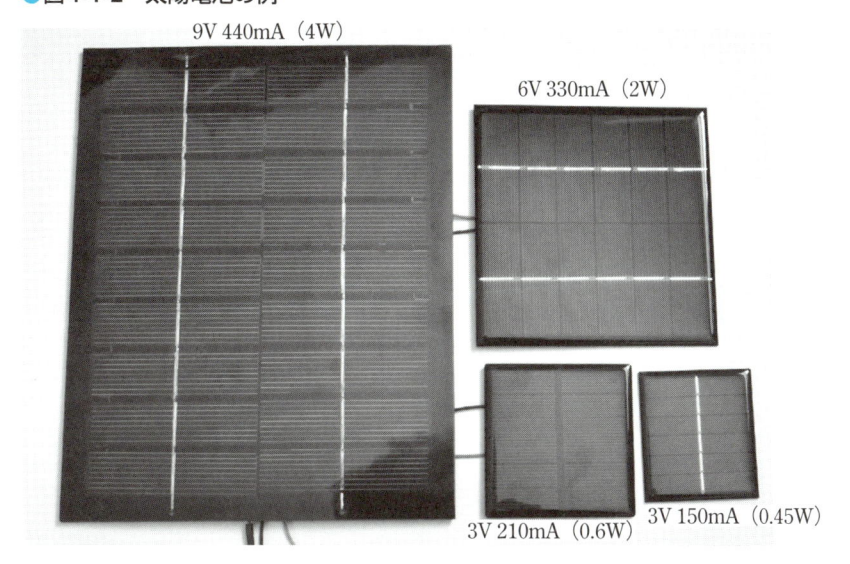

9V 440mA（4W）
6V 330mA（2W）
3V 210mA（0.6W）
3V 150mA（0.45W）

太陽電池を使う場合、出力電圧と出力電流が仕様として記述されていますが、いずれも最大値となっていて、実際の電圧と電流は負荷によって変わります。実際に測定したデータが図4-1-3のようになります。

●図4-1-3 太陽電池の負荷特性

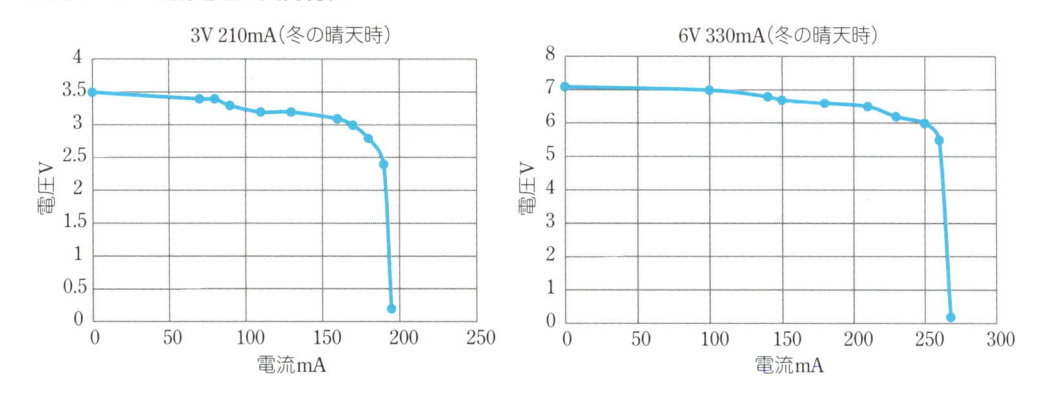

この図からわかることは、負荷電流が小さい間は電圧が出ていますが、負荷電流が大きくなると電圧が急激に下がるということです。

この特性から、**仕様として記述されている電流の70%から80%くらいまでは電圧が確保できる**ということがわかります。もちろんこれらのパワーは太陽光が十分当たっているという条件の範囲です。これを条件にして設計する必要があります。

4-1-5 ACアダプタの種類

最近の**ACアダプタ**はほとんどスイッチング電源となっていて、その電力容量により大きさと電圧ごとの定格電流容量が決まっています。また入力もAC100VからAC240Vまで可能になっていて、世界中どこでも使えるようになっています。

市販されている代表的なものは表4-1-2のようになっています。いずれも過電流保護回路が実装されているので、瞬時でも供給電流を超えると出力が遮断されます。そのため、モータなどの突入電流[*]の多いものは駆動できないことがあるので、容量に余裕を持たせる必要があります。

> **突入電力**
> 電源スイッチを入れたときに流れる電流。起動時の突入電流は定常電流の20倍近くになる。モータが回るとそれ自体が発電機となり、電源電圧と逆方向電圧（逆起電圧）が生じて電流を低く抑えるが、回り始めでは逆起電圧が0Vなので電流を抑えられず大電流が流れる。

▼表4-1-2　代表的なACアダプタの種類

電力容量	電圧	定格電流	備考
6Wクラス	5V	1.2A	AC入力：AC100V〜240V 50/60Hz DCプラグ 　内径：2.1φ 　外形：5.5φ 　極性：センタープラス
	6V	1A	
	9V	0.65A	
	12V	0.5A	
12Wクラス	3.3V	2A	
	5V	2.3A	
	6V	1.8A	
	9V	1.3A	
	12V	1A	
18Wクラス	5V	3A	
	6V	2.8A	
	9V	2A	
	12V	1.5A	
	15V	1.2A	
24Wクラス	5V	4A	
	9V	2.5A	
	12V	2A	
	24V	1A	
48Wクラス	24V	2A	

4-1 電源の種類と使い方

ACアダプタを使うときの注意点は、**古いタイプのACアダプタではプラグの極性が一意に決まっていない**ということです。ACアダプタのメーカによってプラスとマイナスの接続が逆になっていることがあります。最近のものはほとんど、プラグの内側のほうがプラス、外側がマイナスとなっているので、私たちが使うときにはそれに統一したほうがよいでしょう。

●図4-1-4　ACアダプタの例

（写真：秋月電子通商）

ACアダプタからDC電源を供給するときの接続用にはDCジャックを使います。EIAJ規格*ではプラグが5種類あり、扱う電圧によって使い分けることになっていますが、実際の使用状況では厳密ではありません。

国内の市販品でよく使われているのはEIAJ規格ではなく、表4-1-3の3種類となっているので、ACアダプタ側の規格を確認して購入する必要があります。**海外製のACアダプタの場合はEIAJ規格の場合が多く、DCジャックが合わないことが多いので注意が必要です。**

EIAJ規格
日本における情報技術・電子機器などの業界団体。現在では電子情報技術産業協会（JEITA）となっている。規格名にその名が残っている。

▼表4-1-3 プラグの規格

プラグ内径	プラグ外形	備　考
1.4φ	3.4φ	
2.1φ	5.5φ	最もよく使われている
2.5φ	5.5φ	

写真4-1-3がDCプラグとDCジャックの外観です。左から、2.5φの太目のプラグとジャック、2.1φと1.4φ用のジャックとプラグの順です。左後側の2つのジャックはパネルに丸穴をあけて固定して使います。右後側のジャックは基板用で、基板のパターンにはんだ付けして固定します。

●写真4-1-3　DC電源用プラグとジャック

4-1-6　AC/DC電源

　　電流容量が多い場合や、セットに組み込むような場合には、AC/DC電源を使います。基本的に市販の完成品を使いますが、自作も可能です。
　　実際の市販のAC/DC電源には図4-1-5のようなものがあります。ほぼすべてがスイッチング電源となっていて、電流の大きさにより多くの種類があります。

●図4-1-5　市販のAC/DC電源の例

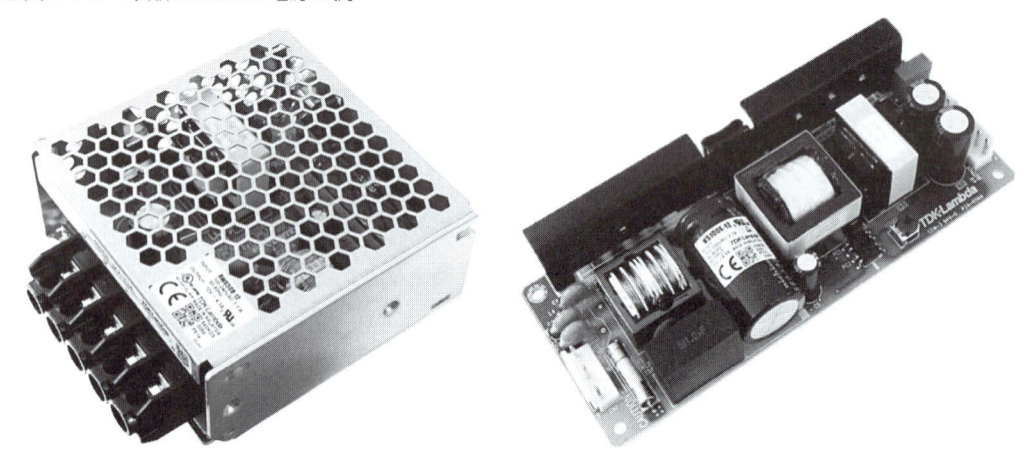

（写真：秋月電子通商）

4-2 太陽電池の使用例

　実際に太陽電池を使った例として、ニッケル水素電池の充電器を製作してみます。製作した充電器の外観が写真4-2-1となります。太陽電池本体の裏面にすべての部品を実装し、配線しています。

●写真4-2-1　太陽電池を使ったニッケル水素電池の充電器

4-2-1　ニッケル水素電池の充電器の全体構成

　充電器の全体構成が図4-2-1となります。太陽電池には6V 330mAのものを使い、単3型のニッケル水素電池を2本それぞれ独立に充電することにし、充電するための電流を定電流レギュレータ（CCR）のNSV45060を使って、入力電圧にかかわらず一定の60mAに制限しています。これでトリクル充電方式となります。
　充電電流が目視できるように簡単な電流計として「ラジケータ」と呼ばれるアナログメータを使いました。充電電流60mAが2系統合計で120mAですから、これでフルスケールとなるように可変抵抗VR1をメータに並列に接続して調整します。これで充電中の電流状態が目で見てわかるようになります。

● 図4-2-1　充電器の全体構成

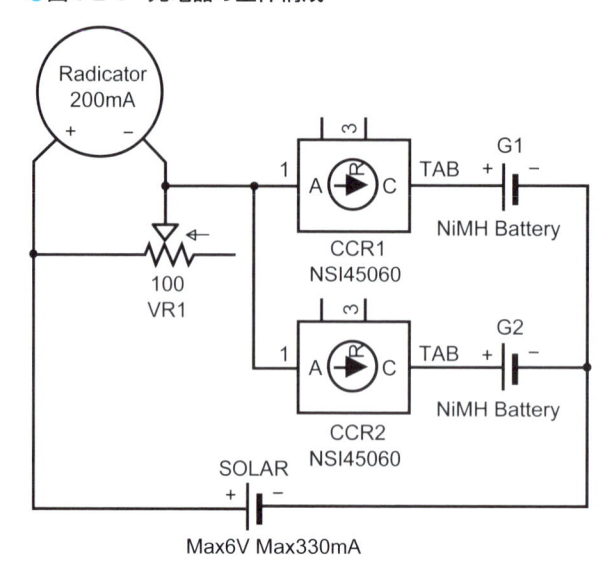

ここで使った**定電流レギュレータ**「NSV45060」の外観と仕様は図4-2-2のようになっています。アノードに電圧を加えるとカソードに接続した負荷に一定の電流を流すという機能を持っていて、Radjピンとカソード間に接続した抵抗で電流を調整することができますが、ここではRadj（3ピン）を無接続として最少の60mAを流すようにしました。単体では使いにくいので変換基板[*]に実装して使います。

秋月電子通商で入手可能。

このレギュレータの入出力電圧差が最小1.8Vで、ニッケル水素電池の充電時の電圧が1.4V程度ですから、入力電圧が3.2V以上あれば一定の60mAを流せることになります。使った太陽電池は6V仕様ですから十分余裕があります。また2本合わせて120mAで太陽電池330mAの40%以下ですから、こちらも余裕があります。

● 図4-2-2　定電流レギュレータの外観と仕様

品名	: NSV45060（NSI45060）
電圧	: 最大 45V
	最小 1.8V
電流	: 60mA～100mA
	設定可能
サイズ	: TO252

（変換基板に実装）

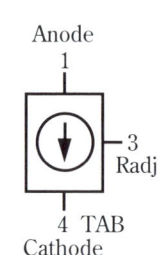

4-2 太陽電池の使用例

電流を目視するためのラジケータの外観と仕様は図4-2-3のようになっています。本来は受信機などの感度を表示するために使われるものですが、電流計になっていますから、今回の電流の大小を示す程度でしたら全く問題なく使えます。しかし300μAでフルスケールですから、図のように可変抵抗を並列に接続して、120mAでフルスケールになるように調整する必要があります。

●図4-2-3 ラジケータの外観と仕様

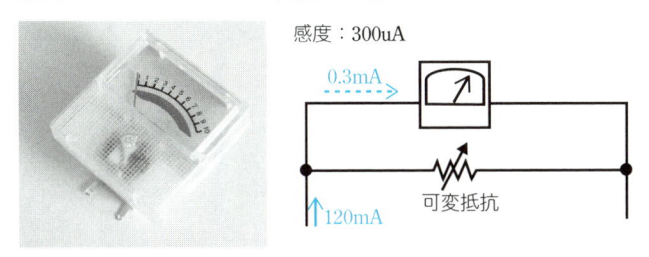

4-2-2 組み立て

必要な部品は表4-2-1のようになります。

▼表4-2-1 部品表

部品番号	品 名	型番・仕様	数量
CCR1、CCR2	定電流レギュレータ	NSV45060/NSI45060	2
	変換基板	TO252用	1
VR1	可変抵抗	100Ω　B	1
	メータ	ラジケータ	1
SOLAR	太陽電池	6V 333mA	1
G1、G2	電池ブラケット	単3型　1本用	2

TO252
半導体を統一規格の箱にいれて扱いやすくした、パッケージ規格の一種。表面実装型。

太陽電池の裏面にすべての部品を両面接着テープで固定し、はんだで直接配線をしています。その様子が図4-2-4となります。電池は1個ずつの単3電池ブラケットに実装して交換できるようにしています。可変抵抗はラジケータの端子に直接接続して半固定の状態としています。

●図4-2-4　充電器の配線

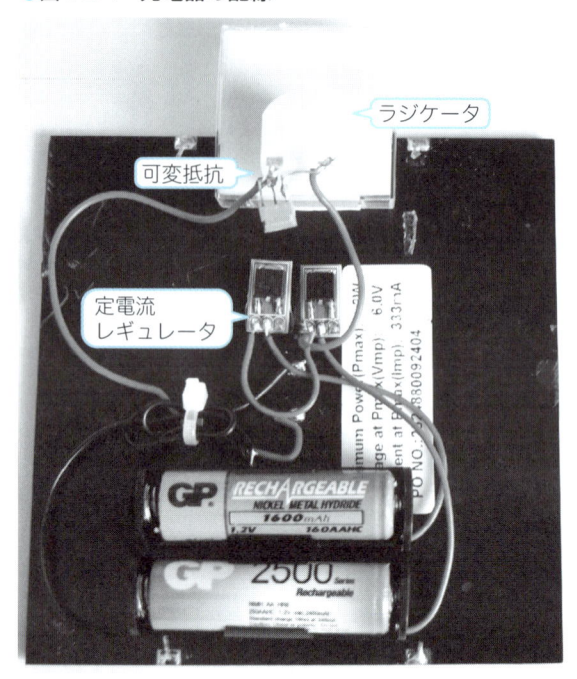

ラジケータ
可変抵抗
定電流レギュレータ

　以上で充電器の完成です。60mAの充電電流なので、2000mAh以上のニッケル水素電池でしたら1/30以下となり、トリクル充電状態です。電池がダメになるほどの過充電の心配はないので、日当たりのよいところに出したままにしておけば、そのうち満充電になります。防災グッズとしても十分使えます。

4-3 実験用電源の製作

　本節では実験に使えるAC/DC電源を製作します。AC100Vを直接扱わなくてもよいように、入力はACアダプタとし、出力は1.5V～10V　最大1Aの電源とします。完成した外観が写真4-3-1となります。市販のアルミケースに実装し、本格的なアナログメータで電圧と電流を切り替えて表示できるようにしました。

●写真4-3-1　製作した実験用電源の外観

4-3-1　実験用電源の回路

　製作した実験用電源の回路は図4-3-1のようにしました。入力は12V 1.2Aか1.5AのACアダプタとし、これをLM350Tという可変出力のシリーズレギュレータを使って、1.5Vから10Vの範囲で可変できる出力電圧で、最大1Aの電流を供給できる電源としました。

　電源としてアナログ回路を含めて多くの用途で使えるようにするため、シリーズレギュレータ方式とすることにします。スイッチング方式に比べ発熱が大きいですが、出力の特性が良くノイズも少ないのでアナログ回路で使っても問題ないからです。

● 図4-3-1 実験用電源の全体構成

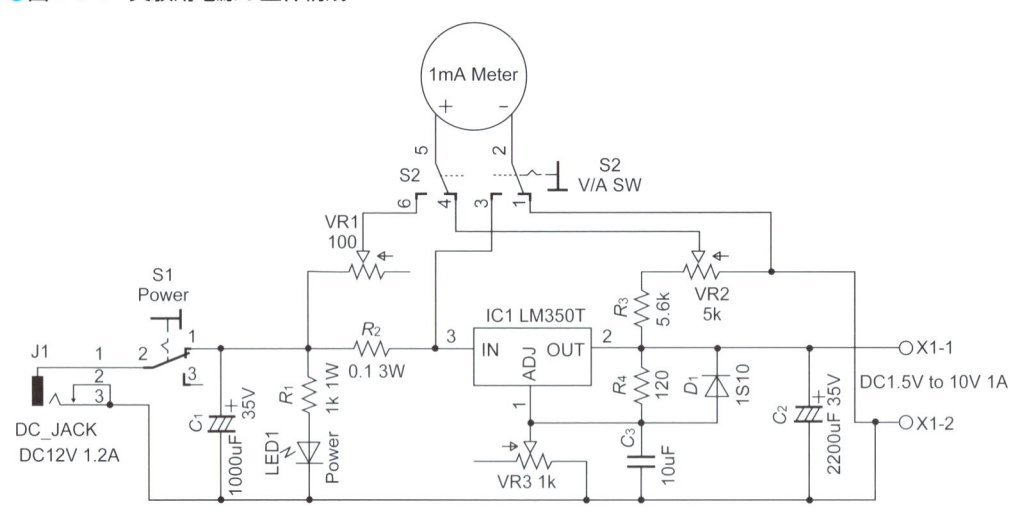

可変シリーズレギュレータIC
3端子レギュレータで出力電圧を可変できるようにしたIC。

セカンドソース
同じ仕様のものを別メーカが発売しているもの。

　出力の可変方法は、可変型シリーズレギュレータIC*を使って回路を簡単化します。古くからあって有名な可変型レギュレータとしては、旧ナショナルセミコンダクタ社に表2-5-1のようなシリーズがあります。多くのセカンドソース*が発売されているので入手しやすいと思います。本書では、出力電流を最大1Aにしましたが、壊れない電源を目指すため、レギュレータには余裕を見て3A対応のLM350Tを選びました。

▼表4-3-1 可変レギュレータ例

型番	入力電圧	出力電圧	出力電流	許容電力	パッケージ
LM317T	出力電圧＋2.0Vが必要	1.2V～37V	Max 1.5A	25W	TO-220
LM350T		1.2V～33V	Max 3.0A	25W	TO-220
LM338T		1.2V～32V	Max 5.0A	25W	TO-220

（旧ナショナルセミコンダクタ社資料より）

　選択したLM350Tのピン配置と規格は図4-3-2のようになっています。図4-3-2(b)のグラフから、1A出力で25℃の場合、入力電圧は出力電圧より1.7V程度高ければよさそうです。つまり12V入力で10Vを出力することができます。
　また調節方法は図4-3-2(c)の式から、R_2が$R_1×0.2$から$R_1×7$の範囲で調節できれば1.5Vから10Vまで可変となります。R_1を120Ωとすれば、7倍以上の1kΩの可変抵抗を使えば1.5V*から10Vまで可変になります。

レギュレータの最小出力電圧が1.25Vとなっている。

4-3 実験用電源の製作

● 図4-3-2　LM350Tの外観と仕様

(a) 外観と仕様

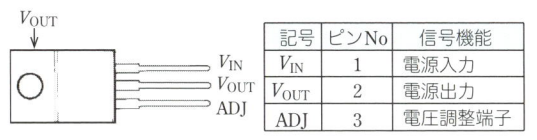

記号	ピンNo	信号機能
V_{IN}	1	電源入力
V_{OUT}	2	電源出力
ADJ	3	電圧調整端子

項目	Min	Typ	Max	単位	備考
入出力電圧差			35	V	
リミット出力電流	3.0	4.5		A	DC
リファレンス電圧	1.20	1.25	1.30	V	
ADJピン電流		50	100	μA	
ケースまでの熱抵抗		3	4	℃/W	
外気までの熱抵抗		50		℃/W	
動作温度範囲	0		125	℃	

(b) ドロップ電圧

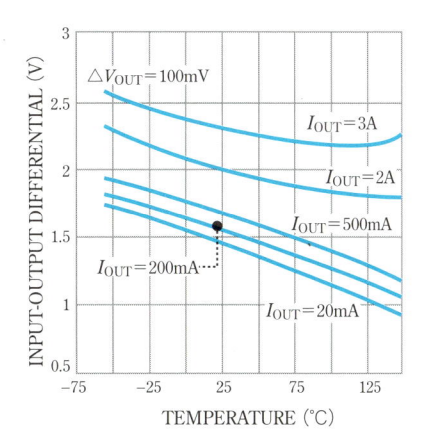

(c) 基本的な接続構成

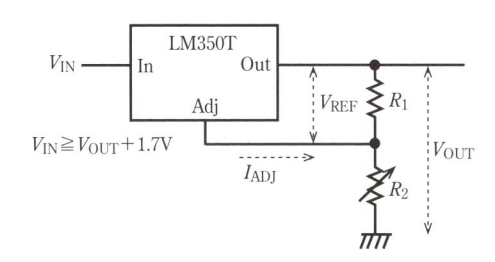

$V_{IN} \geq V_{OUT} + 1.7V$

$V_{OUT} \fallingdotseq V_{REF}(1 + R_2/R_1)$
$V_{OUT} = 10V$ のとき
　$10V \div 1.25V - 1 = R_2/R_1$
　$R_2 = 7 \times R_1$
$V_{OUT} = 1.5V$ のとき
　$R_2 = 0.2 \times R_1$

（LM350T データシート）

4-3-2　アナログメータの使い方

出力の電圧と電流を、一つのDC 1mAの**アナログメータ**で切り替えて表示できるようにしました。切り替えにはS2のスイッチを使い、VR1、VR2の可変抵抗で電圧と電流のフルスケールの表示を合わせられるようにしました。このメータ部分の回路を抜き出すと図4-3-3のようになります。

● 図4-3-3　メータ部の回路詳細

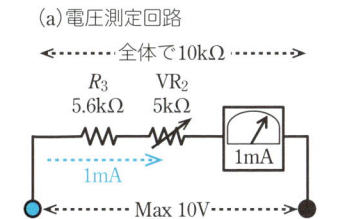

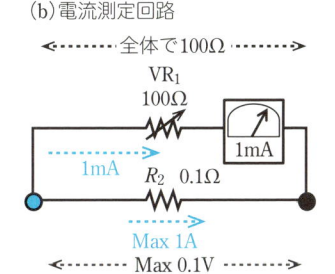

(a) 電圧測定回路　　　　(b) 電流測定回路

全体で10kΩ　　　　　　全体で100Ω

R_3 5.6kΩ　VR2 5kΩ　1mA　Max 10V

VR1 100Ω　R_2 0.1Ω　1mA　Max 1A　Max 0.1V

電圧測定の場合は図4-3-3(a)のように出力の端子間を測定していますが、1mAの電流計で電圧を測るため、直列に抵抗を挿入して10Vのとき1mA流れるように調整します。抵抗値は10V÷1mA＝10kΩとなりますが、メータの内部抵抗や抵抗の誤差があるので、5.6kΩと5kΩの可変抵抗を直列接続して可変抵抗で調整して合わせます。これで1mAの電流計をフルスケールが10Vの電圧計とすることができます。

電流測定は、図4-3-3(b)のようにR_2の0.1Ωの抵抗で降下する電圧を計測して測ります。この抵抗でレギュレータの入力電圧が下がりますが、レギュレータで出力は一定に保たれますから問題ありません。**この抵抗を出力側に挿入すると出力電圧が変化することになってしまい、まずいことになります。**

0.1Ωの抵抗に1A流れたとき、抵抗の両端の電圧差が0.1Vになりますから、このときメータ回路に1mA流れるようにメータの直列抵抗を調整します。抵抗値は0.1V÷1mA＝100Ωとなりますが、メータの内部抵抗を考慮して、100Ωの可変抵抗を直列接続して可変抵抗で合わせます。これで1mAのメータをフルスケールが1Aの電流計とすることができます。

4-3-3　組み立て

次は組み立てです。電源ユニットとして小型のアルミケースに実装することにし、配線も直接線材で部品間を接続して行うことにしました。使ったケースはタカチ電機工業のYM150で、簡単な構造の箱型になっているものです。その他の組み立てに必要なパーツは、表4-3-2となります。

▼表4-3-2　部品表

部品番号	品　名	型番・仕様	数量
IC1	可変レギュレータ	LM350T	1
	放熱シート	TO220用	1
	プラスティックネジ、ナット	M3	各1
C_1	電解コンデンサ	1000μF　35V	1
C_2	電解コンデンサ	2200μF　35V	1
C_3	積層セラミック	10μF　25V	1
D_1	ショットキーダイオード	1S10	1
R_1	抵抗	1kΩ　1W	1
R_2	抵抗	0.1Ω　3W	1
R_3	抵抗	5.6kΩ　1/4W	1
R_4	抵抗	120Ω　1/4W	1
VR1	可変抵抗	100Ω　B	1

4-3 実験用電源の製作

部品番号	品　名	型番・仕様	数量
VR2	可変抵抗	5kΩ B	1
VR3	可変抵抗	1kΩ B	1
S1	トグルスイッチ	AC125V　2P	1
S2	トグルスイッチ	AC125V　6P	1
LED1	発光ダイオード	パネル取り付け型　赤	1
J1	DCジャック	パネル取り付け型　2.1φ	1
	メータ	DE-550 DC1mA	1
X1	ターミナル	絶縁型　赤、黒	各1
	つまみ	中型	1
	ケース	タカチ　YM150	1
	ACアダプタ	12V 1.2A　or 1.5A	1
	線材		少々

　組み立てはケースの加工からです。穴あけは丸穴だけですが、メータの取り付け穴だけは大きな穴となります。ドリルで3φ程度の穴をメータ穴の周囲に連続的にあけ、それらをニッパ等でつないで取り除いたあとヤスリで仕上げます。穴をあけ終わった状態が写真4-3-2となります。

● 写真4-3-2　加工完了したケースの上面パネル

　部品取り付けが終わったら配線をします。すべての配線は取り付けた部品間を直接配線します。抵抗やコンデンサなどを固定した部品間に配線する必要がありますが、空中配線*とします。

空中配線
部品間を直接線材で接続する方法。

レギュレータは発熱対策として、ケースの底にねじで直接固定しますが、タブが出力ピンとなっているので、ケースとは絶縁する必要があります。そこで、熱伝導シートをケースとの間に挿入し、プラスティックネジでケースに固定しています。

　大電流が流れる配線は太目の線材（AWG18）で配線し、メータ周りは細めの線材（AWG24）で配線します。上面パネルには可変抵抗、メータ、メータ切り替えスイッチ、可変抵抗、LEDなどを取り付けているので、ちょっと混み入った配線となります。間違えないように注意しながら配線します。

　配線が完了したところが写真4-3-3です。あとからレギュレータ本体に小さな放熱器*を貼り付けましたが、気休め程度です。

Raspberry Pi 用の放熱器を流用。

●写真4-3-3　配線完了した状態

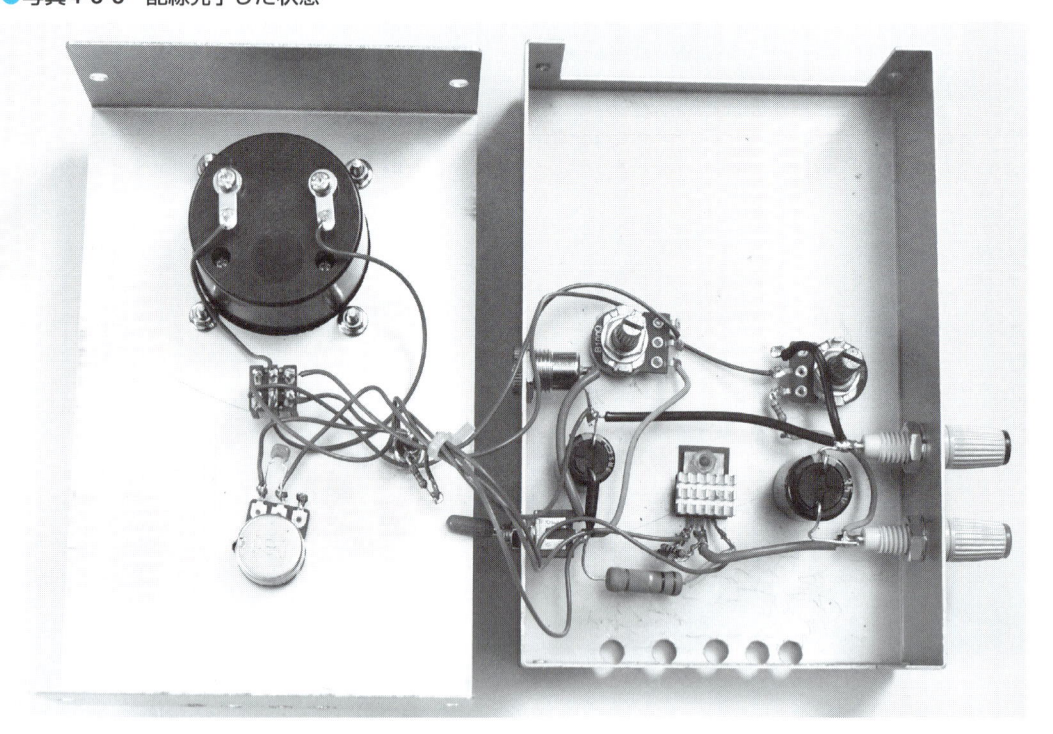

4-3-4　動作テストと調整

　さて組み立て配線が完了したら動作テストです。**いきなり電源スイッチをオンにするのは怖いですから、順番に確認します。**

　まず、出力端子間をテスタの抵抗レンジでショートしていないかを調べます。コンデンサが接続されていますから、最初低い抵抗値を示して徐々に抵抗値

が変化すればショートはしていません。低い抵抗値のままの場合はショートしていると思われますから配線を調べましょう。同じように入力のDCジャックのプラス、マイナス間も確認します。ここまで確認したらACアダプタを接続します。

電源オンで発光ダイオードが点灯し、電圧計としたメータが振れればとりあえず動作しています。さっそく**各部品を手で触ってみて熱くなっていないかを確認しましょう**[*]。

> 熱くなっていたら電源オフにして再度配線を確認する。

動作の確認は図4-3-4(a)のようにテスタを接続し、本機のつまみを回してテスタの電圧が変化すれば正常に動作しています。このあとの調整はメータの較正だけです。メータの較正は電圧計と電流計それぞれに行います。

まず図4-3-4(a)のようにテスタを接続し、レンジを10Vの電圧を計測できるようにします。出力電圧をテスタで見ながら電圧が10Vになるようにパネルの電圧調整つまみを設定します。

そして本機のメータ切り替えスイッチを電圧計のほうに切り替えて、メータがフルスケールとなるようにVR2の5kΩの可変抵抗を調整します。メータはこれでフルスケール10Vの電圧計となります。電圧の変化は出力コンデンサに電気が貯まっていて放電が遅いので、非常にゆっくりと変化します。

次に、図4-3-4(b)のように代用負荷となる2〜5Ω 10Wの抵抗とテスタを直列に接続し、テスタを1Aの電流を計測できるように[*]します。前面の電圧調整つまみでテスタの電流指示が1Aになるようにします。**このとき抵抗がかなり熱くなりますから注意して下さい。**

> テスタリードを電流計測用の端子に接続すること。

この状態で本機のメータを電流計に切り替えてから、メータがフルスケールになるようにVR1の100Ωの可変抵抗を調整します。これでメータはフルスケール1Aの電流計となります。

● 図4-3-4　メータの較正

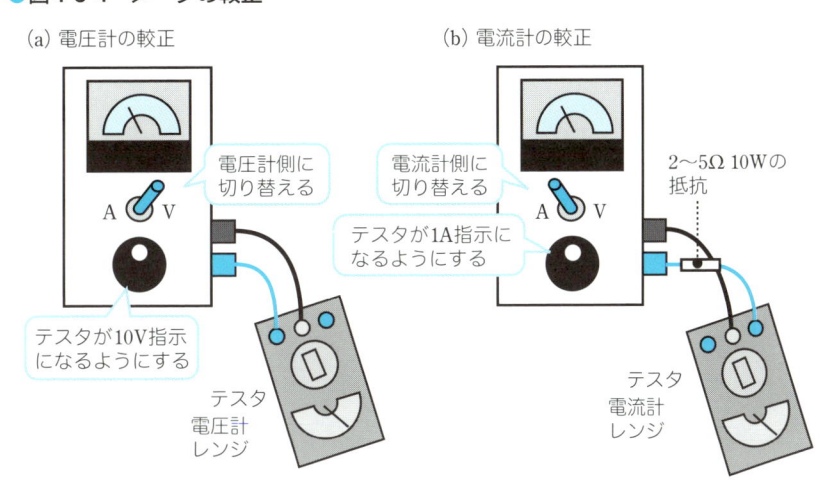

(a) 電圧計の較正　　　　(b) 電流計の較正

電圧計側に切り替える　　電流計側に切り替える　　2〜5Ω 10Wの抵抗

テスタが10V指示になるようにする　　テスタが1A指示になるようにする

テスタ 電圧計 レンジ　　テスタ 電流計 レンジ

これで調整も完了したので電源の完成ということになります。ケースの上面パネルと底面パネルをねじで固定すれば製作完了です。

　完成した実験用電源の動作確認をしてみました。というのもシリーズレギュレータでは、入出力間の電圧差×電流がそのまま熱になるので、かなり発熱します。この電源も出力電圧が1.5Vのとき、(12V − 1.5V)×1A = 10.5Wがすべて熱になります。今回の製作ではアルミケースを放熱器代用にしていますが、かなり熱くなります。

　念のため、温度を計測してみました。1.5V 1A出力の状態でレギュレータ本体の表面温度は図4-3-5のようになりました。電源オンから30分後で80℃ちょっとです。60℃の温度上昇です。このときケースもかなり熱くなりますが、4-5節で説明しているように発熱としては、ぎりぎり使える範囲です。熱さが気になる方は、3V以下で長時間使う場合には、ACアダプタを5V 2Aにして下さい。

●図4-3-5　レギュレータの温度測定結果

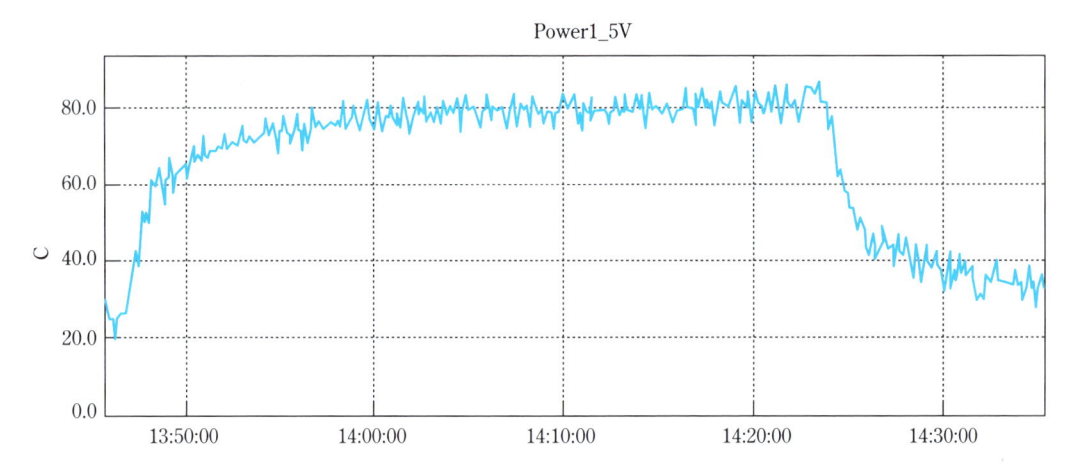

4-4 電源に関する不具合と対策

電源から直流電源を供給し、電子部品に直流の電気を供給します。しかし、電子部品には常に一定の電流が流れているわけではなく、動作状態によって消費電流は大きく変化します。

例えば、マイコン*やデジタルロジックICなどのCMOS*構造のものは、その構造上、0と1の論理が反転するときに大きな電流が瞬間的に流れ、信号に変化がないときは非常にわずかな電流しか流れません。**マイコンなどのデジタル回路でトラブルが多いのは、このようなパルスが切り替わる瞬間の電源ノイズに関する問題です。**

本来電子回路での電源やグランドというのは、電圧基準点ですから、この基準点が確実に一定値を保っていれば何も問題は起きません。このため、電源に必要とされる条件は次のようになります。

- 電流をたくさん流すときも少ないときも一定電圧を供給できること
- 急激に負荷電流が変動しても、影響を受けずに供給できること

しかし、このように安定に供給できる電源を使っていても問題が起きることがあります。問題とは下記のような現象をいいます。

①デジタル回路で時々誤動作する
　マイコンなどを使った高速の回路のときなど、普段は正常に動作しているのに、時々正常でない動きをすることがあります。
②マイコンにモータを接続したときマイコンが誤動作をする
　モータへの起動時電流によるノイズがマイコンの誤動作を引き起こします。
③電圧を計測するとき、測定ごとに値が変動する
　測定電圧にノイズが混入しているために、安定しない値となることがあります。
④オーディオアンプを作ったが、ブーンというノイズが入る
　これは通称「ハムノイズ*」と呼ばれているもので、商用電源の信号が微小な入力信号線に混入しているために起きます。
⑤ラジオを作ったが発振して止まらない
　後段の回路ブロックで増幅した高周波信号が、前段の回路ブロックに電波として回り込んで、さらに増幅されてしまうために起きる現象です。

これらのトラブルの原因と対策を考えてみましょう。

マイコン
マイクロコントローラの略。

CMOS
MOSFETを中心に作られている。

ハムノイズ
商用電源は50Hzまたは60Hzの周波数なので、50Hzまたは60Hzまたはそれらの2倍の周波数の低音として聞こえる。

1 デジタル回路での誤動作の場合

デジタル回路でこのような電源に関わる問題が起きるのは、図4-4-1のような場合です。回路図ではグランド記号で表現されているところは、全部電源のグランド端子に接続すればよいことになっています。しかし、単純に接続しただけでは正常に動作せず、時々変な動きをする現象に悩まされることがあります。

例えば、図のIC2でパルス状に電源電流が流れるとします。そしてIC2と電源の間にIC1が接続されているとします。IC2に流れる電流は電源からIC2を通ってグランドに流れていきます。

この場合、IC2のパルス電流が立ち上がる瞬間に、大きな電流で周波数の高い成分が含まれるため、グランドとIC2の間の配線がコイルの役割を果たしてしまうことになりIC1とIC2の「共通インピーダンス*」となって電圧降下を引き起こします。これによりIC1のグランド端子の位置でインパルス上のノイズ電圧を発生させてしまいます。**このノイズ成分の電圧が高くなると、IC1は入力信号がないにもかかわらず誤作動してしまうことになってしまいます。**

このような問題の解決には、図4-4-1のようにIC2の電源ピンの近くで、電源とグランドとの間にコンデンサを挿入します。すると、急にIC2に電気を流さなければならないとき、電源からすぐには届かない場合でも一時的にコンデンサから放電して急場をしのぐことができます。この際、コンデンサに高周波でも動作するものを選べば、高い周波数で電流が変動するときにも、このコンデンサから電気を一時的に放電して供給することができます。これ

> 共通インピーダンス
> 複数の回路ブロックが共用している電線や基板パターンに生じる抵抗のこと。

●図4-4-1 デジタル回路での誤動作の原因と対策

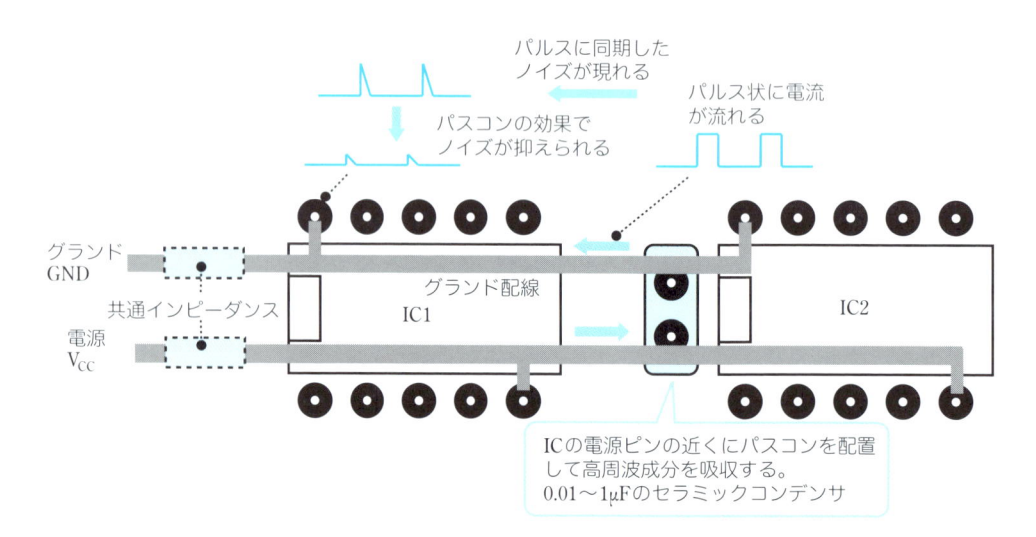

で電源から直接高い周波数のパルス電流を流さなくてもよくなりますから、共通インピーダンスでのノイズ電圧が抑制されることになり、IC1の誤動作要因をなくすことが可能になります。

このように電源回路の途中に挿入するコンデンサのことを「**パスコン**」とか「**バイパスコンデンサ**」と呼びます。パスコンの効果は電源の供給を手助けすることで、グランドに流れるパルス電流を平均化してノイズ電圧を減らすことができるため、特に高い周波数で動作するデジタル回路の誤動作を効果的に減らすことができます。

私たちの工作のときにも、**デジタル回路でICを使うときには、少なくとも1個か2個のICにつき1個のコンデンサをICの電源ピンのすぐ近くに配置するようにしましょう**。これで誤動作の悩みから解放されます。

2 モータによる誤動作の場合

このような現象が引き起こされるのは、複数の回路ブロックが共通インピーダンスを持っていることが原因となります。つまり例えば図4-4-2(a)のようにデジタル回路とモータ回路が混在している回路でグランドや電源が共通に接続されているような場合です。モータ起動時のように短時間に大電流が流れ

●図4-4-2　モータによる誤動作

(a) 誤動作の原因

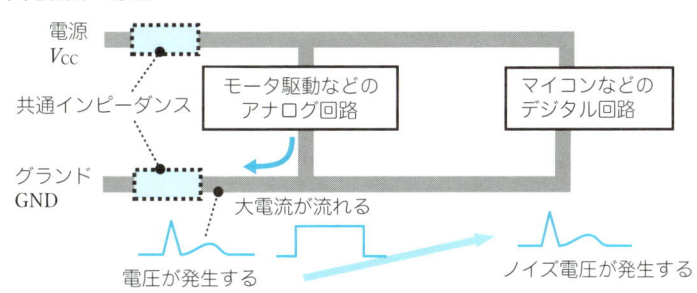

(b) 誤動作対策

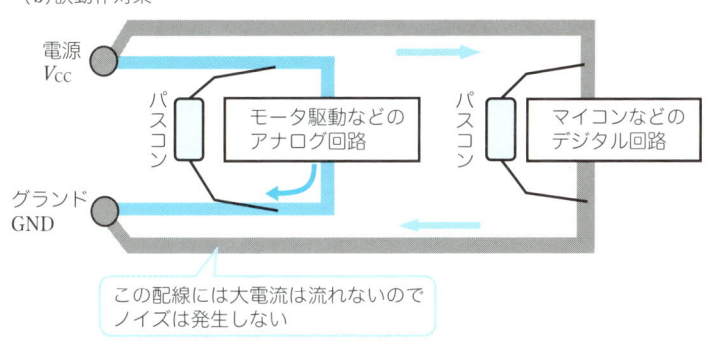

るような場合、配線がコイルのようになって共通インピーダンスを持つことになって電圧降下が起きるため、特に大電流の変化時に大きなノイズ電圧を発生します。これがデジタル回路の誤動作を引き起こす原因となってしまうことになります。

この共通インピーダンスによる悪影響を避けるには、図4-4-2(b) のように、**共通インピーダンスを作らないように、グランドや電源回路を別々に配線し、電源の供給元の一か所で接続するようにします。**

3 計測値のノイズ

こちらも図4-4-3(a) のようなパターン配線となっていると、デジタル回路の動作時のパルス電流により、共通インピーダンスでインパルス状のノイズ電圧が発生してしまいます。これがそのままアナログ回路のノイズとして増幅されるので、アナログ信号では大きなノイズとなってしまうことになります。

オーディオアンプのノイズの問題も同じで、大電流が流れる回路と微小な電圧を増幅する回路のグランドや電源の配線が共通になっていることが原因となります。

この場合の対策も全く同じで、図4-4-3(b) のように**配線を独立にして分けて**しまいます。

●図4-4-3　計測値のノイズの原因と対策

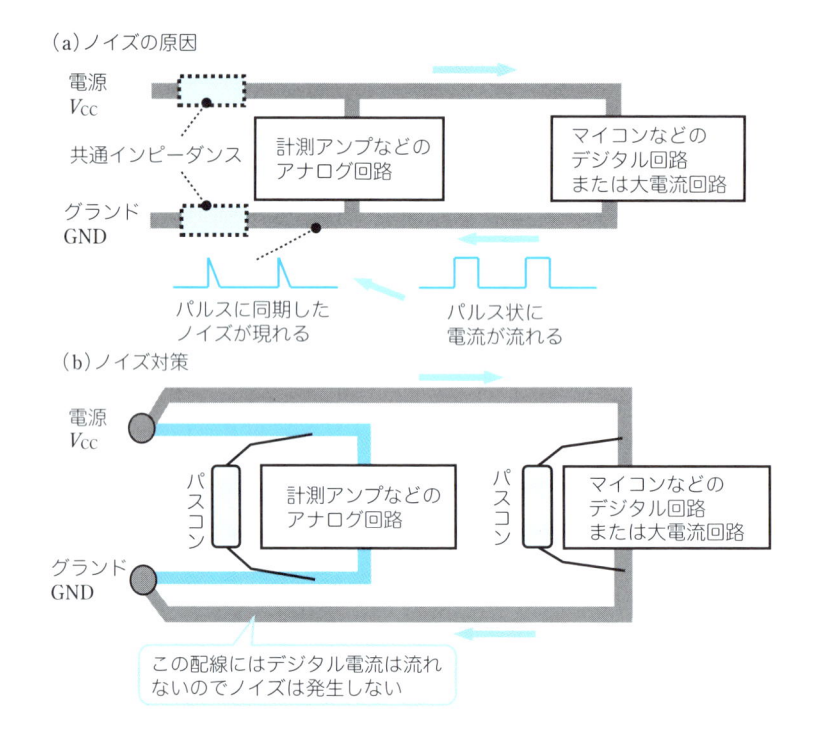

(a) ノイズの原因

電源 V_{CC}
共通インピーダンス
グランド GND
計測アンプなどのアナログ回路
マイコンなどのデジタル回路または大電流回路
パルスに同期したノイズが現れる
パルス状に電流が流れる

(b) ノイズ対策

電源 V_{CC}
グランド GND
パスコン
計測アンプなどのアナログ回路
パスコン
マイコンなどのデジタル回路または大電流回路
この配線にはデジタル電流は流れないのでノイズは発生しない

このような場合の対策として、基板実装のグランドパターンをアナログ回路とデジタル回路を分離するという方法もあります。例えば図4-4-4のように**基板のグランドパターンを、アナログ回路用とデジタル回路用とを完全に分離し、電源の供給元の端子のところの1ヶ所だけで接続するようにします。**

特にマイコンに外付けのD/Aコンバータなどがあるときは、入力側はデジタル、出力側はアナログ回路となりますから、ちょうど両方のパターンをまたぐような配置で実装できれば最適配置ということになります。これでグランドに流れるデジタル回路の電流によって、アナログ回路が影響を受けることがなくなります。

●図4-4-4　グランドパターンの分離

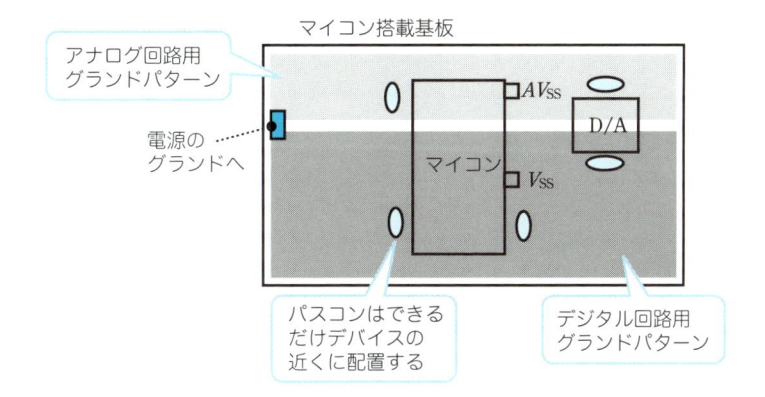

4-5 放熱の方法と放熱器

電源やオーディオアンプなどの電子回路では、発熱を伴うことがよくあります。このような熱は、放熱して温度を下げてやる必要があります。この放熱の考え方と放熱設計の方法を説明します。

4-5-1 放熱の考え方

一般的に発熱と放熱の問題を考えるときには、「**熱抵抗**」という概念を使います。これは温度の伝えにくさを表す値で、単位を「**℃／W**」で表します。つまり、ある物体に1ワットの熱を加えたら何度上昇するかで表します。熱抵抗が小さいほど発熱せず、熱が伝わりやすいことになります。

電子回路では回路に電流を流すと電力を消費します。その消費量は電圧と流れる電流を乗じた値で表されて「**消費電力**」と呼ばれています。この消費電力は、ほぼ全量が熱となって放出されます。電子回路で発熱し冷却する必要がある素子は大部分半導体素子となります。この半導体の発熱と放熱を考えるときのモデルは、熱抵抗を使って図4-5-1のように表されます。

●図4-5-1 発熱と放熱の関係

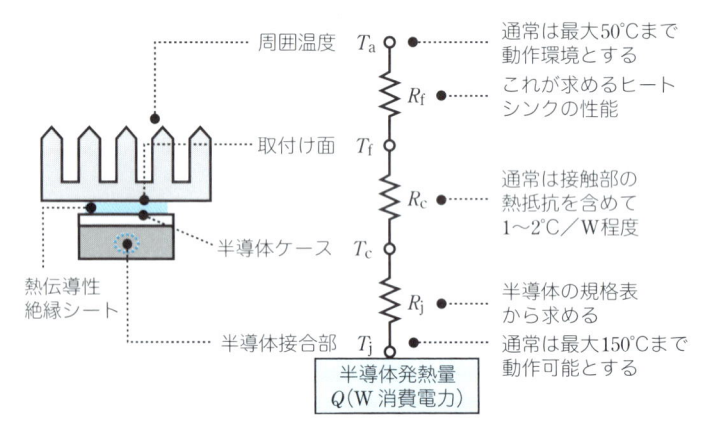

- 周囲温度 T_a — 通常は最大50℃まで動作環境とする
- R_f — これが求めるヒートシンクの性能
- 取付け面 T_f
- R_c — 通常は接触部の熱抵抗を含めて1〜2℃／W程度
- 半導体ケース T_c
- 熱伝導性絶縁シート
- R_j — 半導体の規格表から求める
- 半導体接合部 T_j — 通常は最大150℃まで動作可能とする
- 半導体発熱量 Q(W 消費電力)

ここで発熱と放熱の関係は
　$R_t = R_j + R_c + R_f$ として　$T_j - T_a = Q \times R_t$
なので、実際の値として発熱を100℃以下とするには
　$100 > Q \times R_t$
とすれば、十分の放熱をしていることになる。

4-5 放熱の方法と放熱器

> **ヒートシンク**
> 放熱器のこと。

通常は半導体内部の接合部が熱の発生源ですから、これを出発点にして半導体ケース、熱伝導体、**ヒートシンク***、周囲気中と順に熱が伝わっていきます。それぞれの物体ごとに熱の伝わりやすさ、つまり熱抵抗があります。

この熱伝導の様子は、図のように熱抵抗の直列接続によって表現することができます。この図から、**半導体での発熱量とヒートシンクまでの熱抵抗がわかれば、使用条件に必要なヒートシンクの熱抵抗の値を、オームの法則と同じ方法で求めることができます**。最終的な目標は、使用する温度の上限でも半導体の接合部が150℃*を絶対超えないようにすることです。

> 半導体は、150℃が耐えられる限界の温度。

半導体と周囲外気までの熱抵抗値は、パッケージ*により大体決まっていて、表4-5-1のようになっています。ケースまでの熱抵抗値がヒートシンクを使う場合のケース表面までの熱抵抗で、周囲外気までの熱抵抗が、ヒートシンクを使わず単体で放熱する場合の熱抵抗値になります。

> **パッケージ**
> ICの外形やサイズ、ピン数などは用途によりさまざまだが、標準化が進んでいる。ただし、メーカ独自のものや、メーカによって呼称が異なるものもある。

▼表4-5-1 パッケージごとの熱抵抗値

パッケージ名	ケースまでの熱抵抗値（θJC）	周囲外気までの熱抵抗値（θJA）	条件等
DFN	19	91	2x2ピン
SOT-23	110	336	3ピン
SOT-89	52	180	3ピン
SOT-223	15.0	62	3ピン
TO-92	66.3	160	3ピン
DDPAK	3.0	31.4	3ピン
PW-MOLD	12.5	125	3ピン
TO-220NIS	6.25	62.5	3ピン
MSOP8	-	208	8ピン
MSOP10	-	113	10ピン

実際の例で放熱設計をしてみましょう。まず通常半導体の接合部の温度は上限が150℃と決められています。しかしこれは許容最大値ですから、これの80％以下、つまり**120℃程度として余裕を持たせて設計をします。このように、発熱の設計では常に余裕を見る設計とするのが一般的です**。

次に半導体ケースとヒートシンク間の熱抵抗は、裸の状態で直接ヒートシンクに接触させると、大体0.6℃／W程度で、これにシリコングリースを塗布すると、0.4℃／W程度まで小さくなります。ここに熱伝導性絶縁シートを使うと、接触熱抵抗も含めて2〜3℃／W前後となります。

実際の使用条件で考えてみましょう。例えば半導体自身の発熱量Qを3Wとし、TO220NISパッケージとしてケースまでの熱抵抗R_jが6.25℃／W、絶縁シート部分の熱抵抗R_cを3℃／W、ヒートシンクの熱抵抗をR_f、最高使用周囲温

度を40℃として接合部温度は20%の余裕を見るとすると、

$$(R_f + 3 + 6.25) < (150 \times 0.8 - 40) \div 3 = 26.7$$
$$よって \quad R_f < 26.7 - 9.25 = 17.5$$

と求まります。つまり、17.5℃/W以下の熱抵抗のヒートシンクを使えば放熱が可能ということになります。

　ヒートシンクは、半導体の発熱を外気に移して、半導体接合部の温度を一定温度以下にする働きをします。この放熱性を良くするために、できるだけ表面積が広くなるように複雑な構造をしています。

4-5-2　3端子レギュレータの放熱設計例

　実際の使用例で**3端子レギュレータ**の場合を考えてみます。3端子レギュレータは通常図4-5-2(a)の回路構成で使うことになります。この場合3端子レギュレータ本体では、図のように（(入力電圧)−(出力電圧)）×(出力電流)の熱を発生します。この発熱により入力電圧や出力電流が大きく制限を受けることになります。

　レギュレータのパッケージをTO220NISとすると、ヒートシンクなしの場合外気までの熱抵抗は表4-5-1から62.5℃/Wとなりますから、単体の場合に耐えられる発熱量は、外気温度を40℃までとすると

$$62.5 < (120 - 40) \div Q \quad からQ < 80 \div 62.5 = 1.28W　となります。$$

　このことから、3端子レギュレータに流せる最大電流は、次のように求められます。

5V入力で3.3V出力の場合　$1.28 \div (5 - 3.3) = 0.8A$
9V入力で3.3V出力の場合　$1.28 \div (9 - 3.3) = 0.22A$

　このように入出力電圧差が大きいと極端に最大電流が少なくなります。

　次に別の方法で最大電流を求めてみましょう。例えば代表的な3端子レギュレータの最大許容損失のグラフはデータシートから図4-5-2(c)のようになっています。この図から放熱対策なしの単体では、25℃までは1Wまで使えますが、周囲温度が40℃のときは0.9W程度が最大許容電力となっています。したがって次のように求めることができます。

5V入力で3.3V出力の場合　$0.9 \div (5 - 3.3) = 0.53A$
9V入力で3.3V出力の場合　$0.9 \div (9 - 3.3) = 0.16A$

4-5 放熱の方法と放熱器

●図4-5-2　3端子レギュレータの許容電力

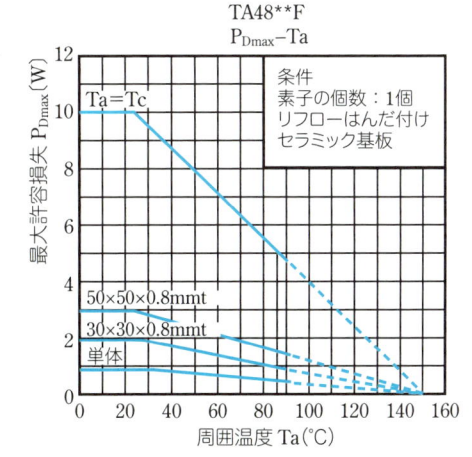

(a) 3端子レギュレータの回路構成

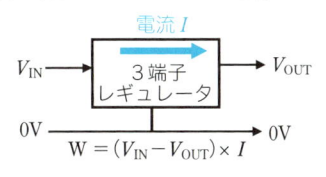

(b) 3端子レギュレータの放熱

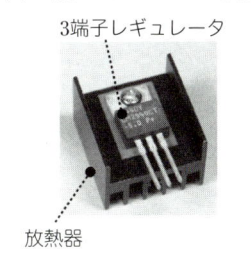

(c) 3端子レギュレータの規格

　流せる電流をもっと増やすため、このレギュレータに図4-5-2(b)のようにヒートシンクを付けることにします。使えるヒートシンクには表4-5-2のようなものが市販されています。この中から30mm角のヒートシンクを使うとすると熱抵抗R_fが12.1℃/Wとなりますから、このときに使える最大発熱量を求めると次のようになります。このレギュレータの接合部からケース間の熱抵抗は表4-5-1から6.25℃/W、絶縁シート部を3℃/W、外気温度を40℃までとして、

$$12.1 + 3 + 6.25 = (150 \times 0.8 - 40) \div Q　 ですから$$
$$Q = 80 \div 21.35 = 3.75W$$

となります。したがって次のようになります。

　　5V入力で出力3.3Vの場合　$3.75 \div (5 - 3.3) = 2.2A$
　　9V入力で出力3.3Vの場合　$3.75 \div (9 - 3.3) = 0.66A$

このように、**ヒートシンクを追加すれば数倍の電流を流せるようになる**ことになります。

▼表4-5-2　市販ヒートシンクの種類と熱抵抗値

外観写真	寸法（H×W×L）	熱抵抗
	16×16.5×25	20℃/W
	20×20×25	16.2℃/W
	30×30×30	12.1℃/W
	15×54×25 15×54×50 15×70×25 15×70×50	8.8℃/W 5.8℃/W 6.0℃/W 4.3℃/W

（グローバル電子カタログより）

第5章
LEDを光らせたい

5-1 LEDの基本の使い方

5-1-1 LEDを光らせるには

LEDを光らせるには、とにかく電流を流せばよいことになります。例えば、よく使われる3mm径の赤色LEDを光らせる場合には、図5-1-1のように抵抗を直列に接続します。これで電流 (I_f) を流せば光ります。図のように、抵抗を接続する位置はLEDのアノード側でもカソード側でも問題ありません。

● 図5-1-1 LEDの使い方

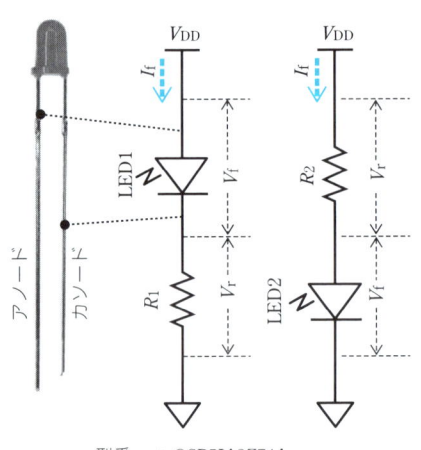

型番　：OSR5JA3Z74A
色　　：赤 625nm
光度　：330mcd
順電圧：2.1V
順電流：最大30mA
逆電圧：5V

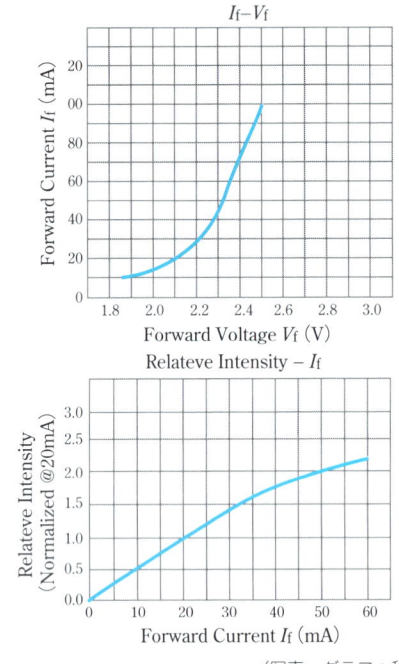

（写真・グラフ：秋月電子通商）

ではこれらのデータを元に図の回路の抵抗の値を求めてみましょう。

まず、電流を流すために必要な電源電圧 V_{DD} はどれほどの電圧が必要かです。

LEDはダイオードなので、電流を流すとダイオード自身で一定の電圧降下が発生します。これを**順方向電圧*** (V_f) と呼んでいます。この値を示したのが図5-1-1の右上のグラフです。このグラフを見ると最小でも1.8V以上となっています。つまり、この電圧以上 V_{DD} が高くないと電流を流すことができません。

* 順電圧とも呼ばれる。

電池でLEDを光らせる場合には、アルカリ電池1個では1.5Vしか出ませんから、電流を流せず、光らせることはできません。つまり、電池を2個以上直列接続しないと全く光らないことになります。

次に、LEDに流す順電流（I_f）はどれくらいがよいかですが、これを決めるのは図5-1-1の右下のグラフです。LEDの光る明るさは流す順電流（I_f）に比例します。グラフでは60mAまで流していますが、左下の仕様では最大30mAとなっています。つまり、短時間なら30mAを超えても問題ないですが、長時間流し続けると内部発熱で耐えられず壊れてしまうということです。

右下のグラフでは20mAのときの明るさを基準にして、相対的な明るさを示しています。光っていることがわかればよいという使い方であれば、10mAでも十分です。そこで10mAで設計することにします。

順方向電圧（V_f）は、仕様では2.1Vとなっていますが、図5-1-1右上のグラフのように、実際には流す電流によって順方向電圧が異なることがわかります。10mAの場合には、1.9Vくらいと読み取れます。

これで抵抗にかかる電圧は、$V_{DD} - V_f$ となりますから、必要な抵抗値は、電圧V_{DD}を5Vとすると　オームの法則で次のように計算できます。

$$(V_{DD} - V_f) \div I_f = (5V - 1.9V) \div 10mA = 310Ω$$

E24系列から選択すると、300Ωということになります。

V_{DD}が3.0Vの場合には、（3.0V − 1.9V）÷ 10mA = 110Ω

E24系列抵抗値から100Ωか120Ωとなります。

このようにして抵抗値を決めますが、注意が必要なことがあります。**順方向電圧は、LEDの色によって大きく異なるということです**。特に青色と白色のLEDは順方向電圧の仕様が3.1Vと高くなっているので注意が必要です。

また個体によってもわずかですが差異があるので、全く同じ電流を流しても微妙に明るさが異なることがあります。

5-1-2　フルカラーLEDの使い方

フルカラーLEDには、1個のLEDの中にR、G、Bの光の3原色に相当するLEDが組み込まれていて、それぞれのLEDの明るさを加減することにより、フルカラーで光らせることができるようになっています。単純なオンオフだけでも7色[*]の光らせ方ができます。

実際の製品には、図5-1-2のようなものがあります。図のようにカソードコモンとアノードコモンの2種類があり、**全く同じように見えるのですが、共通になっている側が逆になっているので注意が必要です**。これを間違えて接続すると全く光りません。リードの一番長いものがコモン端子[*]になります。

赤、マゼンタ、緑、黄、シアン、青、白。

コモン端子
回路図でCOMと表現される。配線を簡単にするため、複数の端子をまとめたもの。

さらに、フルカラーLEDを使う場合には、図5-1-2(c)のグラフのように**色によって順方向電圧が大きく異なるので、抵抗値を決める際には注意が必要です**。抵抗は色ごとに独立にする必要があります。

実際に使うときには、裸の状態では3原色が直接見えてしまって、色がわかりづらくなります。そこで、拡散キャップと呼ばれる乳白色のカバーをすると見やすくなります。

● 図5-1-2　フルカラーLEDの使い方

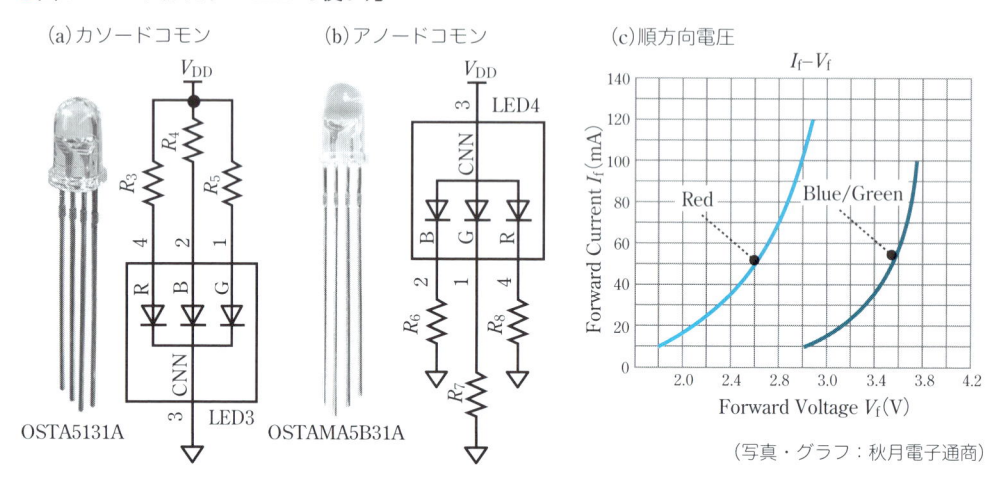

(a) カソードコモン　　(b) アノードコモン　　(c) 順方向電圧

OSTA5131A　　OSTAMA5B31A

（写真・グラフ：秋月電子通商）

5-1-3　パワーLEDの使い方

最近では、**パワーLED**と呼ばれる強力に光るLEDが入手できます。これを使うと、照明に使えるほどの明るさを出すことができます。赤、緑、青、黄、白、電球色、フルカラーと各色のものがあります。

実際の白色の製品例には図5-1-3のようなものがあります。

● 図5-1-3　白色パワーLEDの例　（秋月電子通商）

型番　：OSW4XME1C1S-100
容量　：1W　放熱基板つき
光束　：100lm
順電圧：3.3V
順電流：最大400mA
逆電圧：5V

型番　：OSW4XME1C1E-100
容量　：1W
光束　：100lm
順電圧：3.3V
順電流：最大400mA
逆電圧：5V

型番　：OSW4XNE3C1S
容量　：3W　放熱基板つき
光束　：200lm
順電圧：3.8V
順電流：最大700mA
逆電圧：5V

型番　：OSW4XNE3C1E
容量　：3W
光束　：200lm
順電圧：3.8V
順電流：最大800mA
逆電圧：5V

5-1 LEDの基本の使い方

　図5-1-3の仕様が示すように数百mAの電流を流すことができますが、そのまま電力が熱になりますから、**放熱が必須**です。放熱基板つきのものでも、最大電流近くで使う場合には、放熱器に取り付ける必要があります。実際に使う場合には、最大電流の1/3程度の電流でも十分の明るさになるので、こうすれば発熱を抑える[*]ことができます。

> 発熱は電流の2乗に比例するので、電流が1/3なら発熱は1/9になる。
>
> 1Aの場合70mΩ×1Aの2乗＝70mW

　パワーLEDを駆動する場合には大電流が必要ですから、図5-1-4のようにMOSFETトランジスタを使うのが一般的です。MOSFETトランジスタは、オン抵抗が非常に小さく、大電流が流れてもほとんど発熱しない[*]ので、このような大きな電流のオンオフ制御には最適な素子です。ゲートに2.5V以上の電圧を加えるだけ[*]で大きな電流をオンとし、0Vとすればオフとできるので、マイコンなどから直接制御することができます。

> ゲート電流は数十μA。ほんのわずかしか流れない。

　LEDに直列に挿入する抵抗の値の求め方は一般的なLEDと同じで、V_{DD}と順方向電圧と順電流から求めます。MOSFETのオン電圧はほぼ0Vと考えて計算できます。

　結局　$R_5 = (V_{DD} - V_f) \div I_f$　ですから、例えば5V電源で100mA流すとすれば、(5V − 3.1V) ÷ 0.1A = 19Ω　→　20Ω　となります。

　この場合抵抗の電力容量に注意する必要があります。20Ωに0.1Aですから、20×0.1の2乗＝0.2Wとなります。抵抗としては余裕をみて数倍の1Wクラスを使う必要があります。R_6の役割は、ゲートがオープン状態のときオンにならないようにします。

●図5-1-4　パワーLEDの駆動回路

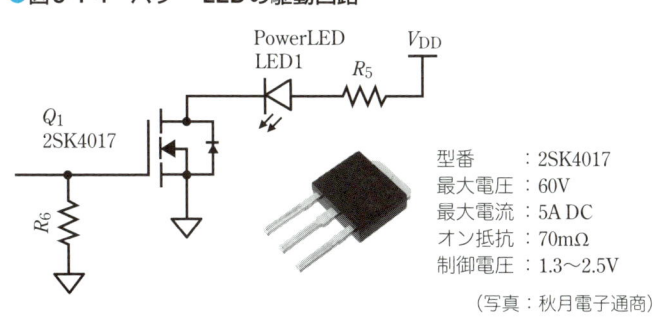

型番　　：2SK4017
最大電圧：60V
最大電流：5A DC
オン抵抗：70mΩ
制御電圧：1.3〜2.5V

（写真：秋月電子通商）

5-2 明るさを可変するには

5-2-1 PWM制御とは

　LEDの光る明るさを連続的に変えるには、PWM制御を使います。このPWM制御でどうして明るさが変わるかというと、図5-2-1のような原理によります。

　まず**PWM**（**パルス幅変調**）[*]とは、周期が一定で、オンの時間とオフの時間を可変できるパルスのことをいいます。そして周期に対するオン時間の比を**デューティ比**と呼んでいます。

　例えばオン時間の間LEDが点灯し、オフ時間は消灯しているものとし、周期が1msec（1kHz）の短さとすると、LEDはこの波形通り点滅[*]しているのですが、人間がこれを見たときには、残像現象[*]により、連続で点灯しているように見えます。つまり眼の中で平均化されてしまうことになります。したがって、オン時間が短いときには、見える光の強さの平均が小さいので暗く見えます。オン時間が長い場合には、平均の明るさの強さが大きくなるので明るく見えます。

　これで、デューティ比を可変すれば人間の目には明るさが連続的に変わるように見えます。

PWM
Pulse Width Modulation

LEDはダイオードなので、MHzオーダーまでオンオフ動作できる。

残像現象
一度光を見ると、0.1秒程度残って見える現象。

●図5-2-1　PWMによる明るさの制御

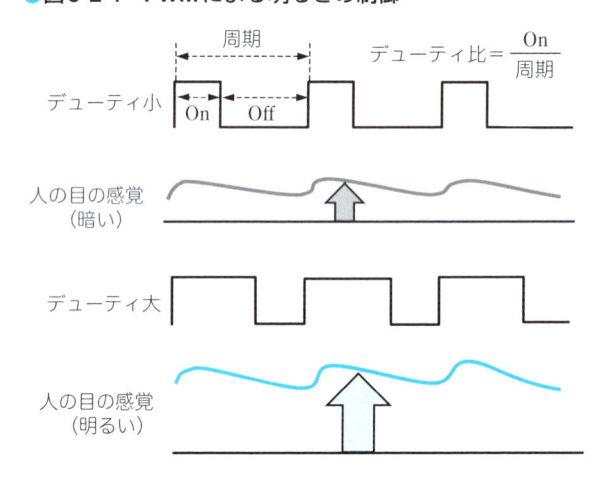

デューティ比 = On / 周期

5-2-2 パワー LED の調光制御器の製作

実際にPWMでパワーLEDの明るさを連続的に制御するコントローラを製作してみます。マイコンを使うとかなり自由にできます*が、ここでは1個のICを使って製作してみます。

この調光制御器の全体構成が図5-2-2となります。タイマICから出力されるPWMパルスでMOSFETを駆動し、さらにMOSFETでパワーLEDを駆動します。PWMパルスのデューティを可変抵抗で可変させます。

マイコンによるPWM制御の仕方は8-3節を参照。

●図5-2-2　調光制御器の全体構成

555タイマ
遅延時間生成、パルス信号生成、フリップフロップ機能をもつ。セカンドソースが多く種類が多い。名前の由来は、内部に3つの5kΩ抵抗があるからという説が一般的。

小さなデューティで短いパルスを生成できる。

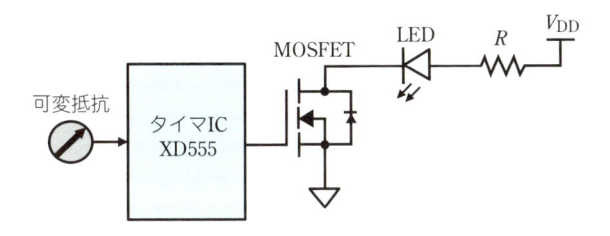

使うICは**555タイマ***というかなり昔から使われているタイマICで、図5-2-3のような外観と仕様になっています。今回使ったのはCMOS製品で高周波まで対応*できる製品を使いました。

●図5-2-3　555タイマの外観と仕様

(a) 仕様

型番　　：XD555
電源　　：2V〜16V
消費電流：150μA
動作周波数：Max 1.8MHz
シンク電流：Typ 10mA
ソース電流：Typ 50mA

ピン配置:
GND	1	8	V_{DD}
TRIG	2	7	DISCH
OUT	3	6	THRES
RESET	4	5	CONT

(b) Monostable Mode

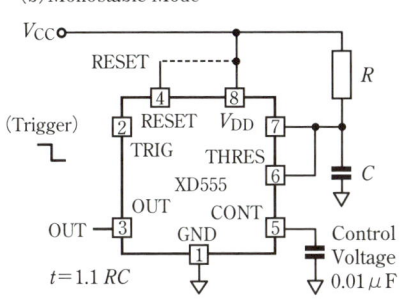

$t = 1.1 RC$

(c) Astable Mode

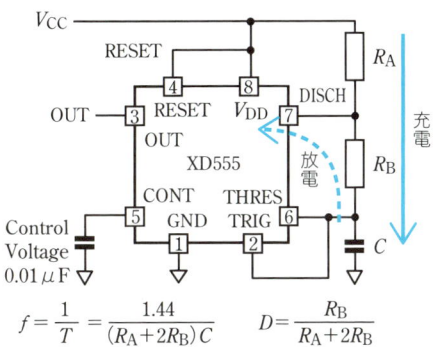

$$f = \frac{1}{T} = \frac{1.44}{(R_A + 2R_B)C} \qquad D = \frac{R_B}{R_A + 2R_B}$$

(写真：秋月電子通商)

データシートには使い方で2通りの参考回路が掲載されています。図5-2-3(b)がモノステーブルというモードで、トリガごとに一定の幅のパルスが1回出力されます。このときのパルス幅はRとC^*で決まります。

もう一つが図5-2-3(c)のアステーブルというモードで連続パルスが出力され、その周期とデューティがR_AとR_BとCで決まります。つまり充電の場合は実線のように流れるので$(R_A + R_B)C$で時間が決まります。放電の場合*は点線のように流れるので、$R_B C$で時間が決まります。周期はこの両方の時間の加算ですから$(R_A + 2R_B)C$で決まることになります。充電と放電が切り替わるときに再トリガされるので永久に繰り返されることになります。放電のときに出力がHighになるので、デューティ比は、$R_B/(R_A + 2R_B)$ となります。

> 抵抗RとコンデンサCで決まる時間を時定数と呼ぶ。
>
> DISCHピンは、放電の場合はIC内部でGNDに接続され、充電の場合はハイインピーダンスとなるので無接続と同じとなる。

5-2-3 回路設計と組み立て

このアステーブルモードの回路を元に、PWMパルスを生成するようにした回路が図5-2-4となります。

●図5-2-4 回路図

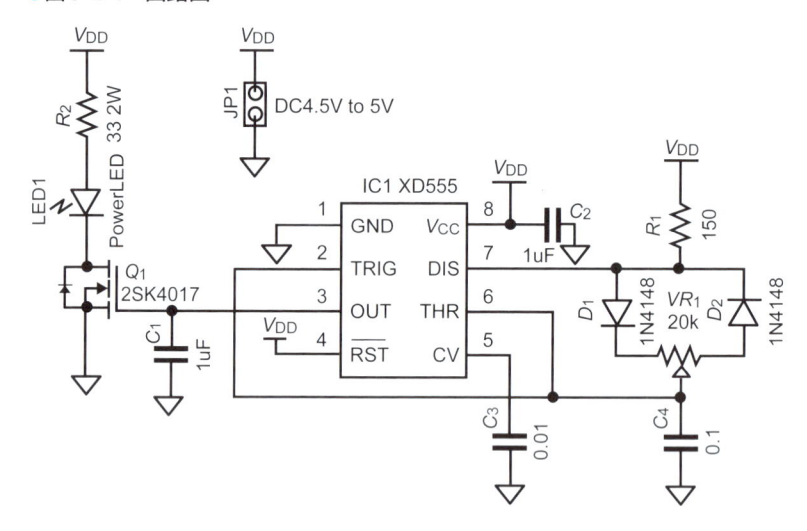

この回路では充放電部に工夫が凝らされています。ここの動作は図5-2-5のようになります。充放電のルートがダイオードで切り替わり、充電の場合には図の実線のルートでR_1と可変抵抗の左側部の抵抗R_aを経由して充電されますから、$(R_1 + R_a)C$で時間が決まります。放電の場合には、点線のルートで放電しますから、$R_b C$で時間が決まります。これで周期は両方の加算で$(R_a + R_b + R_1)C$となりますが、$R_a + R_b$は可変抵抗の値そのものですから、周期は$(VR_1 + R_1)C$となり、ほぼ一定となります。

● 図5-2-5 充放電動作

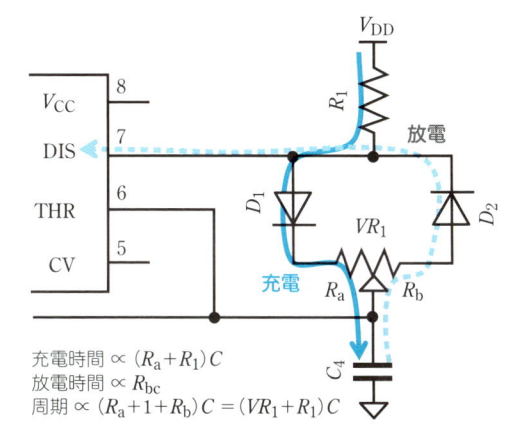

充電時間 ∝ $(R_a+R_1)C$
放電時間 ∝ R_{bc}
周期 ∝ $(R_a+1+R_b)C = (VR_1+R_1)C$

図5-2-4の回路図で、コンデンサC_1を省いたときの出力パルスが図5-2-6となります。可変抵抗を左右一杯に回した場合と、ほぼ中央にしたときの波形です。

● 図5-2-6 タイマの出力波形（コンデンサC_1が無い場合）

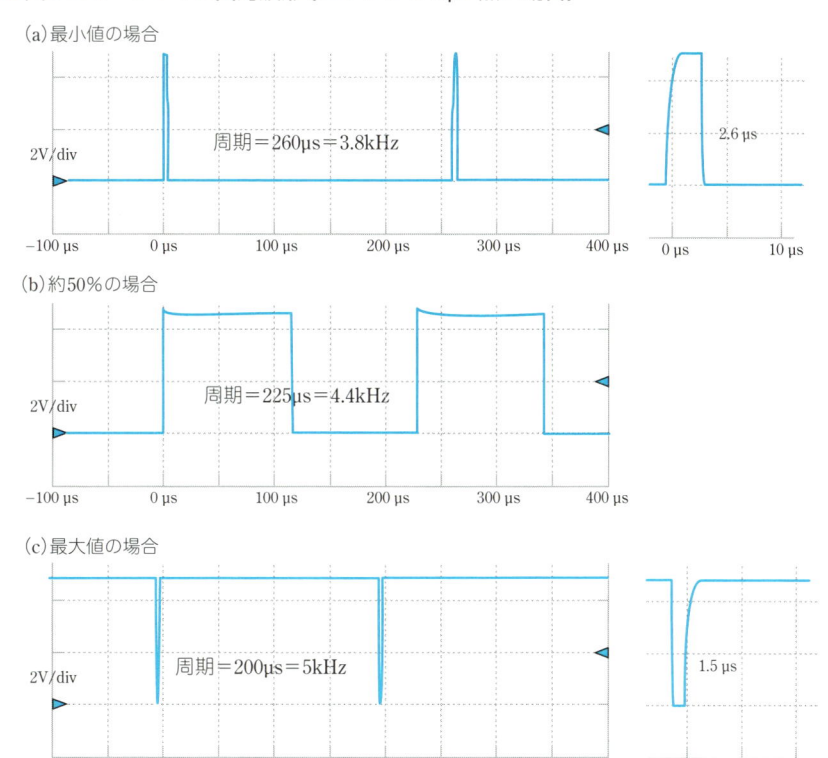

(a) 最小値の場合　周期=260μs=3.8kHz　2.6μs

(b) 約50%の場合　周期=225μs=4.4kHz

(c) 最大値の場合　周期=200μs=5kHz　1.5μs

図5-2-6(a)はデューティ比が最小の場合で、R_1だけによるパルス幅となり、約2.6μsとなります。図5-2-6(c)はディーティ比が最大の場合で、タイマICの限界のパルス幅となり、約1.5μsとなります。これでデューティ比を0%付近から100%付近まで連続で可変できることになります。周期も変化[*]しますが、LEDの点灯には問題ありませんし、人間の目にも影響はなく、デューティによる変化だけとなります。

> 抵抗以外の要素で変化する。

しかし、このパルスでは問題があります。図5-2-6(a)の最小のデューティの場合でも、LEDは結構光って[*]しまって完全に消灯にはなりません。

> LEDは高速応答する。

そこでコンデンサC_1を追加しました。このコンデンサを追加したときの出力波形が図5-2-7となります。コンデンサにより波形がなまり、最小、最大どちらの場合もパルスとしては現れていません。このようにコンデンサには電気を貯めるという働きがありますが、幅の狭いパルスでは電気の蓄積にわずかにしか寄与しないので、信号変化としては小さな変化のみとなります。その代わり図5-2-7(b)のようにパルス幅が広いときにはパルスの立ち上がり、立下りがゆっくりとなります[*]。

> これを「パルスがなまる」という。

●図5-2-7　コンデンサC_1を追加した場合の波形

(a) 最小値の場合

0%なので完全消灯

2V/div

−100 μs　0 μs　100 μs　200 μs　300 μs　400 μs

(b) 約50%の場合

2V/div

−100 μs　0 μs　100 μs　200 μs　300 μs　400 μs

(c) 最大値の場合

2V/div

100%なので最大点灯

−100 μs　0 μs　100 μs　200 μs　300 μs　400 μs

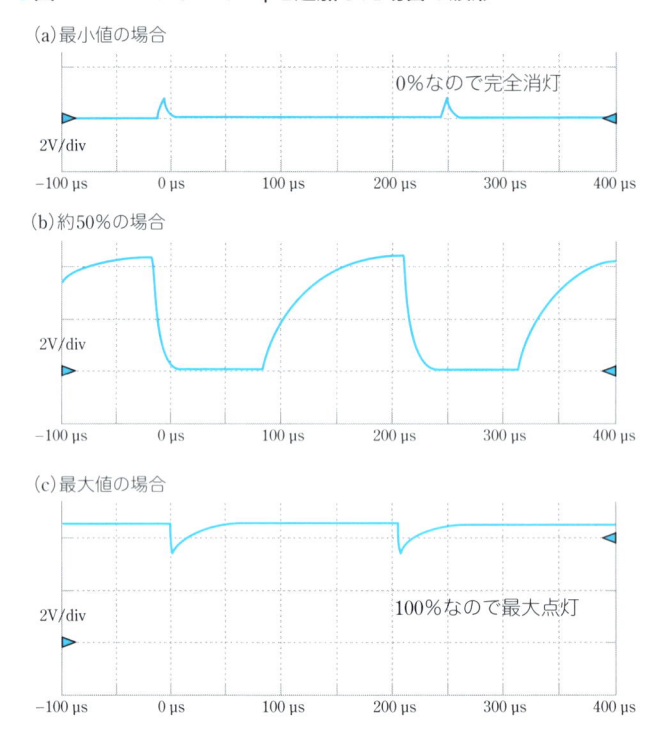

> 使ったMOSFETはゲート電圧が1.3V以上でオンとなる。

図5-2-7(a)では常時0.3V以下ですから、Q_1のMOSFETはオン[*]にならずLEDは完全に消灯します。図5-2-7(c)の場合には、常時3.7V以上ですから、

5-2 明るさを可変するには

MOSFETはオンのままとなるので、完全に点灯した状態となります。これで、PWMによりパワーLEDを完全消灯から完全点灯まで連続で調光制御できることになります。

組み立てに必要な部品は表5-2-1となります。

▼表5-2-1 部品表

部品番号	品　名	型番・仕様	数量
IC1	タイマ	XD555	1
D_1、D_2	ダイオード	1N4148	2
LED1	パワーLED	OSW4XNE3C1S	1
Q_1	MOSFET	2SK4017	1
R_1	抵抗	150Ω　1/4W	1
R_2	抵抗	33Ω　2W	1
VR1	可変抵抗	20kΩ　B	1
C_1、C_2	積層セラミックコンデンサ	1uF 25V	2
C_3	積層セラミックコンデンサ	0.01	1
C_4	フィルムコンデンサ	0.1	1
BAT1	電池ボックス	単3型　4本用	1
	NiMH電池	ニッケル水素電池	4
	ブレッドボード	EIC-801	1
	ジャンパワイヤ	EIC-J-L	1

回路図に基づいてブレッドボードで組み立てます。組立図が図5-2-8となります。

●図5-2-8　組立図

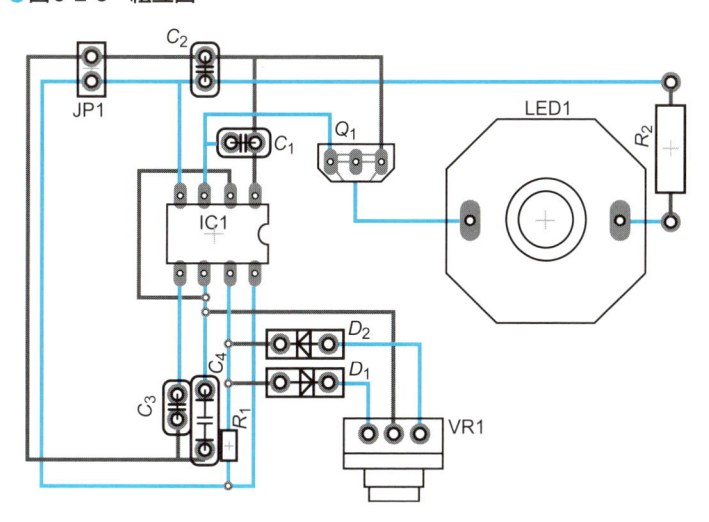

組み立て完成したブレッドボードが図5-2-9となります。パワーLEDには抵抗とジャンパワイヤを直接はんだ付けしています。流れる電流は数十mA程度で、LEDの最大電流よりはるかに少ないのでほとんど発熱しません。これでも結構明るく光ります。

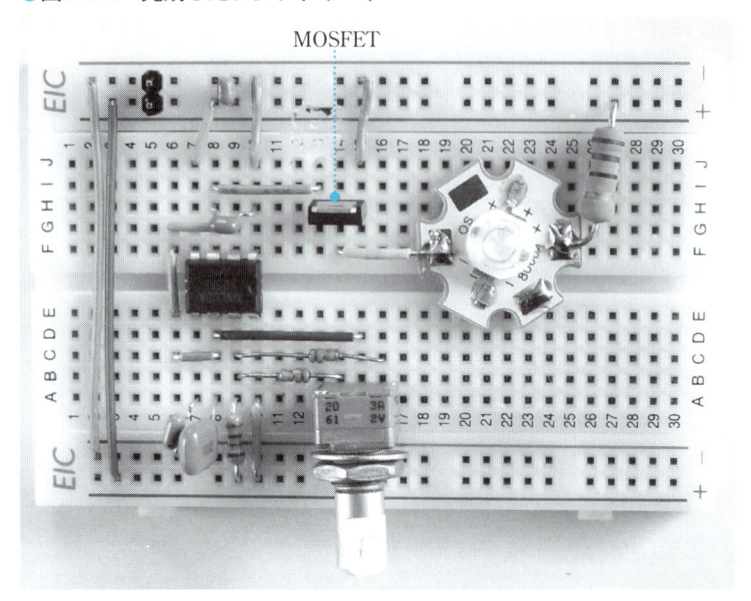

●図5-2-9　完成したブレッドボード

　これで電源としてニッケル水素を4本か、第4章で製作した実験用電源でDC5Vを加えれば動作させることができます。可変抵抗を回せば明るさを連続的に変えられます。
　ただしこのパワーLEDを直接見ると目を傷めますから、必ずプリンタ用紙などを上に被せて見て下さい。
　この回路で、パワーLEDの代わりにDCモータを接続すれば、DCモータの回転数を連続的に変更できます。

5-3 電池1個でLEDを光らせるには

5-1節で説明したように、LEDの順方向電圧が高いため、電池1個の1.5Vではレを点灯させることはできません。しかし、これを可能にするICがあります。**LEDドライバ**と呼ばれているICで、数種類ありますが、本節では、「CL0116」というICを使います。

5-3-1 LEDドライバとは

本節で使うLEDドライバCL0116というICの外観と仕様は図5-3-1のようになっています。入力電源電圧が最小0.8Vから動作するので、電池1本でも十分供給可能です。またLXピンからの最大出力電流が最大100mAですからLEDを駆動する電流としても十分です。

●図5-3-1　CL0116の外観と仕様

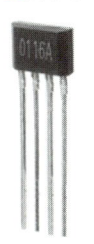

(a) 仕様

型番	: CL0116
入力	: 0.8V～3.0V
オン電圧	: Max 150mV
ヒステリシス	: 300mV
スイッチング	: 周波数100kHz
出力電流	: 10mA～100mA

(b) pin配置

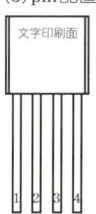

No	記号	機能
1	SBAT	制御/太陽電池
2	BAT	入力電源
3	GND	GND
4	LX	出力

(写真・図：秋月電子通商)

このLEDドライバの基本回路は、データシートでは図5-3-2のようになっています。この回路の基本動作は、コイルL_1を使った昇圧スイッチング電源となっています。LEDがダイオードの代わりをしています。出力側にコンデンサがないですから、LEDは常時100kHzのパルスで駆動されることになります。これでBATピンに入力された電源が昇圧され、出力LXピンに出力される高い電圧でLEDを駆動できるようになります。

制御ピンのSBATは、本来は図のように太陽電池を接続するようになっています。暗くて太陽電池が発電しないときは、出力がオンとなってLEDが点灯し、明るくて発電できている間は、出力はオフとなり、BATにニッケル水素電池を使った場合には、この電池を充電するようになっています。つまりこの機能は市販のソーラーライトと同じ動作となります。

●図5-3-2　CL0116の基本回路

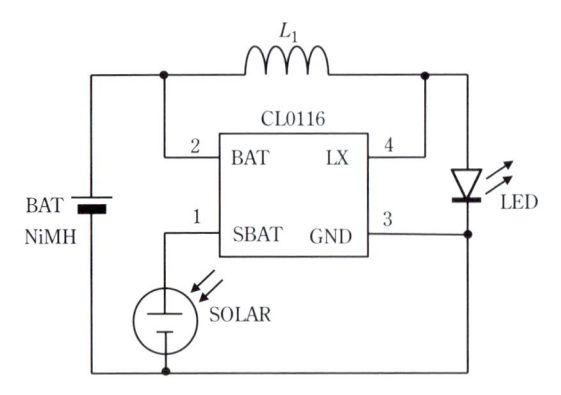

　もう少しCL0116の動作を詳しく見てみましょう。出力のLXピンの波形をAnalog Discovery3のScopeで観測すると、図5-3-3のようになっています。

●図5-3-3　CL0116の出力波形

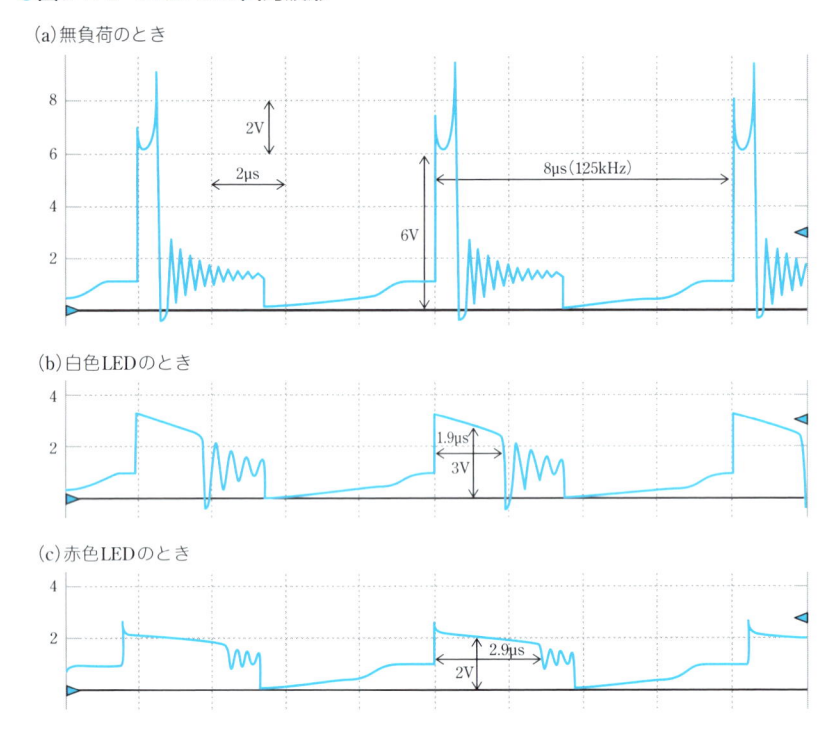

(a) 無負荷のとき

(b) 白色LEDのとき

(c) 赤色LEDのとき

5-3 電池1個でLEDを光らせるには

図5-3-3(a)の波形はLEDを接続していないときの無負荷のときのものです。これを見ると最大6V振幅で、周波数が約125kHzのパルスが出ていることがわかります。つまり6Vまでの負荷を駆動できるということになります。

実際に白色LEDを接続したときの図5-3-3(b)の波形を見ると、振幅が3V程度となっています。これが白色LEDの順方向電圧ということになります。つまり、LEDは125kHzのパルスで点滅駆動[*]されているということになります。しかし、人間がこのLEDを見たときは、眼の残像現象により連続点灯として見えます。

> LEDは高速動作が可能なので、パルス信号どおりオンオフを繰り返している。

図5-3-3(c)の波形は赤色LEDを負荷として接続した場合で、振幅が2V、つまり赤色LEDの順方向電圧となっています。この白色と赤色のパルスでは、周期は125kHzで同じですが、オンのパルス幅が異なっています。これはCL0116の中でLEDの順方向電圧に応じてパルス幅を自動調整しているように見えます。

パルスがオフする際に波形が振動しています。これには何らかの役割があるのかと思いますが、このパルス幅の調整の役割を果たしているのではないかと推測されます。

では、このパルス状で駆動されているときにLEDに流れている電流値はどの程度なのでしょうか。

実際にLEDに流れている電流をテスタで計測しました。テスタを挿入するとパルスの形状が変化してしまうので正確ではないですが、白色LEDで約6mA、赤色LEDで約10mAと計測できました。

このテスタで計測したときの電流値はパルス状に流れている電流の平均値[*]となっています。パルスの周期の中のオン時間の割合（これをデューティ比と呼ぶ）でオン中の電流値に換算してみます。

> テスタの応答時間が遅いため、平均値として測ることになる。

白色LEDは、図からデューティ比は $1.9\mu s \div 8\mu s \fallingdotseq 0.24$ 程度です。したがって

$6mA \div 0.24 = 25mA$ となります。

LEDにはパルス状に25mAの電流が流れているということになります。25mA流れていれば十分明るく光ることになります。

赤色LEDの場合は、デューティ比は、$2.9\mu s \div 8\mu s \fallingdotseq 0.36$ 程度ですから、

$10mA \div 0.36 \fallingdotseq 28mA$ となります。

いずれのLEDの場合も、ほぼ同じ電流が流れていることになります。CL0116はうまくできているようです。

5-3-2 センサとの連動の製作

> オンのスレッショルドが120～150mVとなっている。

本節では、この制御ピン（SBAT）に太陽電池ではなく、各種センサを接続してLEDのオンオフ制御ができるようにします。つまり、制御ピンに0.1V以下の電圧を加えればLEDは点灯し、0.2V以上を加えれば消灯することになるのを使うわけです。

1 明るさセンサとの連動

明るさを検出するセンサとして、図5-3-4のような照度センサがあります。このセンサは明るさによって流れる電流が比例して大きくなるようになっています。この電流を電圧に変換するには、図5-3-3(b)のような回路とすれば、10Lux*以下の明るさのときは0.1V以下の出力になりますから、V_{OUT}をCL0116の1ピンに接続すればLEDを点灯状態にできます。

> LUX
> 光が照らす面の明るさの単位。

● 図5-3-4 照度センサの外観と仕様

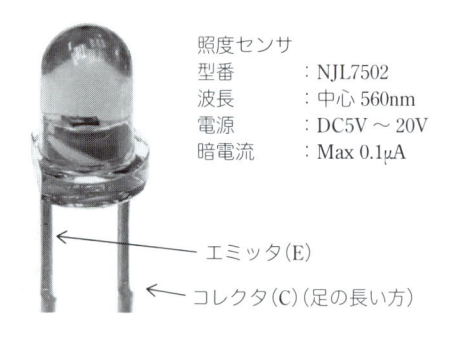

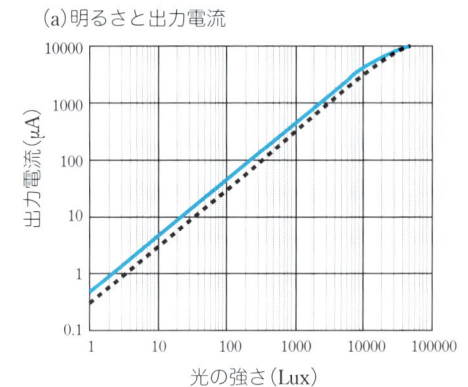

照度センサ
型番　　：NJL7502
波長　　：中心560nm
電源　　：DC5V～20V
暗電流　：Max 0.1μA

エミッタ（E）
コレクタ（C）（足の長い方）

(a) 明るさと出力電流

(b) 照度センサの回路と出力電圧

【抵抗値R_1の決め方】
10LuxのときV_{OUT}を0.1Vにするには

$0.1V \div 5\mu A = 20k\Omega$

このとき0.2Vになるには30Lux以上
ヒステリシスが0.3Vあるので0.4V以上
必要になり80Lux以上必要

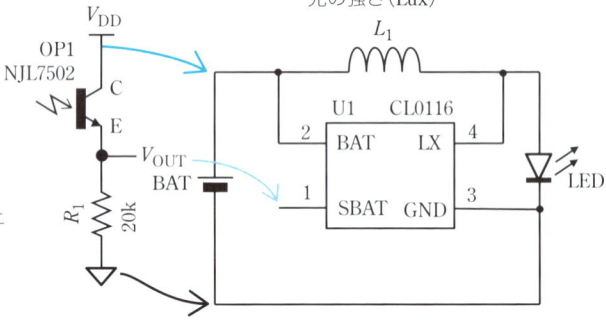

（写真：秋月電子通商　グラフ：日清紡マイクロデバイス）

また、本来は30Lux以上の明るさであれば0.2V以上になりますから、消灯状態にすることができますが、いったん点灯したあと次に消灯させるには、

5-3 電池1個でLEDを光らせるには

ヒステリシス
オンオフの判定などのしきい値に幅を持たせること。

CL0116に300mVのヒステリシス*があるので、ほぼ0.4V程度まで上がらないと消灯にはなりません。このヒステリシスのお陰で消灯、点灯を短時間で繰り返す現象が出ないようになっています。

組み立てに必要な部品は表5-3-1となります。

▼表5-3-1 部品表

部品番号	品名	型番・仕様	数量
U1	LEDドライバ	CL0116	1
L_1	マイクロインダクタ	47μH　AL0510-470K	1
LED	白色LED	OSW54K5B61A	1
R_1	抵抗	20kΩ　1/4W	1
OP1	照度(光)センサ	NJL7502	1
	圧力センサ	FSR406	1
BAT1	電池ボックス	単3型　1本用	1
	NiMH電池	単3型　ニッケル水素電池	1
	ブレッドボード	EIC-801	1
	ジャンパワイヤ	EIC-J-L	1

これを実際に組み立てたブレッドボードが図5-3-5となります。この例ではL_1に47μHを使っています。コイルの容量により出力電流や電圧が変わりますが、47μHのときが一番安定しています。

●図5-3-5 光センサを組み合わせた例

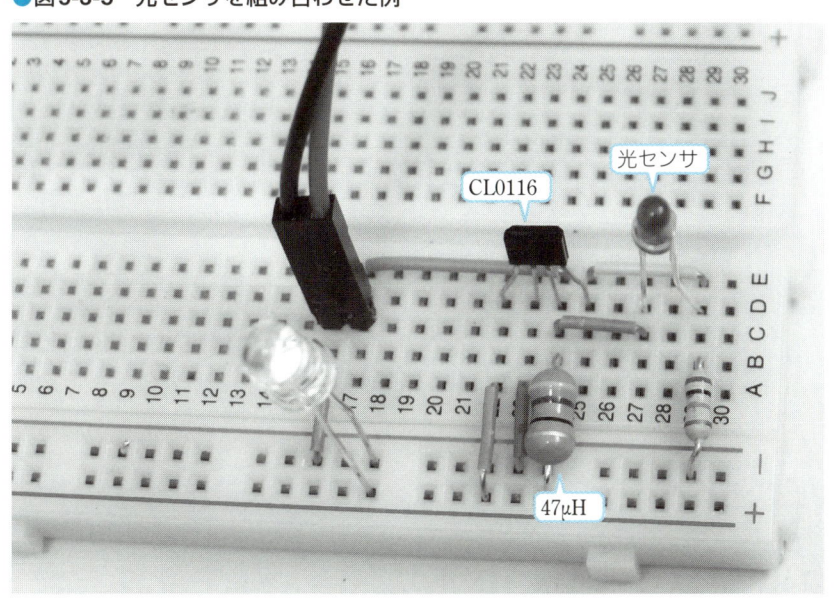

2 圧力センサと連動

次に圧力センサでLEDの制御をしてみます。使った圧力センサは図5-3-6のような外観と仕様になっています。このセンサは抵抗出力となっていて、圧力がないときはほぼ無限大、圧力を加えると力に応じて抵抗値が減少します。

この圧力センサでLEDを制御するには、図の接続回路例のように抵抗を直列接続します。こうすると、圧力がないときはほぼV_{DD}で、圧力をかけると低い電圧となります。このV_{OUT}をCL0116の1ピンに接続すれば、圧力を加えるとLEDが点灯するようになります。どの程度の圧力で点灯させるかは抵抗の値で調整できますが、精度の高い設定は無理です。

また、抵抗と圧力センサの位置の上下を逆にすると、常時点灯で圧力を加えると消灯するようになります。

●図5-3-6　圧力センサの外観と仕様

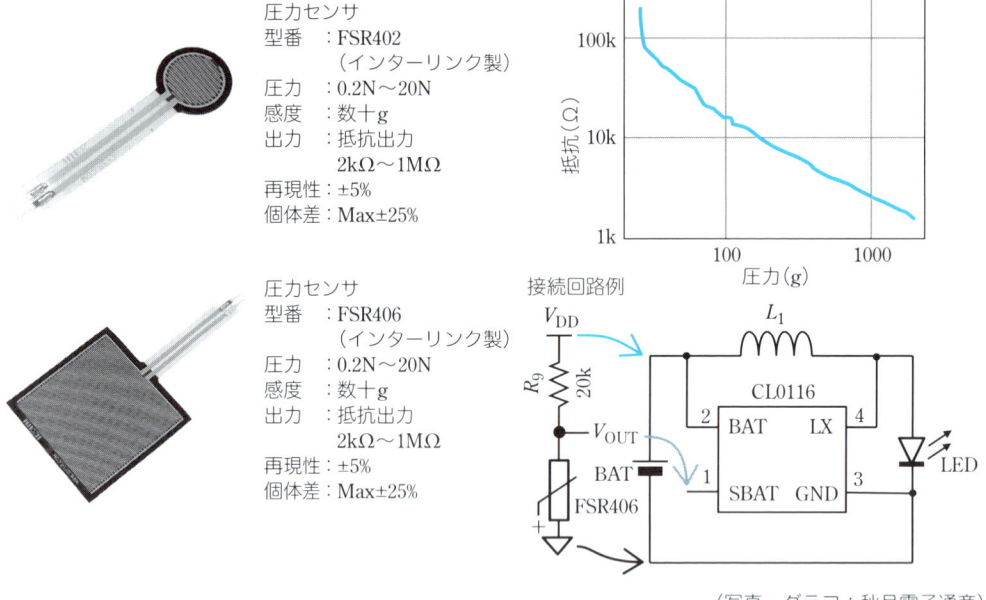

圧力センサ
型番　：FSR402
　　　　（インターリンク製）
圧力　：0.2N〜20N
感度　：数十g
出力　：抵抗出力
　　　　2kΩ〜1MΩ
再現性：±5%
個体差：Max±25%

圧力センサ
型番　：FSR406
　　　　（インターリンク製）
圧力　：0.2N〜20N
感度　：数十g
出力　：抵抗出力
　　　　2kΩ〜1MΩ
再現性：±5%
個体差：Max±25%

（写真・グラフ：秋月電子通商）

このようにセンサと組み合わせれば何らかの条件でLEDを点灯させることができるようになります。これをどう使うかはアイデア次第です。

5-4 ソーラーライトの製作

LEDドライバCL0116と太陽電池を組み合わせたソーラーライトを製作してみます。CL0116の本来の使い方となります。完成したソーラーライトの外観が写真5-4-1となります。

● 写真5-4-1　ソーラーライトの外観

5-4-1　全体構成

製作したソーラーライトの全体構成は図5-4-1のようにしました。

● 図5-4-1　ソーラーライトの全体構成

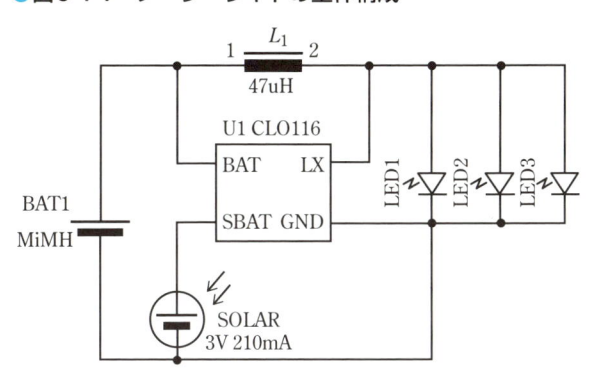

ほぼCL0116のデータシートと同じ構成で、5mmの白色LEDを1個から3個に増やしただけとなっています。

電池（BAT）には単3型ニッケル水素電池を1個だけとし、太陽電池（SOLAR）には、3V　210mAのもの[*]を使いました。

Amazonで購入できる。

5-4-2　組み立て

まず必要な部品は表5-4-1となります。

▼表5-4-1　部品表

部品番号	品　名	型番・仕様	数量
U1	LEDドライバ	CL0116	1
L1	マイクロインダクタ	47μH　AL0510-470K	1
LED1、LED2、LED3	白色LED	OSW54K5B61A	3
SOLAR	太陽電池	3V 210mA	1
BAT1	電池ボックス	単3型　1本用	1
	NiMH電池	単3型　ニッケル水素電池	1
ケース	プラスチックケース	SK-5	1
基板	ユニバーサル基板	穴あきスルーホール基板	1

組み立ては基板に部品をはんだ付けすることから始めます。ユニバーサル基板をケースのサイズに合わせてカッターナイフで切断します。LEDを3方向に向けて固定し、これを元にしてCL0116とコイルを接続します。配線にはスズメッキ線と部品のリード線を使って行います。接続が完了した基板の外観が図5-4-2となります。完成した基板や太陽電池、電池ボックスは両面接着テープでケースに固定しています。

● 図5-4-2　完成した基板の外観

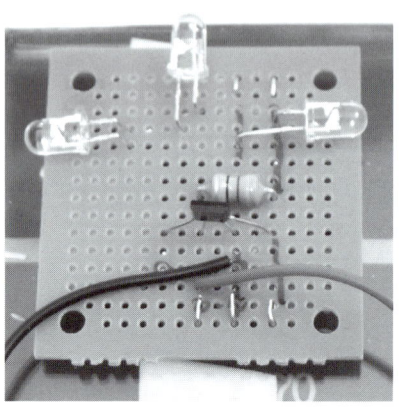

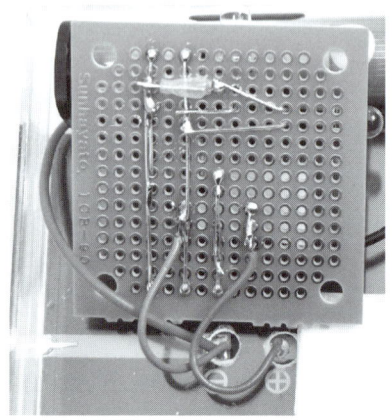

5-4-3 動作確認

5-2節を参照。

　LEDが点灯中のCL0116から出力される電流を観測した結果が図5-4-3となります。LEDが3個になったことで、デューティ比が1個のときの0.24[*]から、0.43に広がっていました。これでLED 3個でも明るさが減らず明るく光ってくれます。このデューティ比を調整する仕組みはよくわかりませんが、CL0116はうまくできています。パルスがオフするとき、波形の波うちが少なくなっているのが工夫のポイントかもしれません。

　日当たりの良いところに置いて、太陽電池からニッケル水素電池を充電する電流を計測したところ、約150mA流れていました。十分充電できることがわかりました。

●図5-4-3　点灯中のCL0116の出力波形

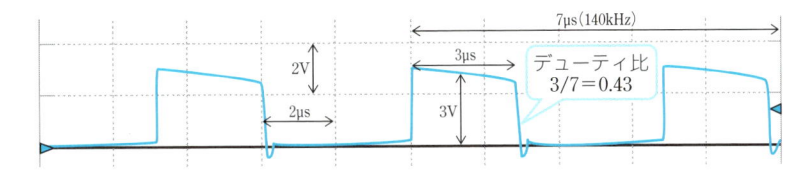

5-5 赤外線リモコン受信機の製作

XIAO RP2040
Raspberry PI Picoと互換性がある。

　光を使った製作例として、赤外線とマイコンを使って少しステップアップしてみます。使うマイコンは「XIAO RP2040*」という小型マイコンで、プログラミングはMicroPythonを使って易しくします。

　赤外線を使ってリモコン制御できる受信機を製作してみます。製作した赤外線リモコン受信機が写真5-5-1となります。左上側にあるのが赤外線リモコンの送信機で、こちらは市販の完成品を使いました。受信側のみブレッドボードで製作します。

●写真5-5-1　製作した赤外線リモコン受信機

5-5-1　全体構成

　製作する赤外線リモコン受信機の全体構成は図5-5-1のようにします。中心となるマイコンはXIAO RP2040です。このマイコンに赤外線受光モジュールと、4色の抵抗入りLEDを接続しているだけです。

5-5 赤外線リモコン受信機の製作

● 図5-5-1　赤外線リモコンの全体構成

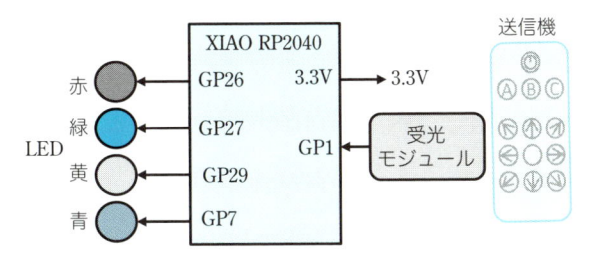

```
                 XIAO RP2040
    赤 ●────── GP26    3.3V ──→ 3.3V
    緑 ●────── GP27                  送信機
LED 黄 ●────── GP29    GP1 ←── 受光
    青 ●────── GP7                  モジュール
```

Raspberry Pi Pico と同じマイコンで、MicroPythonによる使い方も同じ。

　XIAO RP2040の外観と仕様は図5-5-2のようになっています。小さいのですが133MHzという高速で動作するコアが2つ実装された高性能マイコン*です。このマイコンを使うための準備の仕方はRaspberry Pi Pico Wと同じですので、付録を参照して下さい。ここではピン配置だけを確認して下さい。GP番号がプログラムで使う番号になります。

　ピン配置図はhttps://logikara.blog/xiao-rp2040/を参考にしています。

● 図5-5-2　XIAO RP2040の外観と仕様

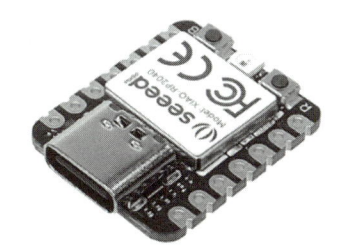

CPU　　：RP2040 ARM Cortex M0＋
　　　　　デュアルコア　133MHz
ROM　　：2MB　RAM 264kB
電源　　：USB　I/Oは3.3V
外部電源：5V（VIN）
開発環境：MicroPython/CircuitPython/Arduino/C/C++
スイッチ：リセット、ブート
LED　　：LED×2　RGB LED×1　NeoPixel×1

(b) ピン配置

USB-C　　フルカラーLED（Falseで点灯）
　　　　　（R赤/G緑/B青：GP17/GP16/LED（GP25））
ラズパイPico端子番号　　パワーLED

	SDA1	A0	PWM5A	GP26	0	5V			
	SCL1	A1	PWM5B	GP27	1	GND			
TX0	SDA0	A2	PWM6A	GP28	2	3.3V			
		A3	PWM6B	GP29	3	10	GP3	PWM1B	MOSI	SCL1
	SDA1		PWM3A	GP6	4	9	GP4	PWM2A	MISO	SDA0	TX1
TX0	SCL1		PWM3B	GP7	5	8	GP2	PWM1A	SCK	SDA1
	SDA0		PWM0A	GP0	6	7	GP1	PWM0B	CSn	SCL0	RX0

RESETボタン　　BOOTボタン
NeoPixel（WS2812）電源：GP11／信号：GP12

（写真：秋月電子通商）

　次に赤外線受光モジュールの外観と仕様が図5-5-3となっています。赤外線リモコンから送信されるデータは約38kHzのパルス信号と、何もない信号とで構成されています。いずれも標準では約600μsの幅を単位として送信されます。この受光モジュールの出力ですが、38kHzのパルス信号を受信すると出力が

Lowとなり、信号を受信していないときはHighとなるようになっています。この出力を直接マイコンに入力し、プログラムでパルス幅を計測しながらデータの0、1を判定していきます。

●図5-5-3　赤外線受光モジュールの外観と仕様

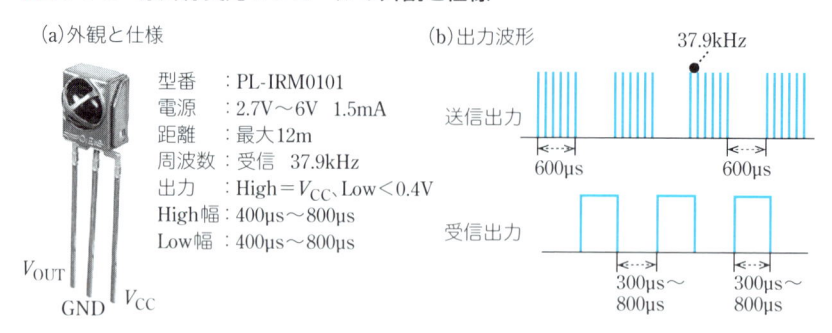

(a)外観と仕様

型番　　：PL-IRM0101
電源　　：2.7V～6V　1.5mA
距離　　：最大12m
周波数　：受信　37.9kHz
出力　　：High＝V_{CC}、Low＜0.4V
High幅　：400μs～800μs
Low幅　 ：400μs～800μs

V_{OUT}　　V_{CC}
　　GND

(b)出力波形　　37.9kHz

送信出力　600μs　600μs

受信出力　300μs～800μs　300μs～800μs

（写真：秋月電子通商）

5-5-2　回路設計と組み立て

全体構成を元に作成した回路図が図5-5-4となります。LEDには抵抗入りのものを使ったので直接マイコンに接続しています。赤外線受光モジュールは電源ノイズに弱いので、抵抗とコンデンサによる簡単なフィルタを通して供給しています。出力がオープンコレクタで高抵抗のプルアップなのでR_2の抵抗を追加しています。

●図5-5-4　赤外線リモコンの回路図

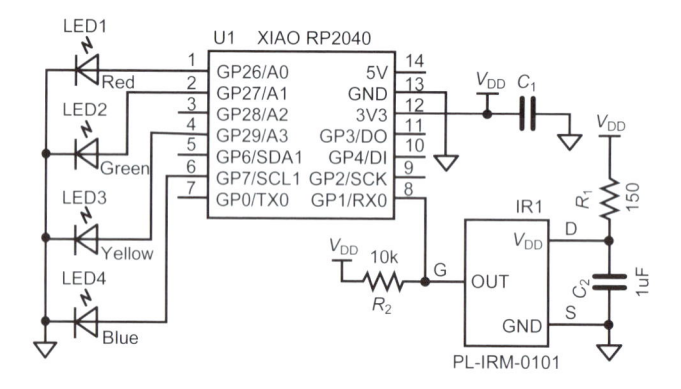

必要な部品は表5-5-1となります。ブレッドボードで組み立てるのでジャンパワイヤが必要ですが、他の製作例と共用で用意すればよいと思います。LEDは色を変えましたが、同じものを4個でも構いません。抵抗入りを使うと抵抗を省略できるので便利に使えます。

5-5 赤外線リモコン受信機の製作

▼表5-5-1　部品表

部品番号	品　名	型番・仕様	数量
U1	マイコン	Seeed　XIAO RP2040	1
IR1	受光モジュール	PL-IRM0101	1
LED1、LED2 LED3、LED4	抵抗入りLED 5mm　5V用	OSR6LU5B64A-5V OSG8NU5B64A-5V OSB5SA5B64A-5V OSY5LU5B64A-5V	各1
R_1	抵抗	150Ω　1/4W	1
R_2	抵抗	10kΩ　1/4W	1
C_1、C_2	コンデンサ	1uF 25V	2
	ブレッドボード	EIC-801	1
	ジャンパワイヤ	EIC-J-L	1
	リモコン送信機	OE13KIR	1
	USBケーブル	Type C	1

　これらの部品をブレッドボードで組み立てます。組み立て完了したところが図5-5-5となります。部品も少ないので簡単に作れます。LEDの向きを間違えないようにして下さい。

●図5-5-5　赤外線リモコン受信機の組み立て完了した状態

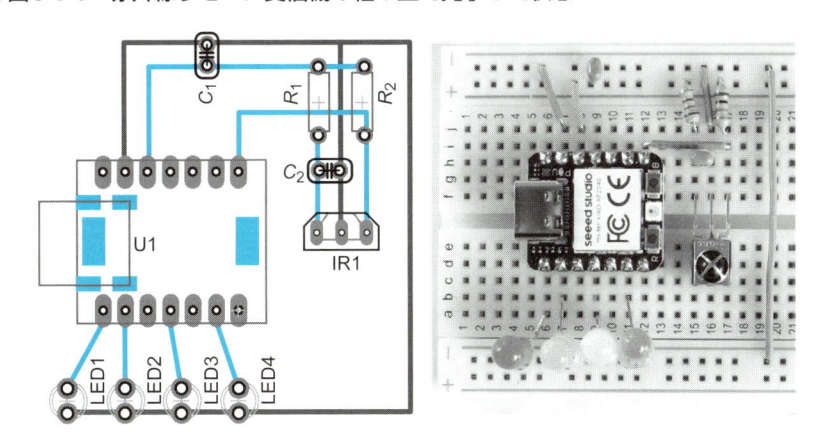

5-5-3　プログラムの製作

　ハードウェアが完成したら、次はプログラムの作成です。プログラムは**MicroPython**という言語を使います。Pythonという言語はわかりやすいので最近よく使われていますが、それを小さなマイコンでも使えるようにしたのがMicroPythonとなります。MicroPythonのプログラム作成の始め方は、付録を参照して下さい。

プログラムを作成する前に、赤外線リモコンの送信機から送信されるデータフォーマットを確認しておきます。データシートによれば、送信フォーマットは図5-5-6のようなビット列になっています。少し複雑ですが、実際にデータとして送信しているのは8ビットのデータだけです。周囲の光と区別し、通信エラーが少なくなるように工夫されています。

　本書ではこの受信プログラムをライブラリ（ir_rcv.py）として独立させているので、ライブラリをインポートするだけで受信処理が簡単にできます。この赤外線受信ライブラリでは、赤外線受光モジュールで受信したパルス幅を計測し、リーダーコード部を判定することで受信開始とします。そして続くビット列を受信し、受信したデータコード部のビット列とボタンコードのビット列を比較して、一致したボタン名称を返すようにしています。

●図5-5-6　送信機の送信データフォーマット（データシートより）

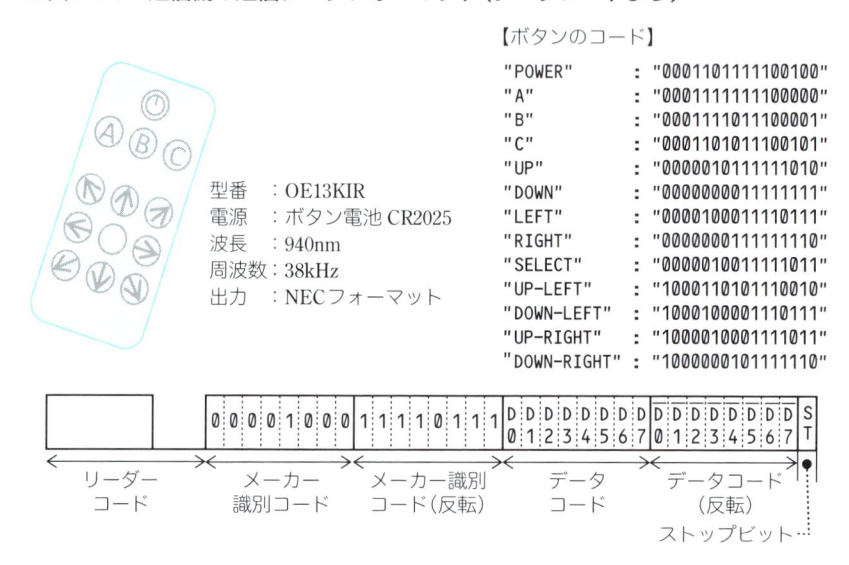

【ボタンのコード】

```
"POWER"      : "0001101111100100"
"A"          : "0001111111100000"
"B"          : "0001110111100001"
"C"          : "0001101011100101"
"UP"         : "0000010111111010"
"DOWN"       : "0000000011111111"
"LEFT"       : "0000100011110111"
"RIGHT"      : "0000000111111110"
"SELECT"     : "0000010011111011"
"UP-LEFT"    : "1000110101110010"
"DOWN-LEFT"  : "1000100001110111"
"UP-RIGHT"   : "1000100001111011"
"DOWN-RIGHT" : "1000000101111110"
```

型番　　：OE13KIR
電源　　：ボタン電池 CR2025
波長　　：940nm
周波数　：38kHz
出力　　：NECフォーマット

リーダーコード／メーカー識別コード／メーカー識別コード（反転）／データコード／データコード（反転）／ストップビット

　プログラム作成は、Thonnyという開発環境を使ってパソコンで行います。作成したプログラムがリスト5-5-1となります。赤外線受信部はライブラリとしましたので、メインプログラム部は簡単なプログラムになります。受信したボタン名称で区別して、対応するLEDを制御しているだけです。

　赤外線受信ライブラリの使い方は次のようにします。

❶ **ライブラリのインポート**

　　from ir_rcv import IR_RCV

❷ **インスタンスを定義**

　　RCV = IR_RCV(pin)　（pinは受信モジュールを接続したピン番号）

5-5 赤外線リモコン受信機の製作

❸ ボタン名称を取得する

```
name = RCV.find_name()
```

これで変数nameにボタン名称が返されます。

リスト 5-5-1　プログラム（IRReceiver.py）

```
1   #****************************************
2   # 赤外線リモコン受信プログラム
3   #    受信ライブラリ  ir_rcv.py
4   #    IRReceiver.py
5   #****************************************
6   from machine import Pin
7   from ir_rcv import IR_RCV
8   #GPIO設定
9   Red    = Pin(26, Pin.OUT)
10  Green  = Pin(27, Pin.OUT)
11  Yellow = Pin(29, Pin.OUT)
12  Blue   = Pin(7, Pin.OUT)
13  #インスタンス定義
14  RCV = IR_RCV(1)
15
16  #********** メインループ ************
17  while True:
18      name = RCV.find_name()    # IR受信
19      print(name)               # ボタン名称出力
20      if name == "POWER":       # POWERの場合
21          Red.on()
22      elif name == "A":         # Aの場合
23          Green.on()
24      elif name == "B":         # Bの場合
25          Yellow.on()
26      elif name == "C":         # Cの場合
27          Blue.on()
28      else:                     # その他の場合
29          Red.off()             # 全消灯
30          Green.off()
31          Yellow.off()
32          Blue.off()
```

（左注：6-7行目「ライブラリの読み込み」）

このプログラムを実行する前に、「ir_rcv.py」という名称のライブラリとして作成した赤外線受信ライブラリ[*]を実機にアップロードする必要があります。このアップロードの手順は付録を参照して下さい。

以上で準備完了ですので、Thonnyで「IRReceiver.py」を実行すれば動作を開始します。これでリモコンの送信機でPOWER、A、B、Cのボタンを押せばLEDが点灯し、他のボタンを押せば全部消灯します。

赤外線受信ライブラリ部は、パルス幅の計測をμsec単位で行うという処理を実行しています。プログラムを深く知りたいという方は、赤外線送信機の詳しいデータを見ながら、ライブラリのリストを追いかけていただくことで理解が深まると思います。

（左注：技術評論社の本書サポートサイトからダウンロードできる。）

5-6 4桁の7セグLED時計の製作

LEDの中に7セグメントで数字を表示できる素子があります。本節では、4桁の7セグLEDのモジュールを使って時計を作ってみます。Raspberry Pi Pico W[*]と組み合わせて、時刻をインターネットを使ってNTPサーバ[*]から取得し、内蔵**リアルタイムクロック**（**RTC**）に設定して、時刻カウントすることにします。これで正確で狂いのない時計ができます。完成した時計[*]が写真5-6-1となります。

Raspberry Pi Pico 2W でも問題なく動作する。

NTP
Network Time Protocol

写真ではRaspberry Pi Pico 2Wを使っている。

● 写真5-6-1 完成した時計

5-6-1 全体構成

この時計の全体構成は図5-6-1のようになります。Raspberry Pi Pico WのWi-Fi機能を使ってインターネットに接続します。7セグLEDは2本の線で接続するだけです。GPIOでよいので、どのピンに接続しても問題なく使えます。

使った4桁7セグLEDの外観と仕様は図5-6-2のようになっています。裏面にコントローラTM1637が実装されていて、これが表示のスキャンをすべて実行してくれるので、表示するデータを送るだけで使うことができます。本来は、コントローラのTM1637の仕様を理解しないと実際の使い方の詳細はわからないのですが、今回はMicroPythonのライブラリを使うことにしたので、詳細は知らなくても使えてしまいます。

5-6 4桁の7セグLED時計の製作

● 図5-6-1　時計の全体構成

例題ブレッドボード（Basic Board）

Raspberry Pi Pico W / Wi-Fi / GP16 / GP17 / GP18 / 4桁7セグLED / 緑LED / Reset / RUN / USB

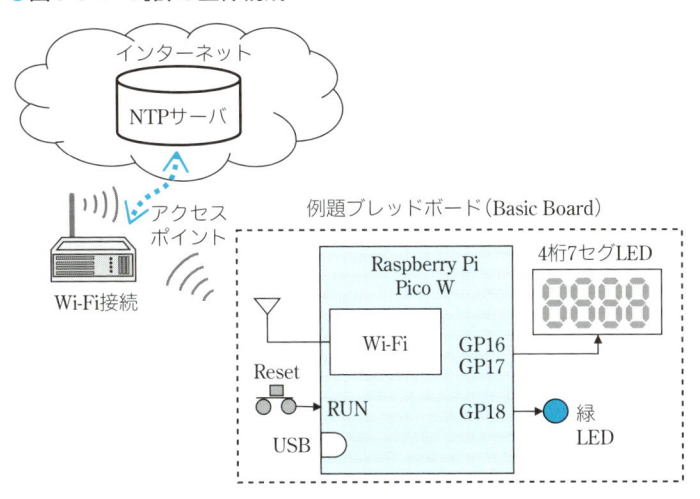

インターネット / NTPサーバ / アクセスポイント / Wi-Fi接続

● 図5-6-2　4桁7セグLEDの外観と仕様

型番	MRA110E
電源	3.3V～5.5V
表示サイズ	0.36インチ
輝度調整	8段階
スキャン	内部クロックで実行

CLK	クロック
DIO	データ
GND	グランド
5V	電源

　本節で使ったマイコンは **Raspberry Pi Pico W** で、その外観と仕様は図5-6-3となっています。

● 図5-6-3　Raspberry Pi Pico Wの外観と仕様

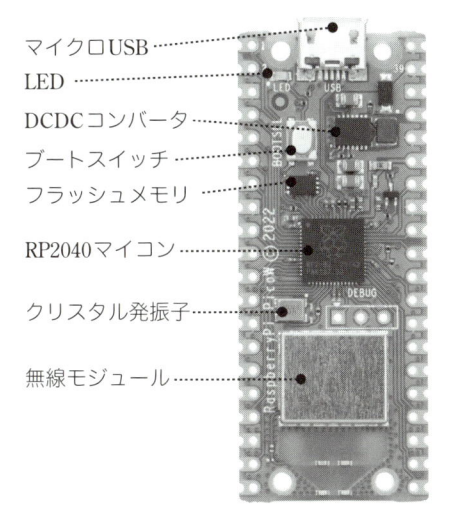

マイクロUSB / LED / DCDCコンバータ / ブートスイッチ / フラッシュメモリ / RP2040マイコン / クリスタル発振子 / 無線モジュール

主な仕様

CPU	32ビット デュアルコア Cortex M0＋
クロック	133MHz
メモリ RAM	264kB
Flash	2MB
USB	マイクロUSB B
GPIO	デジタルI/O×23
	アナログ×3
	PIO State Machine×8
無線機能	Wi-Fi/Bluetooth/BLE
周辺	UART×2　I2C×2　SPI×2　PWM×16　12bit ADC
RTC	あり
動作電源	1.8V～5.5V　最大400mA
電源	USBの5V　外部電源2.5V～5.5V
外部供給	3.3V出力 Max500mA
その他	ブートスイッチ、LED

（写真：Raspberry Pi Pico Wデータシート）

大きな特徴は、高性能なマイコンと大容量メモリ、さらにBluetoothとWi-Fiを可能にする無線機能が搭載されていることです。金属ケースの部分が無線モジュールです。

本書執筆中にRaspberry Pi Pico 2Wという機能アップ版が発売されました。マイコンが高速化され、メモリも倍増しています。本書ではどの製作例でも問題なく使うことができます。

Raspberry Pi Pico Wの基板端のピン配置は図5-6-4のようになっています。図中のGP0からGP22と記述されているピンは、**入出力ピン（GPIO***）と呼ばれるデジタルの入出力ができるピンとなっています。さらに、GP26、GP27、GP28の3ピンはデジタル入出力以外にアナログ入力もできるピンとなっています。汎用のデジタル入出力ピンとして使う場合には、電圧レベルは3.3Vとなります。アナログ電圧入力も0Vから3.3Vの範囲となります。

さらに内蔵モジュールごとにピンが複数のピンに接続できるようになっていて、プログラムでピンを指定して使うことになります。内蔵モジュールで複数実装されているものについては、I²C0、I²C1、UART0、UART1のように区別されているので、使う場合には注意が必要です。

本節ではGPIOとしてのみの使い方なので、どのピンを使っても問題ありません。

> **GPIO**
> General Purpose Input/Output

●図5-6-4　Raspberry Pi Pico Wのピン配置

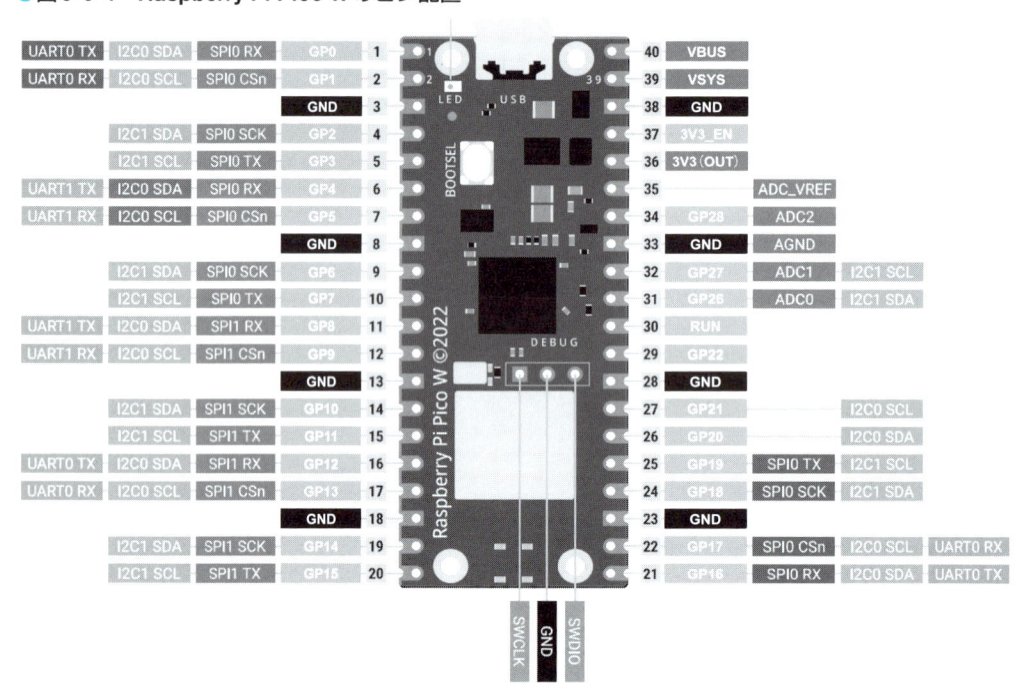

（図：Raspberry Pi Pico W データシート）

5-6-2 回路設計と組み立て

　全体構成と部品の仕様に基づいて作成した回路図が図5-6-5となります。7セグLEDはRaspberry Pi Pico WのGPIO16とGPIO17に接続しました。7セグLEDの電源はRaspberry Pi Pico Wの3.3Vを使っています。これでも十分明るく光ります。LED1はデバッグ用に用意したもので、最終的には使っていません。

●図5-6-5　回路図

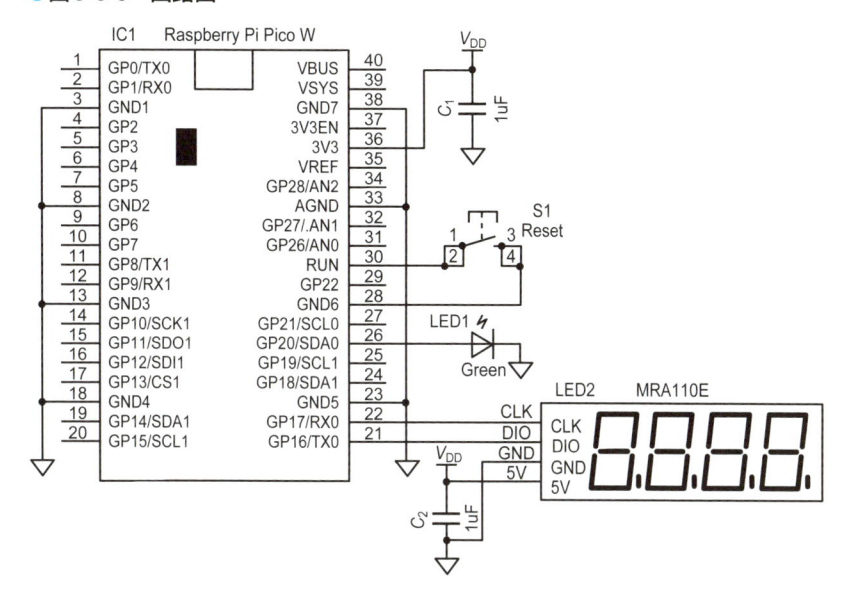

組み立てに必要な部品は表5-6-1となります。

▼表5-6-1　部品表

部品番号	品　名	型番・仕様	数量
IC1	マイコン	Raspberry PI Pico W	1
LED1	LED	抵抗入りLED 5V緑	1
LED2	7セグLED	MRA110E	1
	ヘッダピン	4P　ストレート	1
C_1、C_2	積層セラミック	1μF　25V	2
S1	タクトスイッチ	基板用　黄	1
ブレッドボード		EIC102J	1
ジャンパワイヤ		EIC-J-L	1

　部品が揃ったら組み立てます。組立図が図5-6-6となります。部品が少ないのですぐ組み立てられます。下側のGNDラインは渡り線で接続していませんが、Raspberry Pi Pico Wの内部で接続されています。

S1のスイッチは、片側をまっすぐ横に伸ばしてブレッドボードには挿入しないようにしています。7セグLEDにはL型のヘッダピンが同梱されていますが、本節ではそれを使わずストレートのヘッダピンを使って、ブレッドボードに挿入できるようにしています。

●図5-6-6　組立図

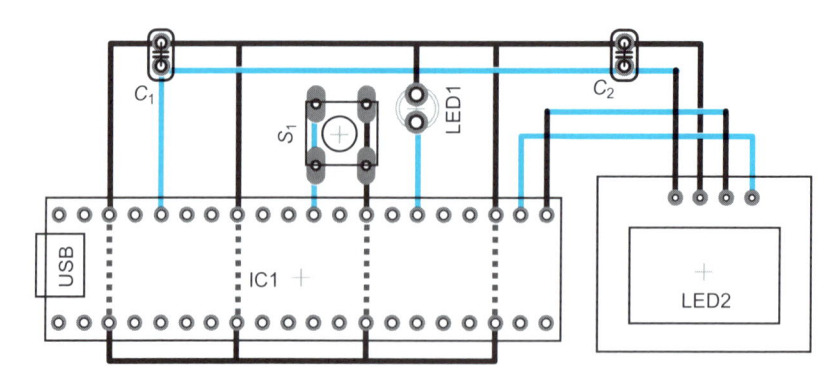

組み立てが完了したブレッドボードが図5-6-7となります。

●図5-6-7　組み立て完了したブレッドボード

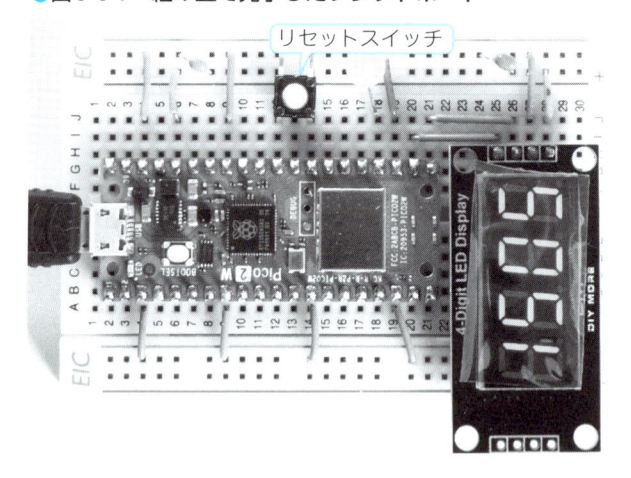

5-6-3　プログラムの製作

　この時計のプログラムは、MicroPythonで製作します。Raspberry Pi Pico WのMicroPython用の準備の仕方は付録を参照して下さい。
　準備ができたら、7セグLEDのMicroPython用ライブラリ「micropython-tm1637」をインストールします。手順は図5-6-8のようにします。

● 図5-6-8　ライブラリのインストール

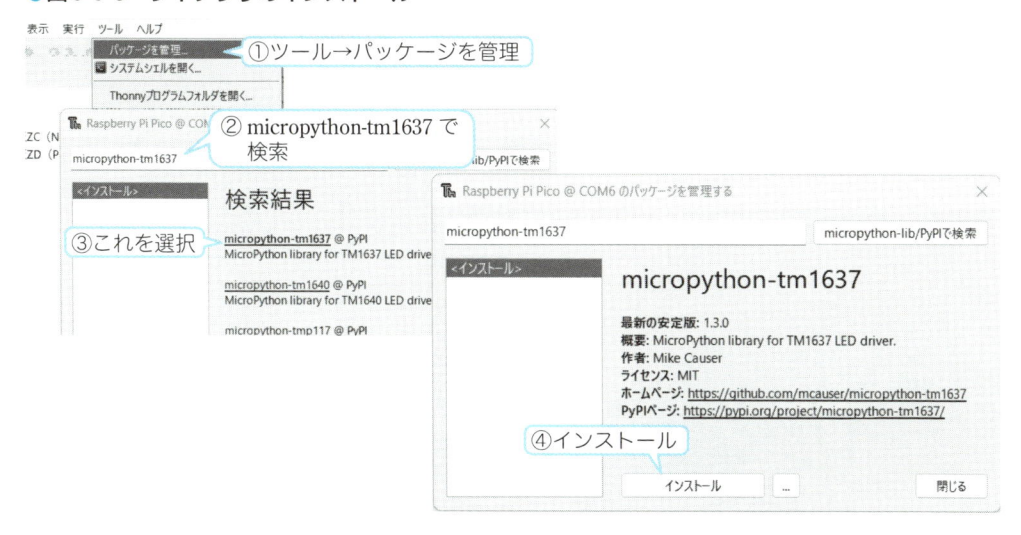

①ツール→パッケージを管理
②micropython-tm1637 で検索
③これを選択
④インストール

このTM1637用のライブラリの使い方は次のようにします。インスタンスの生成のときに使うピンと明るさを指定します。メソッドには文字列の表示や、明るさの設定、文字とセグメントの変換などの関数がありますが、ここでは説明を省略します。

❶ ライブラリのインポート

```
import tm1637
```

❷ インスタンスの生成

```
tm = tm1637.TM1637(clk=Pin(17), dio=Pin(16), brightness=7)
    clk        :clkピンの指定
    dio        :dioピンの指定
    brightness :明るさの指定(0〜7)
```

❸ 使えるメソッド　数字表示関連のみに限定

```
tm.write([255, 255, 255, 255])     全セグメント点灯
tm.write([63, 6, 91, 79])          "0123"と表示
tm.numbers(12, 59, colon=True)     "12:59"と表示
tm.number(-123)                    "-123"と表示
tm.temperature(24)                 "24*C"と表示
```

このライブラリを使えば7セグLEDの制御は簡単にできます。

プログラム全体のフローを図5-6-9のようにしました。最初にWi-Fiと接続してNTPサーバから時刻を取得しますが、それらは独立した関数としました。メインループでは、1秒間隔で内蔵RTCから現在時刻を読み出し、時、分のみ取り出して表示出力します。このときドット[*]を毎秒反転表示させてフリッ

colonのTrue、Falseで制御。

力させています。さらに00時00分00秒ごとにNTPサーバから時刻を取得してRTCを再設定しています。これでRTCの時刻がずれても補正できます。

●図5-6-9　プログラム全体フロー

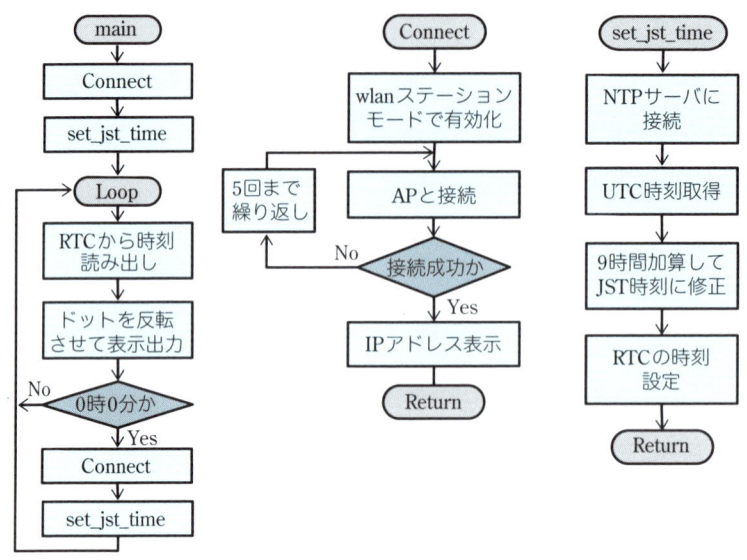

フローに従って作成したプログラムはリスト5-6-1、リスト5-6-2、リスト5-6-3となります。

リスト5-6-1が宣言部で、必要なライブラリのインポートとインスタンスの生成を実行しています。Wi-Fiを使うためにnetworkを、NTPサーバと接続するためにntptimeのライブラリをインポートしていますが、いずれもMicroPythonの標準ライブラリとして用意されています。

TM1637のライブラリをインポートしてtmをインスタンスとして生成していますが、このとき接続ピンを指定しています。

リアルタイムクロック（RTC）は内蔵周辺モジュールで、machineのライブラリに含まれているので、いきなりインスタンスを生成できます。

リスト　5-6-1　宣言部（Clock_7seg.py）

```
1  #****************************************
2  # 7セグLEDを使った時計
3  #  NTCから現在時刻取得しRTCに設定
4  # Clock_7seg.py
5  #****************************************
6  from machine import Pin
7  import tm1637
8  import time
9  import network
10 import ntptime
```

5-6 4桁の7セグLED時計の製作

```
11  # インスタンス生成
12  tm = tm1637.TM1637(clk=Pin(17), dio=Pin(16), brightness=7)
13  rtc = machine.RTC()
14  # ランプテスト
15  tm.write([255, 255, 255, 255])
16  time.sleep(1)
17  Dot = 0
```

次がリスト5-6-2で、サブ関数部です。ここにWi-Fiでアクセスポイント（AP）と接続する関数（Connect）と、NTPサーバから時刻を取得してRTCに設定する関数（set_jst_time）があります。

Connect()関数では、Wi-Fiをステーションモードで有効化してから、アクセスポイントと接続しています。ここのアクセスポイントのSSIDとパスワードは、読者の環境に合わせて変更して下さい。

接続は3秒間隔で5回までリトライして失敗した場合はメッセージだけ出力して先に進みます。成功した場合にはAPから取得したIPアドレスをThonnyのシェルに出力しています。

NTPサーバから時刻を取得するには、NTPサーバと同期させて、自分のローカルタイムを設定します。これでローカルタイムとしてUTC（世界標準時）が取得できますから、これに9時間を加算すれば日本時間になります。この日本時間をRTCに設定して時刻カウント動作を開始します。RTCの設定ではサブ秒まで設定*する必要があります。

> 秒より小さい単位。
> 設定値は0とする。

リスト 5-6-2 サブ関数部

```
19  #***** Wi-Fi 接続関数 **********************
20  #Wi-FiのSSIDとパスワード設定
21  ssid = 'YOUR SSID'
22  password = 'YOUR PASSWORD'
23  def Connect():
24      # Wi-Fi接続開始
25      wlan = network.WLAN(network.STA_IF)
26      wlan.active(True)
27      wlan.connect(ssid, password)
28      # WiFi接続完了待ち　3秒間隔で繰り返す
29      max_wait = 10
30      while max_wait > 0:
31          if wlan.status() < 0 or wlan.status() >= 3:
32              break
33          max_wait -= 1
34          print('waiting for connection...')
35          time.sleep(3)
36      # 接続失敗の場合
37      if wlan.status() != 3:
38          raise RuntimeError('network connection failed')
39      # 正常接続の場合　IPアドレスを表示
40      else:
41          print('Connected')
42          status = wlan.ifconfig()
```

```
43              print( 'ip = ' + status[0] )
44
45  #***** NTPサーバからUTC時刻を取得しJSTに変換後RTCに設定 ******
46  def set_jst_time():47    def set_jst_time():
47      ntptime.settime()                       # NTPに接続し同期させる
48      utc = time.localtime()                  # UTCの現在時刻取得
49      jst = time.localtime(time.time() + 9*3600)  # 日本時間に修正  9時間加算
50      # RTCにJSTを設定  (year, month, day, weekday, hours, minutes, seconds, subseconds)
51      machine.RTC().datetime((jst[0], jst[1], jst[2], jst[6], jst[3], jst[4], jst[5], 0))
```

最後はメインループ部でリスト5-6-3となります。ここでは初期スタート時にWi-Fiに接続してNTPサーバから時刻を取得します。このあと永久ループに入り、RTCの時刻を読み出してから、時、分だけ表示出力します。このとき1秒ごとにドットをフリッカさせたいので、Dot変数で交互に表示しています。

さらに00時00分00秒を判定し、一致したら再度NTPサーバから時刻を取得してRTCを再設定しています。これでRTCの時刻がずれても補正できます。

最後に1秒の待ちを入れて全体が1秒周期で動作するようにしています。

リスト 5-6-3　メインループ

```
54  #***** 初期スタート ***********
55  Connect()                    # アクセスポイントに接続
56  set_jst_time()               # NTPサーバから時刻取得しRTCに設定
57
58  #****** メインループ *********************
59  while True:
60      # RTCから現在の時刻を取得
61      year, month, mday, hour, minute, second, weekday, yearday = time.localtime()
62      # 表示出力 Dot交互点滅
63      if Dot == 0:
64          tm.numbers(hour, minute, colon=False)
65          Dot = 1
66      else:
67          tm.numbers(hour, minute, colon=True)
68          Dot = 0
69      # 00時00分になったらNTCから再度時刻取得
70      if hour == 0 and minute == 0 and second == 0:
71          Connect()
72          set_jst_time()
73      time.sleep(1)
```

以上でプログラムも完成です。Thonnyで書き込んで動作させます。IPアドレスがシェルに表示されれば正常に動作しています。

パソコンなしで単独動作させる場合は、プログラム名称をmain.pyに変更後、Thonnyからアップロード[*]します。そのあとRaspberry Pi Pico Wをパソコンから外して外部電源に接続すれば、自動的にmain.pyが起動します。

外部電源[*]としては、USB充電器からRaspberry Pi Pico WのUSB経由で電源を供給するか、5VのACアダプタなどが使えます。消費電流が多いのでバッテリ動作は無理です。

> アップロード方法は付録を参照。
>
> 外部電源との接続方法は付録を参照。

第6章
音を出したい

6-1 防犯ブザーの製作

音を出す部品で一番簡単なのが**ブザー**です。本節では人感センサとブザーを組み合わせて超簡単防犯ブザーを製作してみます。

完成した防犯ブザーの外観が写真6-1-1となります。ブレッドボードに組み立てましたが、部品は3点だけですから超簡単です。電源はニッケル水素電池3本です。電池にはリチウムイオン電池も使えます。

●写真6-1-1　防犯ブザーの外観

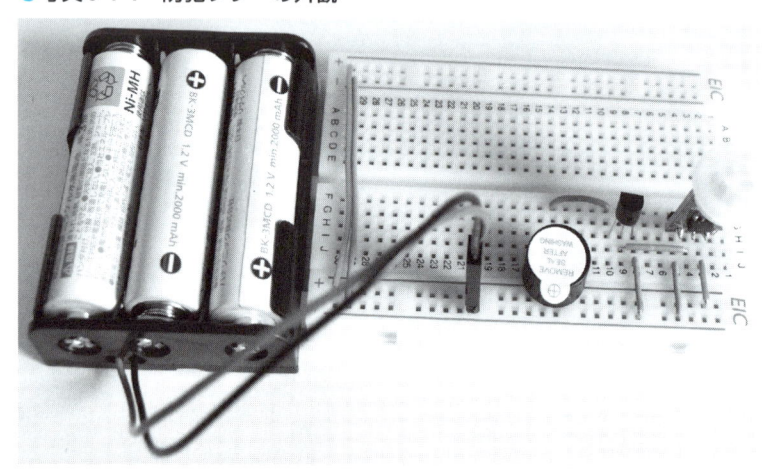

6-1-1　全体構成

超簡単な構成です。全体構成を回路図で表すと図6-1-1のようになります。使っている部品は、人感センサ、ブザー、MOSFETトランジスタの3個だけとなります。

6-1 防犯ブザーの製作

●図6-1-1　全体構成

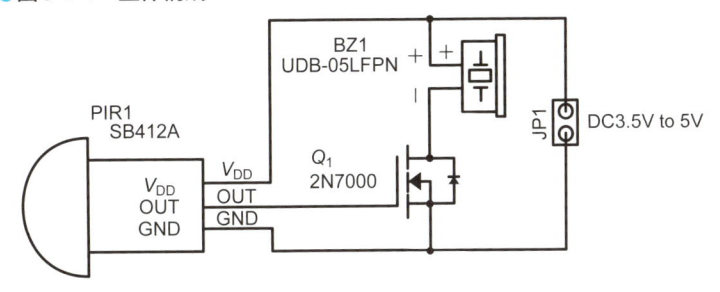

ここで使った部品の外観と仕様を説明します。人感センサが図6-1-2(a)となります。このセンサには検出回路が全部組み込まれていて、動くものを検知すると、OUT端子に一定時間Highの信号が出力されます。この時間は基板に実装されている可変抵抗により2秒から4秒の間で調整できます。この信号でMOSFETトランジスタをオンとすることで、ブザーに電流が流れて鳴動することになります。

ブザーが図6-1-2(b)で、単純に電源を加えれば鳴ります。そこでMOSFETで電源をオンオフするようにしています。

使ったMOSFETトランジスタは図6-1-2(c)で最大200mAまで駆動できますから、ブザーでしたら余裕で駆動できます。

電源は3.5V以上であればよいので、ニッケル水素電池の3本直列か、リチウムイオン電池で駆動することができます。

●図6-1-2　使用部品の外観と仕様

(a) 人感センサ
型番　　：SB412A
電源　　：3.5V〜12V
測定距離：最大5m
測定項目：動体検知
出力　　：デジタルパルス
　　　　　オープンコレクタ
　　　　　検出時 High 3V
パルス幅：2〜4秒
　　　　　（調整可能）

(b) ブザー
型番　　：UDB-05LFPN
電源　　：3V〜7V
周波数　：2300Hz 連続音

(c) MOSFETトランジスタ
型番　　：2N7000
チャネル：N
DS間電圧：最大60V
DS間電流：最大200mA DC
ゲート電圧：2.1V Typ
　　　　　　0.8V〜3V
オン抵抗：1.2Ω

（写真：秋月電子通商）

6-1-2 組み立て

必要な部品が表6-1-1となります。ジャンパワイヤは他の製作例と共用で大丈夫です。

▼表6-1-1 部品表

部品番号	品 名	型番・仕様	数量
PIR1	人感センサ	SB412A	1
Q_1	トランジスタ	2N7000	1
BZ1	ブザー	UDB-05LFPN	1
JP1	ジャンパ	両端ロングピン　2ピン	1
BAT1	電池ボックス	単3型　3本用	1
	NiMH電池	単3型　ニッケル水素電池	3
ブレッドボード		EIC801	1
ジャンパワイヤ		EIC-J-L	1

組み立てはブレッドボードで行いました。部品が少ないのですぐ作れます。完成した防犯ブザーのブレッドボードが図6-1-3となります。

●図6-1-3　組み立て完了後のブレッドボード

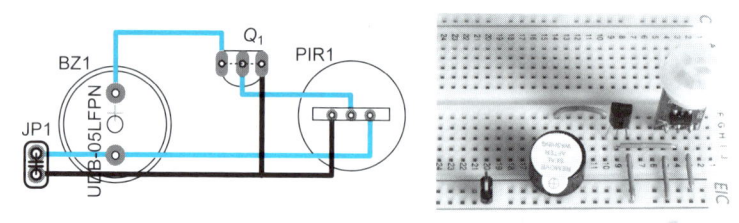

6-1-3 動作確認

電池を接続すれば即動作を開始します。人感センサで動くものを感知すれば、一定時間ブザーが鳴ります。ブザーのラベルを剥がせば大きな音で鳴ります。結構敏感に反応するので、設置する場所を検討することが必要です。

6-2 超簡単MP3プレーヤの製作

MP3というフォーマットで音楽データを圧縮したファイルで、拡張子がmp3となっている。

音を出す実例の2つ目として、MP3の音楽*を再生するMP3プレーヤを製作してみます。最新のモジュールを使うと、かなり難しいMP3の再生もいとも簡単にできてしまいます。

製作したMP3プレーヤが写真6-2-1となります。やはりブレッドボードで製作しました。写真のようなちょっと大きめのスピーカに接続すれば、結構きれいな音で音楽を再生できます。

●写真6-2-1 超簡単MP3プレーヤ

6-2-1 MP3プレーヤモジュールの外観と仕様

ここで使ったMP3プレーヤモジュールは、「DFPlayer」という名称で、その外観と仕様は図6-2-1となっています。表側にはマイクロSDカードスロットがあるだけで、裏側に制御ICが実装されています。このICが高性能で、MP3フォーマットのファイルからオーディオ信号を出力します。

SDカードにMP3フォーマットの音楽ファイルをコピーしてカードスロットに実装するだけで再生できます。最大32GBのマイクロSDカードが使えますから、相当多くの音楽ファイルをコピーできます。出力には直接スピーカ

219

が接続でき、最大3Wの駆動能力があるので、十分大きな音で聴くことができます。

図6-2-1の基本回路にあるように、2個のスイッチだけで曲送りと音量制御ができてしまいます。さらに外部にマイコンを接続すると、シリアル通信でコマンド*を送ることで多くの機能を制御することもできますが、本書ではスイッチ制御のみとします。

コマンドの詳細はDFPlayerのデータシートを参照。

● 図6-2-1　DFPlayerの外観と仕様

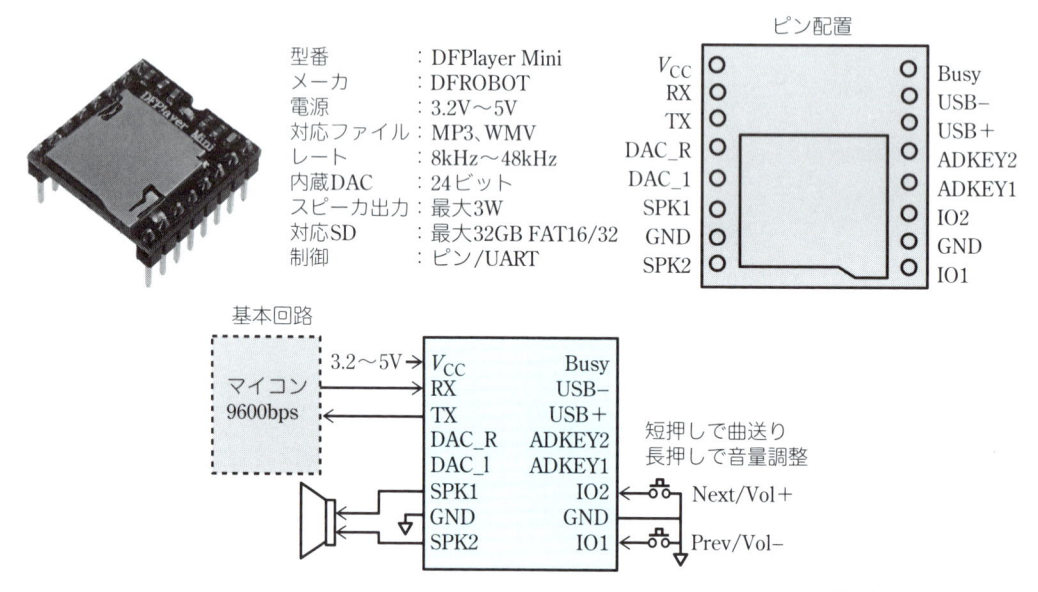

型番	: DFPlayer Mini
メーカ	: DFROBOT
電源	: 3.2V～5V
対応ファイル	: MP3、WMV
レート	: 8kHz～48kHz
内蔵DAC	: 24ビット
スピーカ出力	: 最大3W
対応SD	: 最大32GB FAT16/32
制御	: ピン/UART

ピン配置：V_{CC}、RX、TX、DAC_R、DAC_1、SPK1、GND、SPK2／Busy、USB−、USB+、ADKEY2、ADKEY1、IO2、GND、IO1

基本回路：マイコン9600bps、3.2～5V、短押しで曲送り／長押しで音量調整、Next/Vol+、Prev/Vol−

（写真：秋月電子通商）

6-2-2　回路設計と組み立て

製作したMP3プレーヤの回路構成は図6-2-2としました。基本回路通りとしています。DFPlayerというモジュールとスイッチ、パスコンの4個だけの構成となります。パスコンには100uF 25Vの電解コンデンサを使います。

モジュールのピンにスピーカを直接接続します。最大出力が3Wですから、相当大きな音を出すことができます。2個のスイッチは短押しで次の曲、前の曲の送りができ、さらに同じスイッチを長押しすると音量のアップダウンの制御ができます。

6-2 超簡単MP3プレーヤの製作

● 図6-2-2　全体回路構成

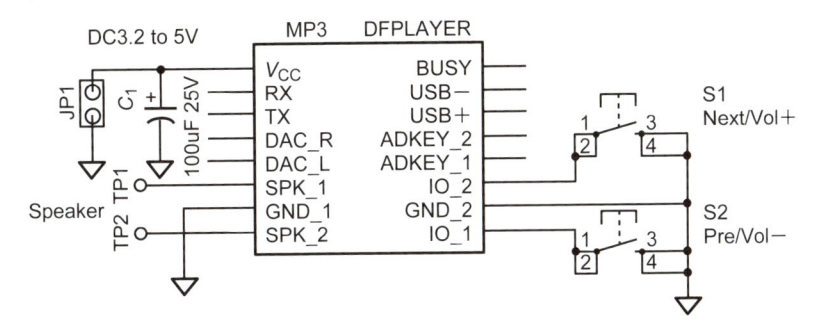

必要な部品は表6-2-1となります。ジャンパワイヤは他の製作例と共用で大丈夫です。

▼ 表6-2-1　部品表

部品番号	品　名	型番・仕様	数量
MP3	MP3プレーヤ	DFPlayer Mini	1
S1、S2	タクトスイッチ	橙、白	各1
C_1	電解コンデンサ	100μF　25V	1
JP1	ジャンパ	両端ロングピン　2ピン	1
BAT1	電池ボックス	単3型　3本用	1
	NiMH電池	単3型　ニッケル水素電池	3
ブレッドボード		EIC801	1
ジャンパワイヤ		EIC-J-L	1

4個の部品をブレッドボードで接続するだけですから、組み立ては簡単です。組み立て完了したブレッドボードが図6-2-3となります。スピーカはブレッドボードから直接接続しています。電源はニッケル水素電池を3本直列接続で供給します。これで3.6Vですから、問題なく使えます。アルカリ電池も使えます。

●**図6-2-3　組み立て完了したブレッドボード**

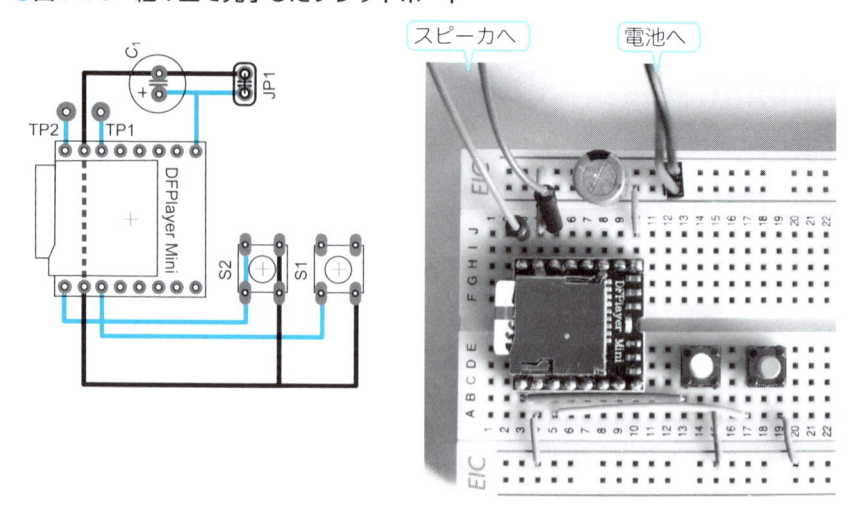

　マイクロSDカードにMP3のファイルを書き込みますが、パソコンで通常通り書き込むだけです。フォルダは作らないで音楽ファイルだけ書き込みます。何曲書き込んでも大丈夫です。32GBのSDカードまで使えますから、相当多くの曲を格納することができます。
　再生方法は電源を接続したあと、いずれかのスイッチを短時間押すだけです。スイッチを押すごとに前か後の曲に切り替わります。音量調整も同じいずれかのスイッチを長押しして調整します。残念ながら連続再生はできないので、毎回スイッチを押す必要があります。
　マイコンを追加してシリアル通信で制御[*]すれば、多くの機能を組み込むことができますが、ここは読者のチャレンジに期待します。

> スイッチ接点の代わりにマイコンからGPIOで制御することはできないので要注意。

6-3 人検知メロディ再生器の製作

音を出す専用のICがあります。メロディICと呼ばれているICで、決まったメロディが何曲か組み込まれていて、トリガ信号で再生するという機能を持っています。

本節ではこれと人感センサを組み合わせて、人を検知したらメロディを再生するというデバイスを製作します。完成したデバイスの全体構成が写真6-3-1となります。

●写真6-3-1　人検知メロディ再生器

6-3-1 全体構成

製作する人検知メロディ再生器の全体構成を図6-3-1としました。人感センサの出力は、検知するとHighとなるのですが、メロディICのトリガ信号がLowでトリガなので、MOSFETトランジスタを間に挿入してHighからLowに反転しています。メロディICは6曲組み込まれているものを使ったので、トリガごとに順番にメロディが再生されます。

人感センサの電源が3.5V以上必要なのと、メロディICも5V動作のときの曲のほうがテンポが良いので全体を5V動作とすることにしました。これをニッケル水素電池で動かそうとすると4本必要となってしまいます。コスト削減

のため、ニッケル水素の2本としたいところです。

そこで2.5Vから5Vを生成することにします。このため昇圧コンバータIC を使いました。超簡単な回路で5Vに昇圧できます。さらに電池の充電を自然 に任せるため、太陽電池で充電しながら使えるようにします。このようにい ろいろ盛り込んだ構成とします。

● 図6-3-1　全体構成

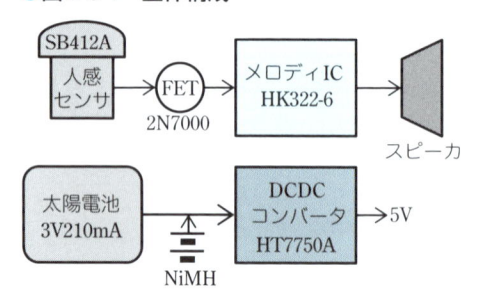

新規に使用した部品の外観と仕様を説明します。まず、メロディICの外観 と仕様が図6-3-2となります。ワンチップで音楽を再生し、スピーカを直接駆 動できるので、外付け部品も少なく使いやすいICです。

● 図6-3-3　メロディICの外観と仕様

(a) 外観と仕様

型番　　　　：HK322-6
電源　　　　：1.8V～5.2V　0.5mA
クロック周波数：500kHz typ
出力駆動　　：18mA typ
　　　　　　　スピーカ駆動可能
トリガ入力　：トリガピン Low

(b) ピン配置

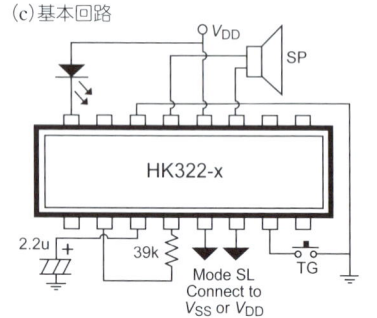

(c) 基本回路

(d) 設定と動作モード

MODE	SL	動作モード
V_{SS}	V_{SS}	電源のオンオフ
V_{SS}	V_{DD}	1回のみ 再トリガあり
V_{DD}	V_{SS}	1回のみ 再トリガなし
V_{DD}	V_{DD}	オンオフ切替
V_{SS}	V_{SS}	全曲再生

(e) 内蔵の曲

Love me tender
Let me call you sweetheart
You are my sunshine
Silver threads among the gold
Love's old sweet song
I love you

（写真：秋月電子通商　図：HONSITAK社データシート）

MODEピンとSLピンでトリガピン（TRIG）によるトリガで動作モードがいくつか設定できますが、今回は1回のみ、再トリガなしというモードを選択しました。これで一度トリガされたら曲の再生が終わるまでトリガピンに入力があっても無視されるような動作になります。

図6-3-2(c)の39kΩの抵抗で内蔵クロックの発振周波数が決まり、曲ピッチが決まります。しかし、この抵抗の値はあまり気にしなくてもよく、近い値であれば問題ありません。今回は47kΩを選択しましたが、値を大きくすればスローピッチになります。

次に図6-3-3が昇圧コンバータIC、「HT7750A」の外観と仕様です。図6-3-3(b)のように簡単な回路で構成できるので便利で小さなICです。図6-3-3(c)の出力特性を見ると、入力電圧が2.0Vのときに80mA程度までは4.9Vを供給できます。今回の回路では全部で25mA程度ですから、問題なく使えます。

●図6-3-3　昇圧コンバータの外観と仕様

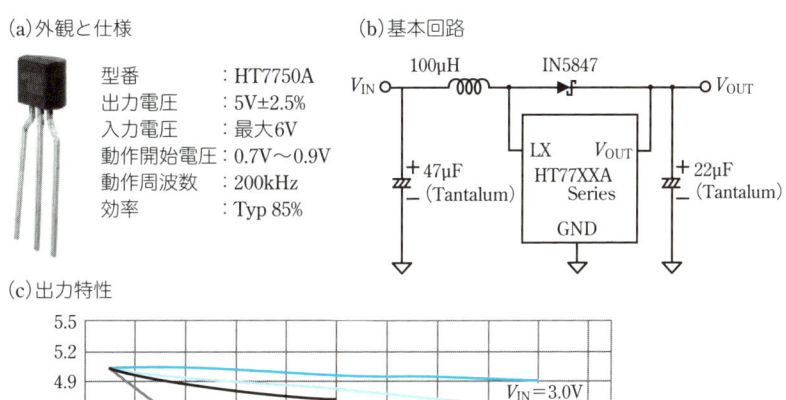

(a) 外観と仕様

型番　　　：HT7750A
出力電圧　：5V±2.5%
入力電圧　：最大6V
動作開始電圧：0.7V～0.9V
動作周波数：200kHz
効率　　　：Typ 85%

(b) 基本回路

(c) 出力特性

（写真・図：秋月電子通商）

6-3-2 回路設計

　全体構成と各部品の仕様を元に作成した回路図は図6-3-4となります。人感センサの出力に2N7000のMOSFETトランジスタを接続し、HighをLowに変換してメロディICのトリガピンに接続しています。メロディIC周りは基本回路の通りとしています。

　昇圧コンバータ部も基本回路と同じとし、入出力に接続したC_1、C_2のコンデンサには10uFの積層セラミックを接続しました。L_1のコイルとD_2のダイオードの選択がポイントで、Lには大き目のコイルで直流抵抗の小さいものを、D_2のダイオードにはショットキーバリアダイオード*でドロップ電圧ができる限り小さいものを選択します。

　太陽電池の接続は、同じショットキーバリアダイオードを直列に挿入して接続します。これで電池から太陽電池に逆流するのを防止します。

> **ショットキーバリアダイオード**
> ショットキーダイオードとも呼ぶ。順方向電圧が低く逆回復時間が短い。高周波用や整流用に使われる。発熱も小さい。

● 図6-3-4　回路図

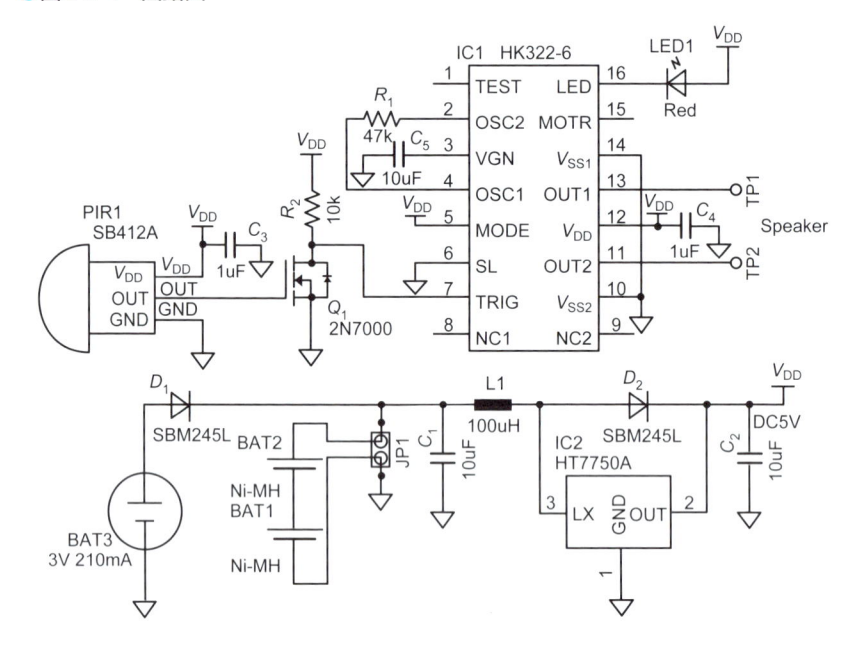

6-3-3 組み立て

必要な部品が表6-3-1となります。ジャンパワイヤは他の製作例と共用で大丈夫です。

▼表6-3-1　部品表

部品番号	品　名	型番・仕様	数量
IC1	メロディIC	HK322-6	1
IC2	昇圧コンバータ	HT7750A	1
PIR1	人感センサ	SB412A	1
Q_1	トランジスタ	2N7000	1
D_1、D_2	ショットキーダイオード	SBM245L	2
LED1	発光ダイオード	3φ 赤	1
L_1	インダクタ	100uH 2.3A	1
R_1	抵抗	47kΩ　1/8W or 1/4W	1
R_2	抵抗	10kΩ　1/4W	1
C_1、C_2、C_5	積層セラミック	10μF　25V	3
C_3、C_4	積層セラミック	1μF　25V	2
JP1	ジャンパ	両端ロングピン　2ピン	1
BAT3	太陽電池	3V 210mA	1
スピーカ		5cm　8Ω　0.5W	1
BAT1	電池ボックス	単3型　2本用	1
	NiMH電池	単3型　ニッケル水素電池	2
ブレッドボード		EIC801	1
ジャンパワイヤ		EIC-J-L	1

部品が揃ったらブレッドボードに組み立てます。組立図が図6-3-5となります。
　電池、スピーカ、太陽電池は外付けとなります。動作確認できたらケースに実装するのがよいかと思います。D_1、D_2のダイオードは縦にして実装しました。昇圧コンバータ部がちょっと混み入った構成になりましたが、間違えないようにして下さい。

●図6-3-5 組立図

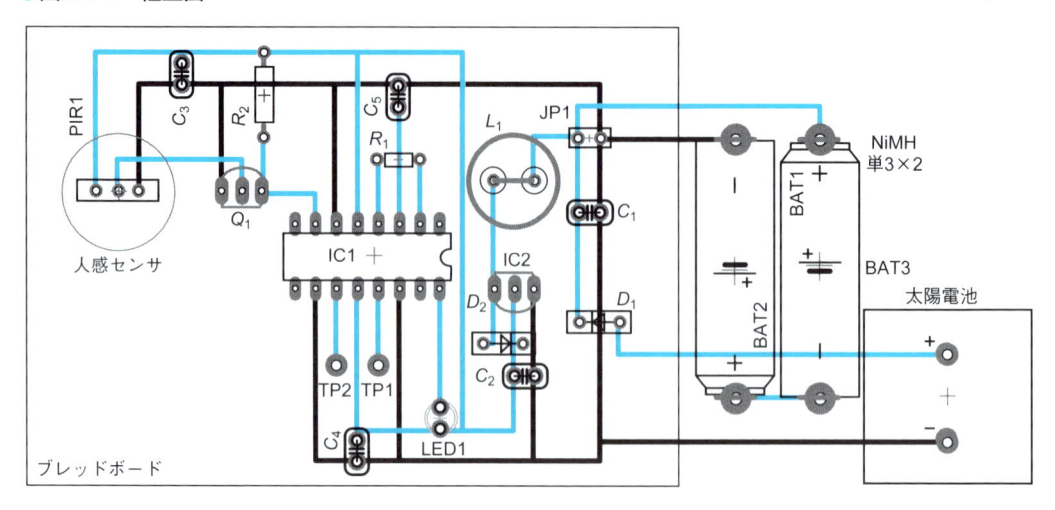

完成したブレッドボードが図6-3-6となります。電源の渡りだけ単独になっていますが、GNDは右端の3本のジャンパ線でつながっています。**人感センサ、MOSFETトランジスタの接続を間違えないように注意して下さい。**

●図6-3-6 完成したブレッドボード

スピーカへ　　　　　　太陽電池へ

6-4 感圧サウンド発生器の製作

本節では5-2節でも使った555タイマを使ってスピーカから音を出力します。さらに圧力センサを使って音の周波数を圧力の強さによって変化させます。

完成した本機の外観が写真6-4-1となります。圧力センサを指で押すと音の周波数が連続的に変化します。ぬいぐるみに入れて触ると音が変わるとか、サイレンにするとか、何に使うかはアイデア次第です。

●写真6-4-1 感圧サウンド発生器

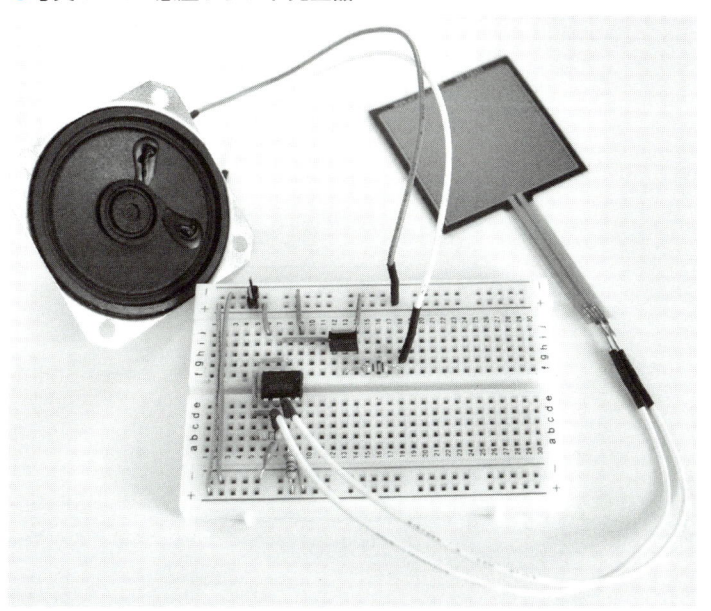

6-4-1 回路図と組み立て

使うのは第5章でも使った555タイマで、最も基本となるアステーブルモードとして連続パルス出力で使います。

作成した回路が図6-4-1となります。アステーブルモードの周波数を決めるR_2に並列に圧力センサを接続することで、圧力センサの抵抗値が並列接続され、圧力によって抵抗値が変化しますから、それに応じて555タイマの出力周波数が変わることになります。

MOSFETトランジスタの出力を直接スピーカに接続すると、音が大きくなりすぎますから、R_3の抵抗で音を小さくしています。音量調整はこの抵抗を変えることで調整して下さい。500Ωの可変抵抗にして調整できるようにしてもよいでしょう。

　音の周波数範囲もC_1のコンデンサの値を変えることで変えることができます。容量を大きくすれば低い範囲になり、容量を小さくすれば高い周波数の範囲となります。ここではC_1の温度特性を気にしなくてもよいので、一般の積層セラミックで問題ありません。

　電源にはニッケル水素電池4本を直列接続して使います。

●図6-4-1　回路図

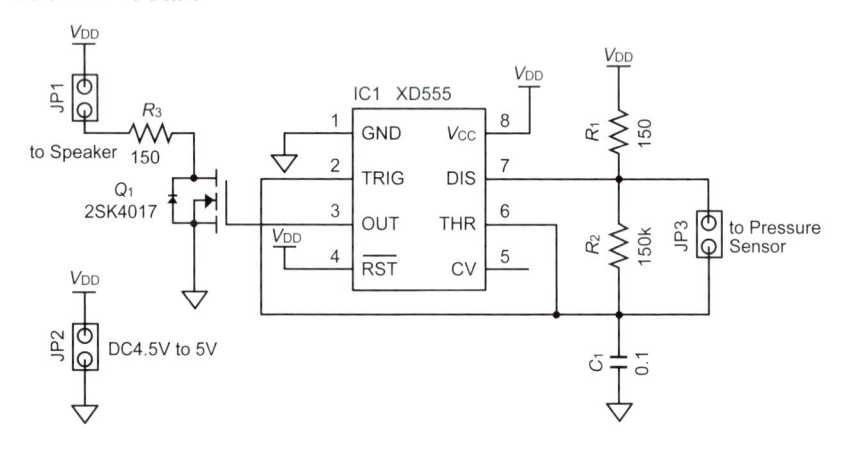

組み立てに必要な部品は表6-4-1となります。

▼表6-4-1　部品表

部品番号	品　名	型番・仕様	数量
IC1	タイマ	XD555	1
Q_1	MOSFET	2SK4017	1
R_1、R_3	抵抗	150Ω　1/4W	2
R_2	抵抗	150kΩ　1/4W	1
C_1	積層セラミックコンデンサ	0.1uF 25V	1
BAT1	電池ボックス	単3型　4本用	1
	NiMH電池	ニッケル水素電池	4
	スピーカ	5cm　8Ω　0.5W	1
	圧力センサ	FSR406	1
	ブレッドボード	EIC-801	1
	ジャンパワイヤ	EIC-J-L	1

6-4 感圧サウンド発生器の製作

部品が揃ったら組み立てます。組立図が図6-4-2となります。
完成したブレッドボードが図6-4-3となります。スピーカと圧力センサはジャンパケーブルで接続しています。

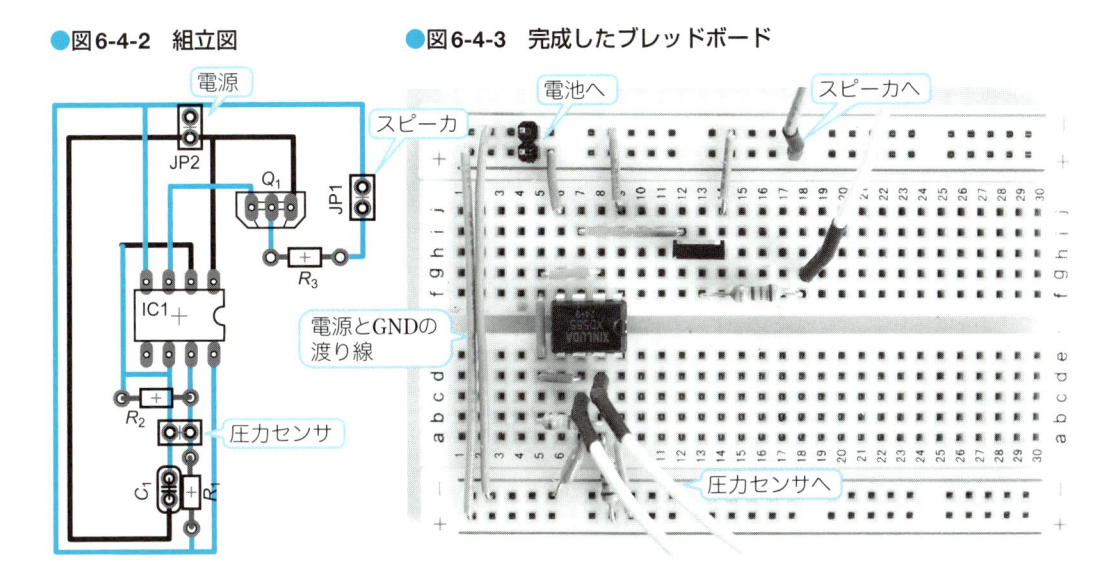

●図6-4-2 組立図

●図6-4-3 完成したブレッドボード

231

6-5 超音波距離計の製作

この製作例では40kHz
を使っている。

音の中でも特に周波数の高い超音波[*]を使ってみます。超音波を放射して対象物から反射してくる超音波が受信できるまでの時間と、音速から対象物までの距離を測定することができます。

これを使った距離計を製作してみます。完成した超音波距離計が写真6-5-1となります。金属ケースの筒が2個並んでいるのが、超音波距離センサです。

●写真6-5-1　超音波距離計の外観

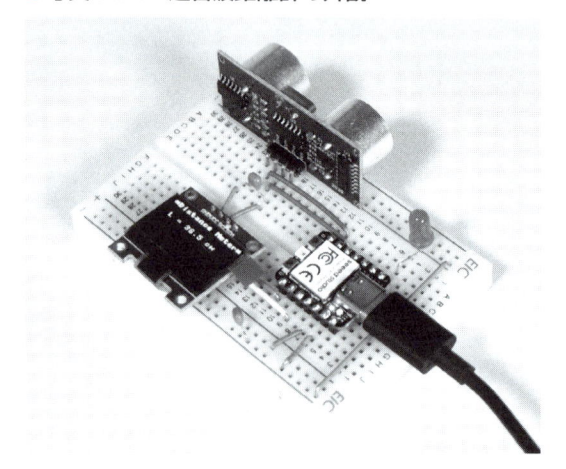

6-5-1　全体構成

5-5節参照。

OLED
Organic Light Emitting Diode

この超音波距離計の全体構成は図6-5-1のようにしました。マイコンにはXIAO RP2040[*]を使い、これにモノクロのOLED[*]（有機EL）表示器と超音波距離センサを接続しているだけです。OLEDはI^2Cインターフェースで、超音波距離センサはGPIOで接続します。

●図6-5-1　全体構成

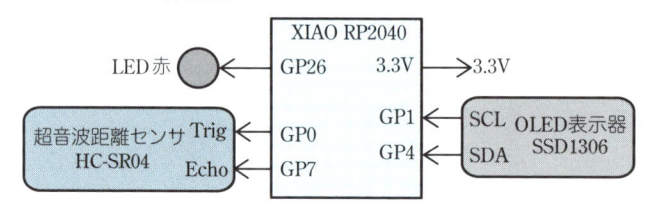

使った超音波距離センサの外観と仕様が図6-5-2となります。図のようにTrig信号として10μsecのパルスを入力すると、その時間だけ超音波を発射します。この超音波が反射してくると、Echoにパルスが出力され、そのパルス幅から対象物までの距離を求めることができます。距離は音速を元にしているので、温度でわずかに変わりますが、本書では一定値としています。往復の距離なので、2で割れば距離となります。Echoのパルス幅はプログラムで計測します。

●図6-5-2 超音波距離センサの外観と仕様

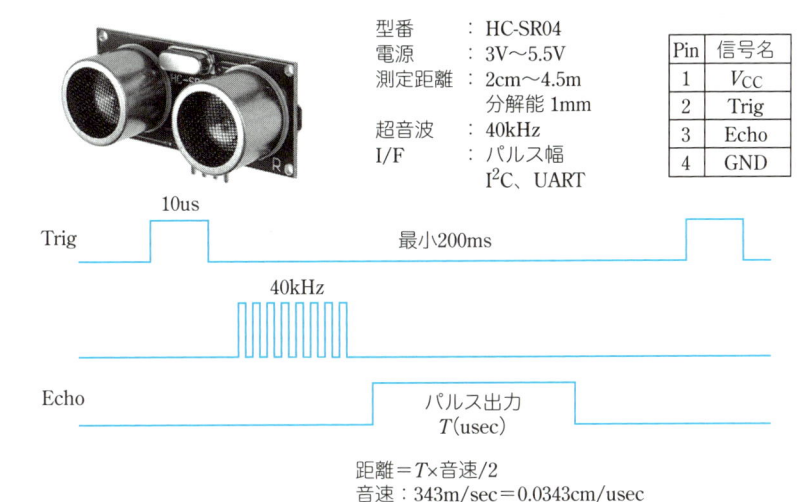

型番 ： HC-SR04
電源 ： 3V～5.5V
測定距離 ： 2cm～4.5m
　　　　　分解能 1mm
超音波 ： 40kHz
I/F ： パルス幅
　　　 I^2C、UART

Pin	信号名
1	V_{CC}
2	Trig
3	Echo
4	GND

Trig: 10us パルス、最小200ms間隔
40kHz バースト
Echo: パルス出力 T(usec)

距離 = T × 音速 / 2
音速：343m/sec = 0.0343cm/usec

（写真：秋月電子通商）

表示デバイスとして使ったOLEDの外観と仕様が図6-5-3となります。よく使われている表示器で、MicroPythonにもライブラリが提供されているので簡単に使うことができます。接続はI^2Cで、プルアップ抵抗は表示器の基板に実装済みです。

●図6-5-3 OLEDの外観と仕様

SUNHOKEY社製
品名 ： 有機ELディスプレイ
サイズ ： 0.96インチ
解像度 ： 128×64ドット
文字色 ： 白
制御チップ ： SSD1306
I/F ： I^2C アドレス 0x3C
　　　 プルアップ抵抗内蔵
電源 ： 3.3～5.5V

No	信号名
1	GND
2	V_{CC}
3	SCL
4	SDA

（写真：秋月電子通商）

6-5-2 回路設計と組み立て

これらのパーツを使った回路図が図6-5-4となります。OLEDのI^2CにはI^2C0のピンを使いました。目印用のLEDを1個追加しています。OLEDと超音波距離センサ用の電源はXIAOの3.3V出力を使っています。

●図6-5-4 回路図

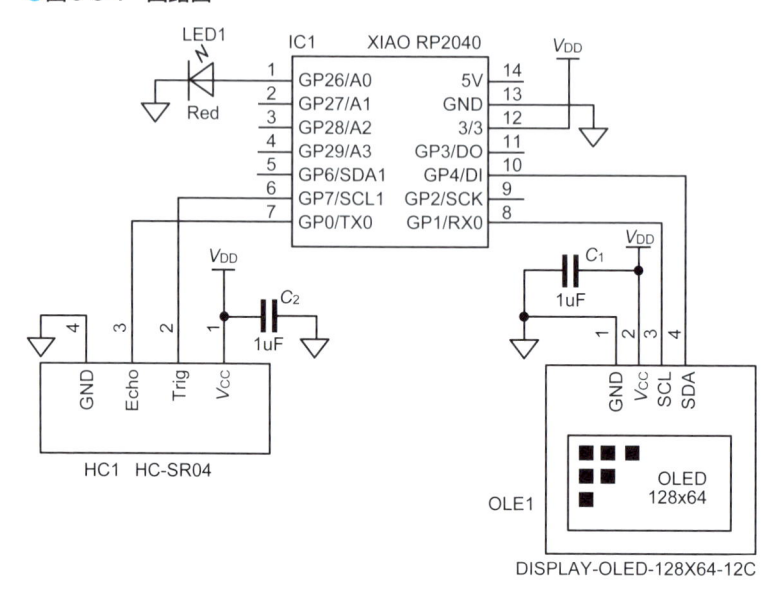

この回路の組み立てに必要な部品は表6-5-1となります。

▼表6-5-1 部品表

部品番号	品 名	型番・仕様	数量
IC1	マイコン	Seeed XIAO RP2040	1
OLE1	有機EL表示器	0.96インチ 128×64 OLED	1
HC1	超音波距離センサ	HC-SR04	1
LED1	抵抗入りLED5mm 5V用	OSR6LU5B64A-5V	1
C_1、C_2	コンデンサ	1uF 25V	2
	ブレッドボード	EIC-801	1
	ジャンパワイヤ	EIC-J-L	1
	USBケーブル	Type C	1

部品が揃ったら組み立てます。組立図が図6-5-5となります。配線はわずかですからすぐ組み立てられます。

6-5 超音波距離計の製作

●図6-5-5　組立図

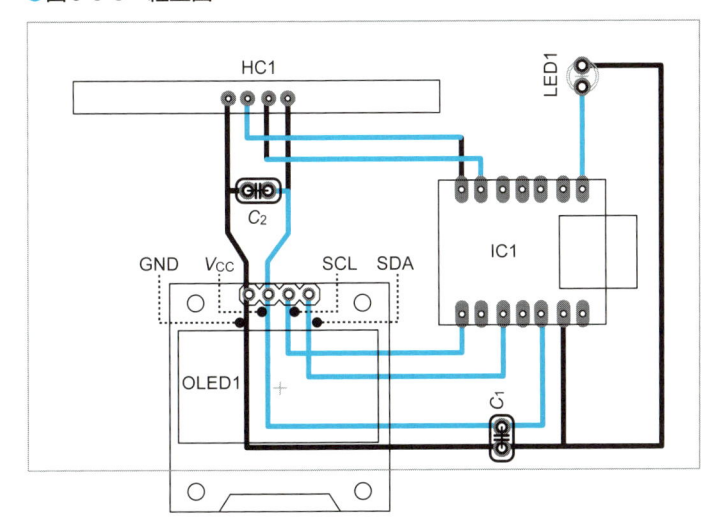

組み立て完成したブレッドボードが図6-5-6となります。図ではOLEDを外しています。超音波距離センサの電源とGNDはOLED側から配線しています。

●図6-5-6　組み立て完成したブレッドボード

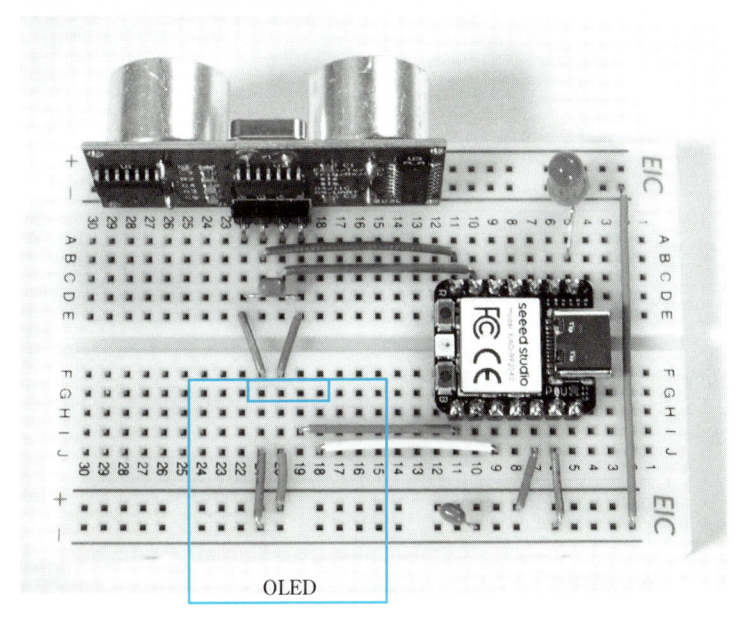

235

6-5-3 プログラムの製作

ハードウェアが完成したら次はプログラムの製作です。MicroPythonを使って製作します。先にOLEDのライブラリをインストールします。XIAO RP2040をパソコンにUSBで接続した状態とします。

SSD1306のOLEDは、MicroPythonのライブラリが用意されています。図6-5-7の手順でインストールします。メインメニューから、①[ツール]→[パッケージの管理]で開くダイアログで、②「ssd1306」と入力して検索すると表示される③「ssd1306@micropython-lib」を選択し、これで開くダイアログで④[インストール]とします。

●図6-5-7 OLED用ライブラリのインストール

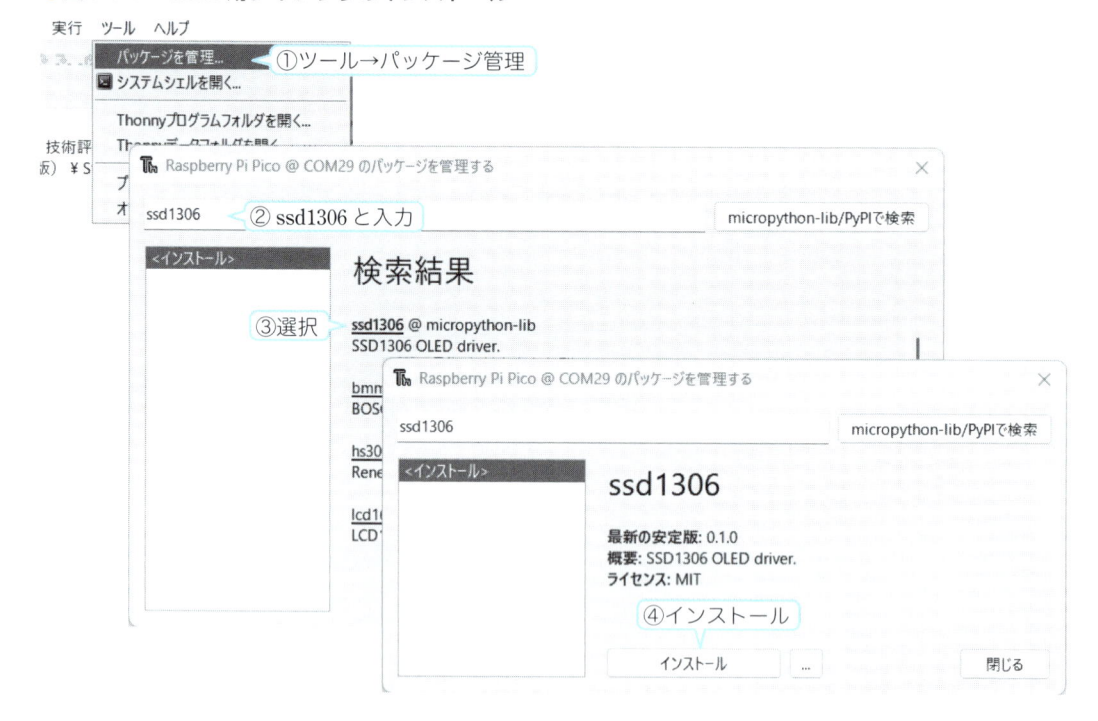

このライブラリの使い方は次のようにします。表示をするために多くのメソッドが用意されています。表示位置指定はXとYのピクセル単位となります。

❶ ライブラリのインポート
```
import ssd1306
```
❷ インスタンスの生成　I^2Cと一緒に生成
```
i2c = I2C(0, sda=Pin(4), scl=Pin(1), freq=400_000)
```

```
display = ssd1306.SSD1306_I2C(128, 64, i2c)
```
（名称displayは自由）

❸ **制御メソッド**

```
display.poweroff()        # ディスプレイの電源オフ
display.poweron()         # 電源オン、再描画
display.contrast(0)       # 暗くする
display.contrast(255)     # 明るくする0〜255の範囲
display.invert(1)         # 反転
display.invert(0)         # 通常表示
display.rotate(True)      # 180度回転
display.rotate(False)     # 0度回転
display.show()            # FrameBufferの内容を表示する
```

❹ **FrameBuffer制御メソッド**

これらのメソッドはメモリにデータを書き込むだけで表示はされず、display.show()実行で実際に表示されます。色は0が黒、1が白となります。

> display.fill(1)で全体を白くする。

```
display.fill(0)                        # スクリーン全体を黒くする*
display.pixel(0, 10)                   # (0,10)のピクセルを取得
display.pixel(0, 10, 1)                # (0,10)にピクセルを白描画
display.hline(0, 8, 4, 1)              # (0,8)から幅4の白水平線描画
display.vline(0, 8, 4, 1)              # (0,8)から高さ4の垂直線描画
display.line(0, 0, 127, 63, 1)         # (0,0)から(127,63)に線を描画
display.rect(10,10,107,43,1)           # (10,10)と(117,53)長方形描画
display.fill_rect(10,10,107,43,1)      # (10,10)と(117,53)で塗り潰し
                                       #   長方形を描画
display.text('Hello',0,0,1)            # (0,0)からテキストを白で描画
display.scroll(20, 0)                  # 20ピクセル右にスクロール
```

これらを使って作成したプログラムがリスト6-5-1となります。最初はインスタンスの生成で、I^2CとOLED、超音波距離センサ用のGPIOのインスタンスの生成をします。続いてメインループでは、OLEDを全消去後、表題を表示したら、センサのTrigピンに10μsecのHighのパルスを出力します。そしてEchoピンをチェックして、LowからHighになったときのタイマ時間（state_off）を記憶します。続いてHighからLowになったときのタイマ時間（state_on）を記憶します。このあとstate_onとstate_offの時間差を求めればパルス幅となりますから、これと音速から距離を計算します。

求めた距離をシェルに出力後、文字列に変換してOLEDに出力して表示します。最後に1秒の遅延を入れて繰り返します。以上が全体の流れとなります。

リスト 6-5-1　プログラム（Distance.py）

```
1   #****************************************
2   #   超音波距離計
3   #       I2CでSSD1306を接続
4   #   超音波距離計使用
5   #****************************************
6   from machine import Pin, I2C
7   import ssd1306
8   import utime
9   
10  #インスタンス生成
11  Red = Pin(26, Pin.OUT)
12  i2c = I2C(0, sda=Pin(4), scl=Pin(1), freq=400_000)
13  display = ssd1306.SSD1306_I2C(128, 64, i2c)
14  # 距離測定用ピン設定
15  Trigger = Pin(7, Pin.OUT)
16  Echo = Pin(0, Pin.IN)
17  
18  #***** メインループ ************
19  while True :
20      #見出し表示
21      Red.on()
22      display.fill(0)
23      display.text('*Distance Meter*', 0, 0, 1)
24      # トリガパルス出力
25      Trigger.high()
26      utime.sleep_us(10)          # 10usec
27      Trigger.low()
28      # 距離計測　タイマの時間で1usec単位
29      while Echo.value() == 0:
30          state_off = utime.ticks_us()
31      while Echo.value() == 1:
32          state_on = utime.ticks_us()
33      distance = (state_on - state_off)*0.0343/2
34      print(distance, 'cm')
35      # OLEDに表示
36      line = "L = {:3.1f} cm".format(distance)
37      display.text(line, 10, 20, 1)
38      #表示出力
39      display.show()
40      Red.off()
41      #1秒間隔表示繰り返し
42      utime.sleep(1)
```

このプログラムをThonnyで実行します。これでシェルに1秒ごとに距離が出力され、同時にOLEDにも表示されます。実際の表示結果が写真6-5-2となります。

この距離計で表示される距離は結構正確で、5cm程度から数m程度まで計測ができます。

●写真6-5-2　表示例

第7章
ラジオを作りたい

7-1 FMモノラルラジオの製作

　FMラジオを作るのは結構難しいのですが、最新のデバイスを使うといとも簡単にできてしまいます。ここで使ったラジオICはワンチップでFM受信再生の機能をすべて実行してしまいます。しかもデジタル方式なので、外付けにコイルなど必要なく、調整も不要なので誰でも確実に完成させることができます。完成したFMラジオの外観が写真7-1-1となります。

●写真7-1-1　FMラジオの外観

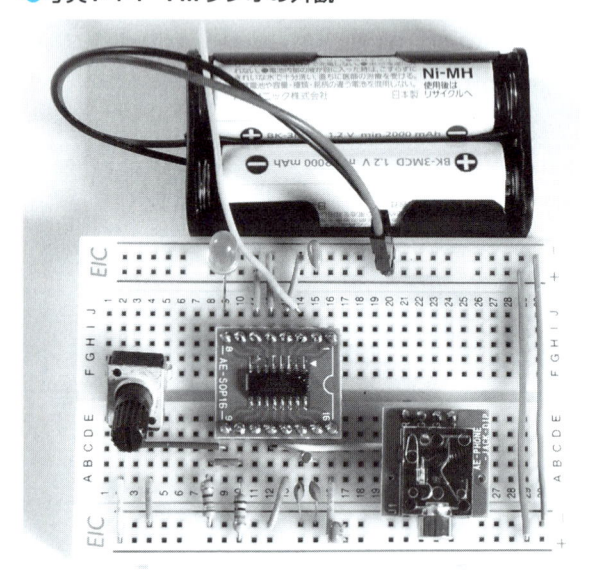

7-1-1　全体構成

振動子
発振子ともいう。一定の周波数の信号を出力するために使われる素子。

　ラジオICを使ったFMラジオの全体構成は図7-1-1のようになります。全体の動作を決めるのがクリスタル振動子（XTAL）です。この振動子[*]で発振させたクロックで、すべての機能がIC内部のソフトウェアで実行されています。ラジオの選局は可変抵抗だけでできます。ICから直接モノラルのオーディオ信号が出力されるので、ヘッドフォンで聴くか、外部のアンプに接続して聴くことができます。電源には電池を使います。

7-1　FMモノラルラジオの製作

● 図7-1-1　全体構成

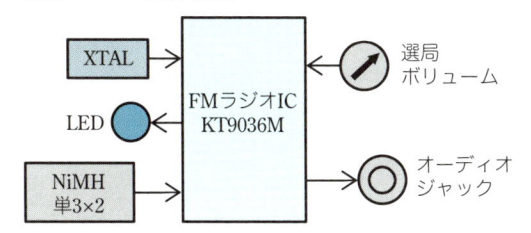

使用したラジオICの外観と仕様が図7-1-2となります。IC本体はSOPパッケージという表面実装タイプなので、ブレッドボードで使えるように変換基板に実装[*]して使います。電源は2.1V～3.6Vと幅広くなっていますから、アルカリ電池でも、ニッケル水素電池でも2本直列で十分使えます。

はんだ付けの仕方は付録を参照。

● 図7-1-2　ラジオICの外観と仕様

型番	: KT0936M
対応周波数	: FM/SW/MW/LW
	FM 32MHz～110MHz
	SW 1.75MHz～32MHz
	MW 500kHz～1750kHz
	LW 150kHz～520kHz
電源	: 2.1V～3.6V　30mA
クリスタル	: 32.768kHz
オーディオ出力	: 30H～15kHzz
	32Ω負荷
制御	: スイッチ入力
	選局は可変抵抗

（写真・図：秋月電子通商）

このICの受信周波数範囲は非常に広くなっていて、SPANピンに加えられる電圧で周波数帯が決まるようになっています。この電圧を作るため2個の抵抗で分圧して作りますが、日本で使える代表的な周波数帯ごとの抵抗値が図7-1-3のようになります。これ以外に非常に多くの周波数帯を選択[*]できます。

選択した周波数帯の中でラジオ局を選択するには、CHピンに可変抵抗を接続して電圧を連続的に変更します。

図7-1-3の表のようにFMラジオを聴く場合、220Ωから500Ω程度の範囲であれば問題ないと思います。MW2の中波のラジオを聴く場合には、この抵抗値の選択以外に、AMINNピンとAMINPピンの間に300uH程度のインダクタンス[*]を接続する必要があります。

詳細はデータシートを参照。

マイクロインダクタでもバーアンテナコイルでもよい。

●図7-1-3 抵抗値と周波数帯

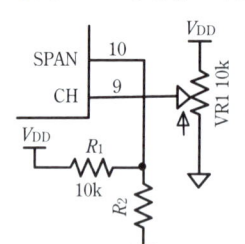

バンド	R2の値	周波数範囲
FM2	237Ω	75.5MHz～108.5MHz
FM3	412Ω	63.5MHz～108.5MHz
FM4	804Ω	69.5MHz～108.5MHz
MW2	1kΩ	513kHz～1719kHz
SW1	2.1kΩ	2.96MHz～13.05MHz

7-1-2 回路設計と組み立て

32768は、2の15乗。周波数を半分に分周していくと、15回半分にすれば1Hz＝1秒になるので使いやすい。

全体構成とデータシートを元に作成した回路図が図7-1-4となります。FM専用としたのでR_2は220Ωとしました。クリスタル振動子には32.768kHz[*]の小型のものを使いますが、安定な発振をさせるために22pFのセラミックコンデンサを追加します。

オーディオ出力はモノラルなのですが、ステレオ用のオーディオジャックしかなかったので左右に同じ信号を出力するようにしました。局選択ができたことを示すLEDには、抵抗入りのLEDを使って簡単化しました。

ANT端子にはアンテナを接続しますが、1mから2m程度のビニール線を接続するだけで十分な感度が得られます。

●図7-1-4 FMラジオの回路図

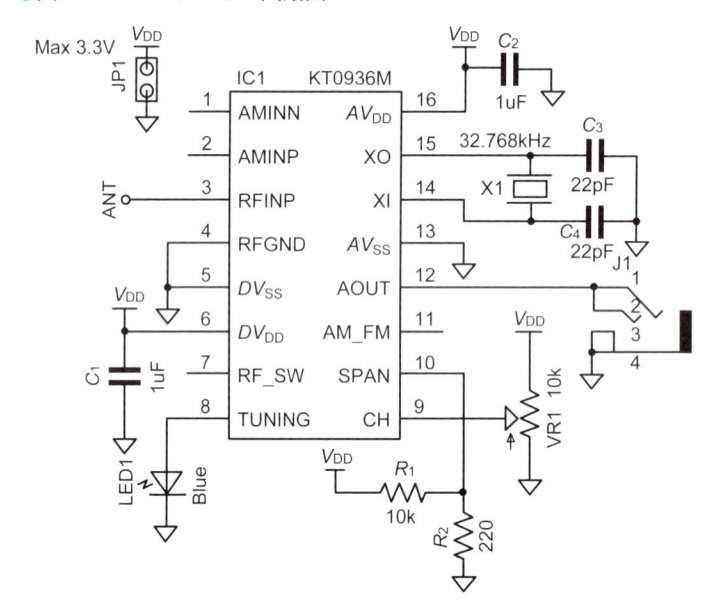

7-1 FMモノラルラジオの製作

　FMラジオの組み立てに必要な部品は表7-1-1となります。オーディオジャックにはミニジャックをDIP変換基板に実装したものを使いました。

▼表7-1-1　部品表

部品番号	品　名	型番・仕様	数量
IC1	ラジオIC	KT0936M	1
	変換基板	SOP16ピンDIP変換基板	1
	ヘッダピン	40ピン 2.5mmピッチ	1
LED1	LED	抵抗入りLED 5V 青	1
X1	クリスタル	32.768kHz	1
R_1	抵抗	10kΩ　1/4W	1
R_2	抵抗	220Ω　1/4W	1
VR1	可変抵抗	10kΩ　B　RV09T	1
C_1、C_2	積層セラミック	1μF　25V	2
C_3、C_4	セラミック	22pF	2
JP1	ジャンパ	両端ロングピン　2ピン	1
J1	オーディオジャック	ミニジャック DIP変換基板付き	1
ANT	アンテナ線	ビニール線	2m
BAT1	電池ボックス	単3型　2本用	1
	NiMH電池	単3型　ニッケル水素電池	2
ブレッドボード		EIC801	1
ジャンパワイヤ		EIC-J-L	1

　部品が揃ったらブレッドボードに組み立てます。図7-1-5が組立図になります。

●図7-1-5　FMラジオの組立図

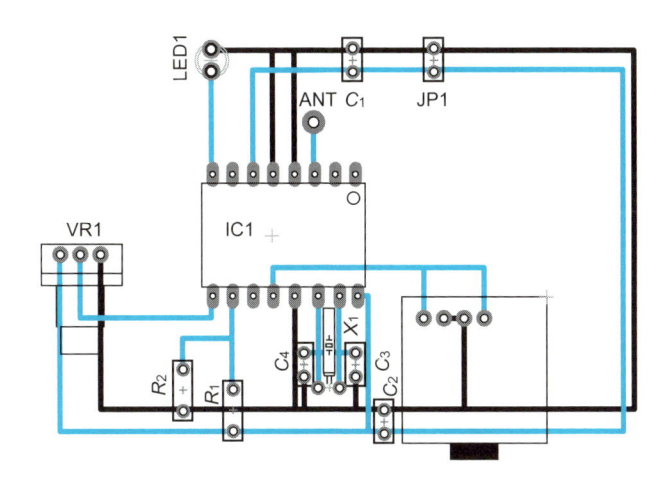

実際に組み立て完了したブレッドボードが図7-1-6となります。

●図7-1-6　組み立て完了したブレッドボード

アンテナとスピーカを接続して電池を接続すれば動作開始し、サーという音が出れば正常動作しています。局選択ボリュームをゆっくり回せばどこかでラジオ局が選択され、LEDが点灯して、ノイズが無くなってきれいな音で聴こえるようになります。

特に調整する箇所はないので、どなたでも完成させることができます。

7-2 スピーカの追加

FMラジオを直接スピーカで聴けるように、オーディオアンプを追加します。7-1節のFMラジオに追加製作した外観が写真7-2-1となります。少し大きめのスピーカを接続しましたが、FMラジオらしいきれいな音で聴くことができます。スピーカの接続がRCAプラグ*だったので、RCAジャックを追加して、2本のリード線で接続しています。ここは読者がお使いになるスピーカに合わせて下さい。

RCA
オーディオ用の接続コネクタ。

●写真7-2-1　アンプを追加した外観

7-2-1　スピーカを鳴らすには

FMラジオの音をスピーカで聴くためには、スピーカを駆動できる**オーディオアンプ**を追加する必要があります。

追加したオーディオアンプの外観と仕様は、図7-2-1のようになっています。このアンプもワンチップのICの中にスピーカを鳴らすための機能がすべて組みこまれていて、外付け部品はコンデンサだけとなっています。ICにスピーカを直接接続できますから簡単に使うことができます。3Vでも0.5W出力ですから、卓上で鳴らすには十分な音量です。

> はんだ付けの仕方は付録を参照。
> 秋月電子通商から購入可能。

ただしICそのものは非常に小型の表面実装タイプですから、ブレッドボードに実装するためには変換基板にはんだ付け[*]する必要があります。図7-2-1(c)のように、このIC専用の変換基板が用意[*]されているので、これを使います。IC裏面に**パッド**と呼ばれる放熱とグランド接続を兼ねた端子があるので、変換基板の中央にある穴からはんだを流し込んで接続する必要があります。

データシートに基本回路が示されているので、今回はそのままの回路で使います。

● 図7-2-1　オーディオアンプの外観と仕様

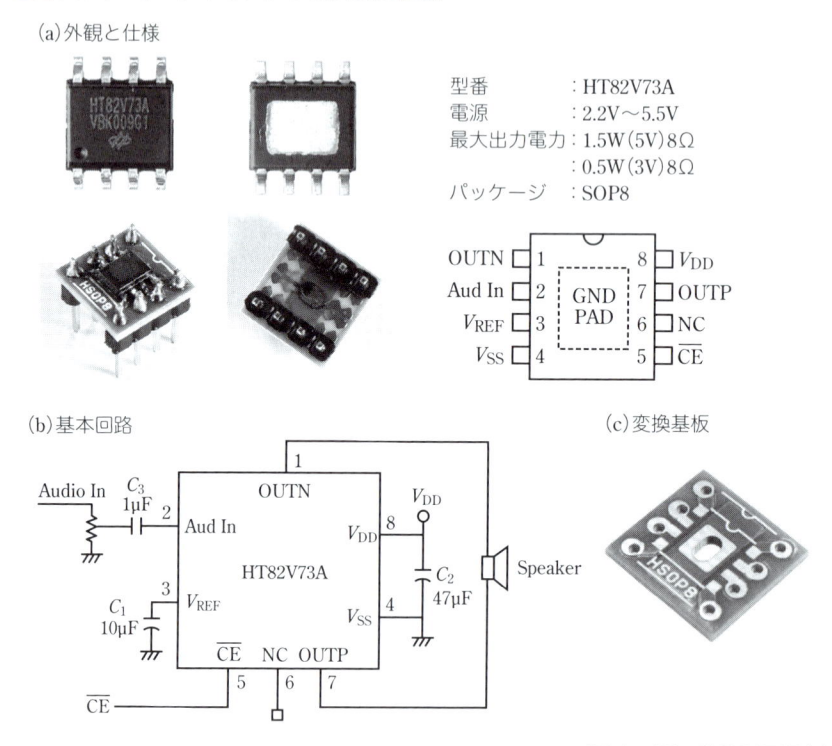

(a) 外観と仕様

型番	: HT82V73A
電源	: 2.2V〜5.5V
最大出力電力	: 1.5W(5V) 8Ω
	: 0.5W(3V) 8Ω
パッケージ	: SOP8

ピン配置:
- OUTN 1 — 8 V_{DD}
- Aud In 2 — 7 OUTP
- V_{REF} 3 — 6 NC
- V_{SS} 4 — 5 $\overline{CE}$
- 中央: GND PAD

(b) 基本回路

Audio In — C_3 1μF — 2 Aud In
1 OUTN
8 V_{DD} — V_{DD}、C_2 47μF — Speaker
3 V_{REF} — C_1 10μF
4 V_{SS}
5 $\overline{CE}$ — $\overline{CE}$
6 NC
7 OUTP
HT82V73A

(c) 変換基板

（写真・図：秋月電子通商）

7-2-2　回路設計と組み立て

作成した回路が図7-2-2となります。FMラジオ部は7-1節そのままで、ミニジャックの代わりに、音量調整用のボリュームを経由してアンプを接続する構成としています。アンプ部は基本回路そのままです。

問題は電源です。電源には電池を使うことにしましたが、ニッケル水素電池2本では、アンプのほうがちょっと電圧不足となってしまいます。そこでニッケル水素電池の3本を直列接続して使いたいところです。しかし、ラジオIC

の電源が最大3.6Vとなっていて、3本では最大で4V近く*になるのでこれを超えてしまいます。

そこでアンプには電池から直接供給しますが、ラジオICには整流用ダイオード*を経由して供給することにします。これで約0.6V程度電圧降下*するので、電池が4Vのときでも3.4Vとなって問題ない電圧にできます。これでアンプのパワーも十分確保できます。

この場合、アルカリ電池は電圧オーバー*になるので使えないことになります。アルカリ電池で使う場合には、D_1のダイオードを2個直列に接続して電圧降下を1.2Vにすることで可能になります。

> 充電直後は電圧が高いため。

> ショットキーバリアダイオードではないもの。

> ダイオードの順方向電圧。

> 1.5V×3=4.5Vで、−0.6しても3.9Vになる。

●図7-2-2 回路図

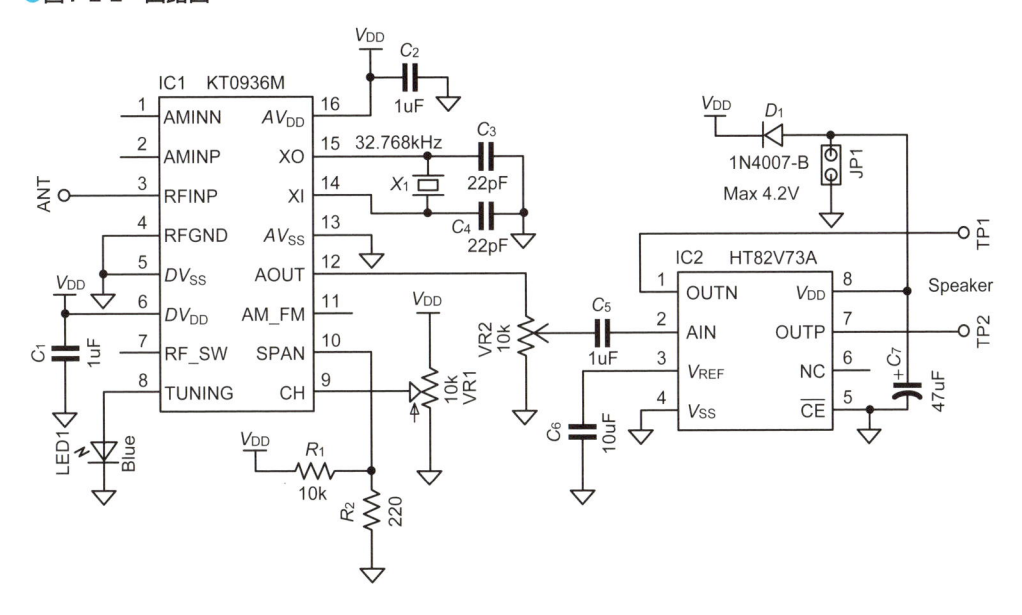

組み立てに必要な部品は表7-2-1となります。

▼表7-2-1 部品表

部品番号	品　名	型番・仕様	数量
IC1	ラジオIC	KT0936M	1
	変換基板	SOP16ピンDIP変換基板	1
	ヘッダピン	40ピン2.5mmピッチ	1
LED1	LED	抵抗入りLED 5V 青	1
X1	クリスタル振動子	32.768kHz	1
R_1	抵抗	10kΩ　1/4W	1
R_2	抵抗	220Ω　1/4W	1

部品番号	品　名	型番・仕様	数量
VR1	可変抵抗	10kΩ　B　RV09T	1
C_1、C_2	積層セラミック	1μF　25V	2
C_3、C_4	セラミック	22pF	2
JP1	ジャンパ	両端ロングピン　2ピン	1
IC2	オーディオアンプ	HT82V73A	1
	変換基板	HSOP8 DIP8変換基板	1
	ヘッダピン	40ピン　2.54mmピッチ	1
C_5	積層セラミック	1μF　25V	1
C_6	積層セラミック	10μF　25V	1
C_7	電解コンデンサ	47μF　25V	1
VR2	可変抵抗	10kΩ　B　RV09T	1
D_1	整流用ダイオード	1N4007-B	1
ANT	アンテナ線	ビニール線	2m
BAT1	電池ボックス	単3型　3本用	1
	NiMH電池	単3型　ニッケル水素電池	3
ブレッドボード		EIC801	1
ジャンパワイヤ		EIC-J-L	1

　部品が揃ったらブレッドボードで組み立てます。図7-2-3が組立図になります。可変抵抗はリード線をまっすぐ伸ばしてブレッドボードに差し込みます。C_7のコンデンサには容量が大き目の電解コンデンサを使います。オーディオアンプの電流変化が大きいので、このコンデンサで変動を吸収します。

● 図7-2-3　組立図

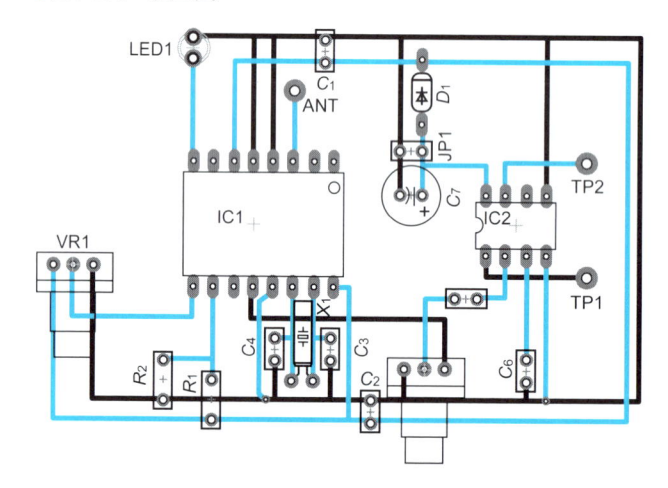

7-2 スピーカの追加

実際に組み立て完了したブレッドボードが図7-2-4となります。

●図7-2-4　完成したブレッドボード

動作確認手順は7-1節と同じです。

7-3 マイコン制御のFMラジオ

FMラジオにマイコンを追加してステップアップしてみます。最新のラジオICはマイコンと接続できるようになっていて、局選択や音量調整など多くの機能をマイコンから制御できるようになっています。

5-5節参照。

そこで本節ではマイコンにXIAO RP2040*を使って、MicroPythonのプログラムで制御してみます。完成したFMラジオが写真7-3-1となります。写真はアンプ付きスピーカを接続した状態です。

●写真7-3-1　作成したマイコン制御のFMラジオ

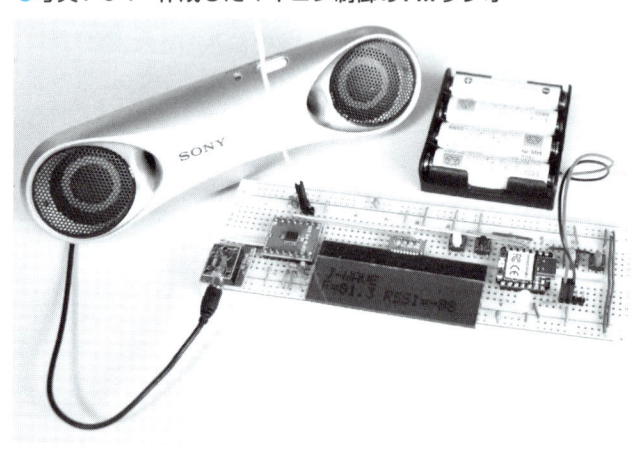

7-3-1 全体構成

マイコンを使ったFMラジオの全体構成は図7-3-1のようにしました。使ったラジオICはKT0913というICで、マイコン制御専用のラジオICとなっています。

マイコンはRaspberry Pi Picoでもよいのですが、これを小さくしたXIAO RP2040を使っています。これでちょうど中型のブレッドボードに全部がおさまりました。

I²C。Inter-Integrated Circuitの略。比較的低速度だが、2線で多数のデバイスを接続できる。

マイコンとラジオIC間の接続はI²C*通信というシリアル通信方式で接続します。同じラインにちょっと大きめの液晶表示器も接続しています。このように、I²C通信では複数のデバイスを同じラインに接続することができます。この接続の場合、プルアップ抵抗が必要になります。

7-3 マイコン制御のFMラジオ

マイコンには4個のスイッチを接続して、局選択のアップダウンと音量のアップダウンを制御します。ラジオICに必要なのはクリスタル振動子だけですので、簡単な構成で使えます。ステレオのオーディオ出力が直接ICから取り出せます。

●図7-3-1 マイコン制御のFMラジオの全体構成

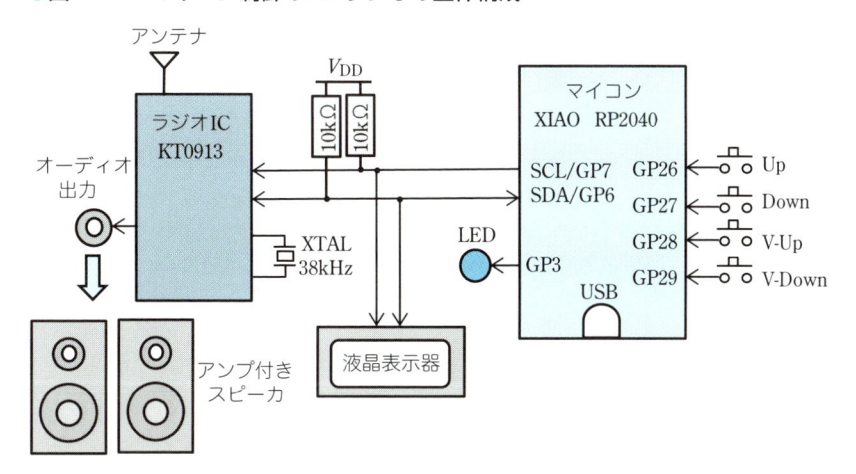

使ったラジオICの外観と仕様が図7-3-2となります。

●図7-3-2 ラジオICの外観と仕様

(a) 外観と仕様

受信周波数　：FM 32MHz〜110MHz
　　　　　　　AM 500kHz〜1710kHz
自動機能　　：AFC、AGC
発振子　　　：32.768kHzまたは38kHz
電源電圧　　：2.1V〜3.6V　LDO内蔵
消費電流　　：22mA
音声出力　　：L/R独立　32Ω
周波数範囲　：30Hz〜15kHz
接続方式　　：I2Cインターフェース
　　　　　　　Max 400kHz
パッケージ　：16ピンSSOP　0.635mmピッチ

(b) ピン配置

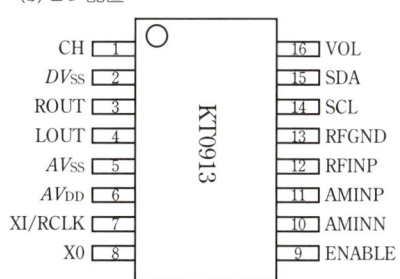

(c) 変換基板に実装

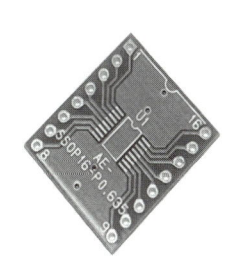

(写真：秋月電子通商)

251

受信周波数範囲はFMとAMのどちらもできますが、AMの場合は別途コイルが必要になります。今回はFMだけにしたので外付けはクリスタル振動子だけで、38kHz*の振動子としました。

> 32.768kHzでもよい。プログラムの設定を変更する必要がある。

電源は、2.1Vから3.6Vと広い範囲で使えますから、電池動作に最適です。オーディオ出力はステレオとなっています。

IC本体は小型の表面実装ですから、ブレッドボードに実装するため変換基板にはんだ付け*する必要があります。汎用の変換基板が用意*されているので一緒に購入します。

> はんだ付けの方法は付録を参照。
> 秋月電子通商から購入可能。

表示に使った液晶表示器は大型のものを使いました。外観と仕様が図7-3-3となります。変換基板が付属していて、外部接続は4本だけとなっています。大き目の文字表示なので見やすいと思います。

● 図7-3-3　液晶表示器の外観と仕様

型番　　：AE-AQM1602A
電源　　：3.1V～5.5V 1mA
表示　　：16文字×2行
　　　　　英数字カナ記号
　　　　　バックライト：無
I/F　　　：I²C アドレス 0x3E
サイズ　：66×27.7×2.0mm

NO	信号名
1	+V
2	SCL
3	SDA
4	GND

7-3-2　回路設計と組み立て

全体構成と各部品の仕様を元にして作成した回路図が図7-3-4となります。

● 図7-3-4　回路図

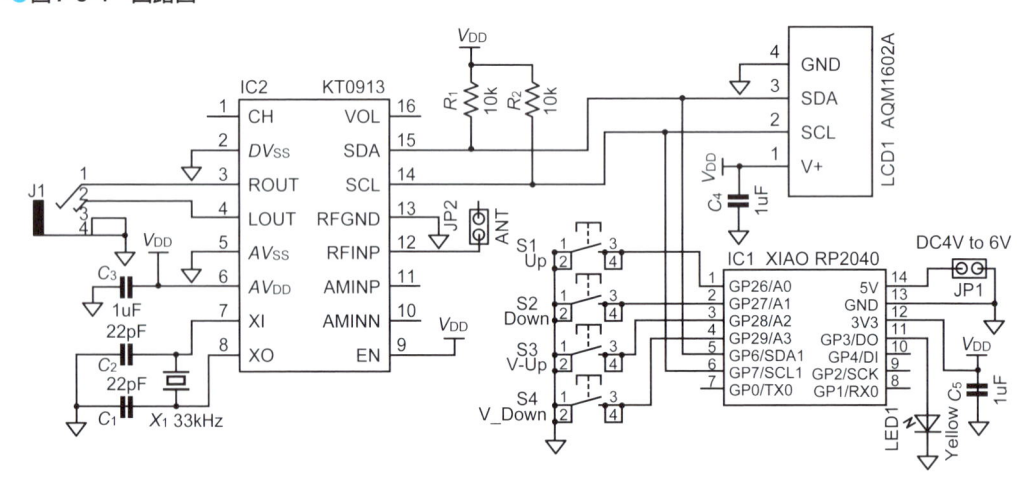

7-3 マイコン制御のFMラジオ

　オーディオ出力にはステレオミニジャックをDIP変換基板に実装したものを使いました。電源は、XIAOの外部電源に4V以上を加えるか、XIAOのUSBからの供給とし、他のデバイスはXIAOから出力される3.3Vを使うことにします。これで安定した電源とすることができます。

　XIAOの外部電源とUSB電源を同時に接続することはできませんので、注意して下さい。

　この回路をブレッドボードに組み立てます。組み立てに必要な部品は表7-3-1となります。電池はアルカリ電池の場合は3本、ニッケル水素電池の場合は4本を使います。いずれも4.5V以上となります。

▼表7-3-1　部品表

部品番号	品　名	型番・仕様	数量
IC1	マイコン	XIAO RP2040	1
IC2	ラジオIC	KT0913	1
	変換基板	SSOP16ピン 0.635mm	1
	ヘッダピン	40ピン 2.5mmピッチ	1
LED1	LED	抵抗入りLED 5V 黄	1
LCD1	液晶表示器	AE0AQM1602A（KIT）	1
X1	クリスタル振動子	38kHzまたは32.768kHz	1
R_1、R_2	抵抗	10kΩ　1/4W	2
C_1、C_2	セラミック	22pF	2
C_3、C_4、C_5	セラミック	1μF　25V	3
JP1	ジャンパ	両端ロングピン　2ピン	1
S1、S2、S3、S4	タクトスイッチ	基板用　各色	4
J1	オーディオジャック	AE-PHONE-JACK-DIP	1
ANT	アンテナ線	ビニール線	2m
BAT1	電池ボックス	単3型　4本用	1
	NiMH電池	ニッケル水素電池	4
BAT1	電池ボックス	単3型　3本用	1
	アルカリ電池	単3型　アルカリ電池	3
ブレッドボード		EIC102J	1
ジャンパワイヤ		EIC-J-L	1

部品が揃ったら組み立てます。組立図が図7-3-5となります。

●図7-3-5　組立図

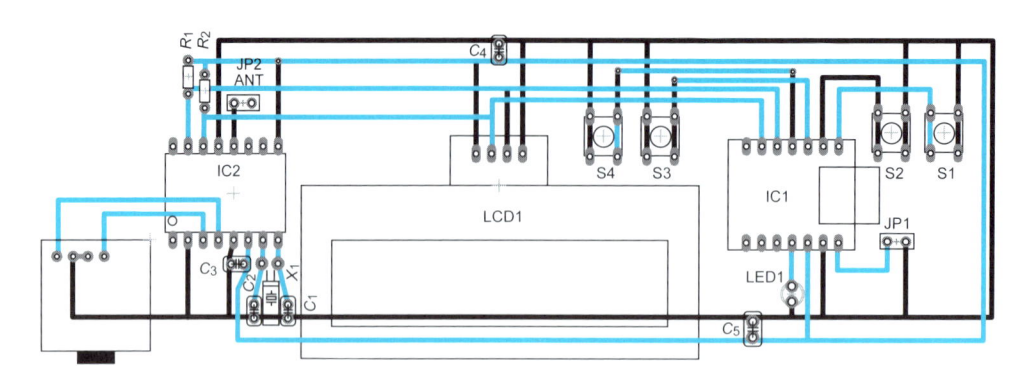

組み立てが完了したブレッドボードが図7-3-6となります。右下に4ピンのピンヘッダがありますが、電池接続用で、2ピンしか使っていません。

●図7-3-6　完成したブレッドボード

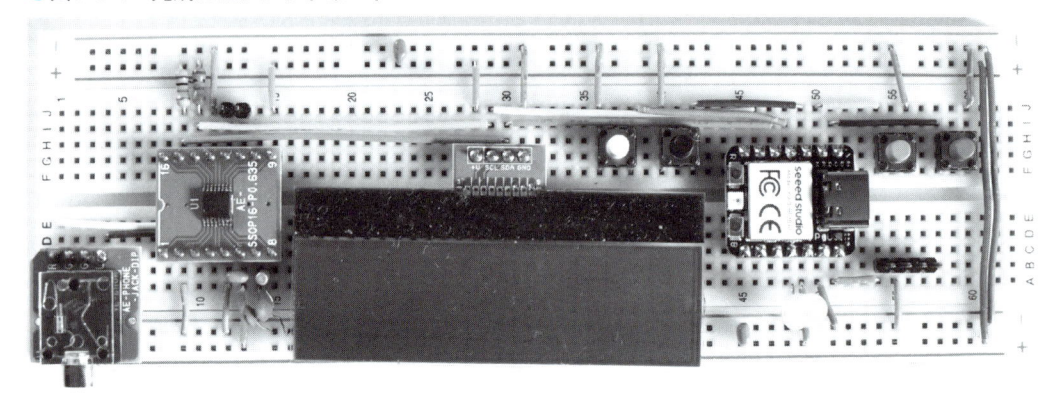

これでハードウェアは完成です。次はマイコンのプログラムの製作です。

7-3-3　プログラムの製作

インストール方法は付録を参照。

　マイコンのプログラムはMicroPythonで作成します。パソコンでThonny*という開発環境を使って作成します。
　液晶表示器のライブラリ「AQM1602.py」を先にアップロードしておきます。また、本体のプログラムも、「main.py」という名称でアップロードします。こうすると、パソコンのUSB接続を切り離したあと、電池を接続してからリセッ

7-3 マイコン制御のFMラジオ

トすれば単体でも動作するようになります。アップロード方法は付録を参照して下さい。

製作するプログラムの全体構成は図7-3-7のフローのようにしました。メインでは1秒間隔で表示を更新しているだけです。これでRSSI[*]をリアルタイムで更新します。

スイッチの処理はすべてスイッチの割り込み[*]で実行しています。局選択のアップ、ダウン処理では、局リストを選択するIndex変数をプラス、マイナスしてから局選択用のset_station関数を呼び出し、さらに表示処理関数LCD_Dispを呼び出して局名表示を更新します。

音量のアップ、ダウン処理では、音量値volをアップ、ダウンしてから音量制御用のset_volume関数を呼び出して制御します。

RSSI
Received Signal Strength Indicator
受信強度のこと、マイナス値で小さいほど高感度。

割り込み
スイッチの状態が変化したら、ハードウェア的に強制的に先に処理する方式。

●図7-3-7　プログラムフロー図

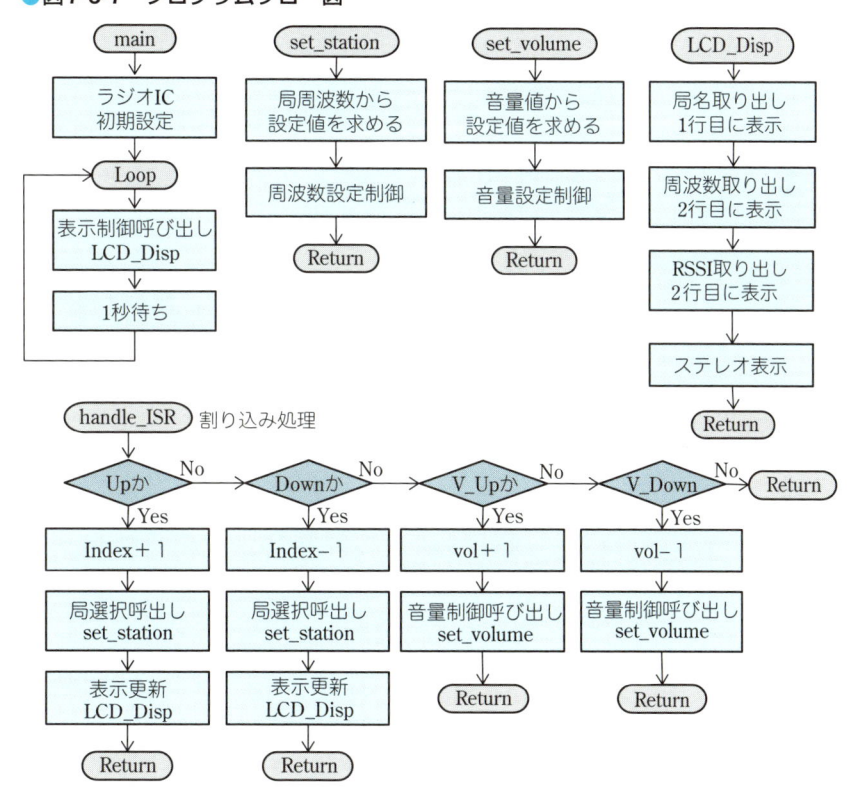

このフローをベースにしてプログラムを作成します。最初は初期設定部でリスト7-3-1となります。ここでは、関連ライブラリのインポートとインスタンスの定義、さらに局リストの定義をしています。インポートではI^{2}Cと液晶表示器が必要です。

インスタンス定義ではI²C、液晶表示器、スイッチ、LEDを定義しています。定数定義では局リストを定義しています。この局リストは局名のリストと、周波数のリストで構成されていて、順番に並べています。これをIndex変数で指定して取り出すようにしています。

リスト 7-3-1 初期設定部（Radio_XIAO.py）

```
1  #********************************
2  #  DSPラジオ制御プログラム
3  #    I2Cで制御  XISO+LCD＋KT0913
4  #  Radio_XIAO.py
5  #********************************
6  from machine import Pin, I2C
7  from AQM1602 import AQM1602
8  import utime
9
10 #**** インスタンス生成 ******
11 i2c=I2C(1, sda=Pin(6), scl=Pin(7), freq=100000)
12 display = AQM1602(i2c)
13 Up   = Pin(26, Pin.IN, Pin.PULL_UP)
14 Down = Pin(27, Pin.IN, Pin.PULL_UP)
15 V_Up = Pin(28, Pin.IN, Pin.PULL_UP)
16 V_Down= Pin(29, Pin.IN, Pin.PULL_UP)
17 LED  = Pin(3, Pin.OUT)
18 #****** 定数定義 *******
19 MAX = 15    # 局リスト最大数
20 #  FMラジオ局リスト
21 name = ("Inter FM       ", "Inter FM 897 ", "Shounan Beach FM ", "NACK5          ",
22         "TOKYO FM       ", "J-WAVE       ", "NHK FM Kanagawa ", "NHK FM Tokyo   ",
23         "FM Yokohama 84.7", "FM Fuji      ", "FM TOKYO        ", "TBS Radio      ",
24         "Bunka Housou   ", "Radio Nippon ", "Nippon Housou   ", "TBS Radio      ")
25 Freq = (76.1, 76.5, 78.9, 79.5, 80.0, 81.3, 81.9, 82.5, 84.7,
26         85.9, 86.6, 90.5, 91.6, 92.4, 93.0, 95.4)
```

次がサブ関数部でリスト7-3-2となります。ここでは局の選択と音量の制御関数、液晶表示器の制御関数を記述しています。

局選択関数set_stationでは、Indexで指定された局の周波数を局リストから取り出し、設定用の16ビットの値に変換してから、レジスタアドレスと一緒にI²C送信関数で送信して設定制御をしています。

音量調整の関数set_volumeでは指定された音量データを2バイトのデータに分割して、レジスタアドレスと一緒にI²Cで送信しています。

液晶表示器の表示制御関数では、まずkyokuで指定されたインデックスで局リストから局名を取り出して1行目に表示しています。次に設定された周波数を読み出して実際の周波数に変換してから2行目に表示しています。続いてRSSI値を読み出して2行目の後半に表示します。最後にステレオモードを読み出してLEDを制御しています。

7-3 マイコン制御のFMラジオ

リスト　7-3-2　サブ関数部

```
28  #**** 局選択制御関数 *****
29  def set_station(kyoku):
30      # 局周波数から設定値を求める
31      set = int(Freq[kyoku] / 0.05) + 0x8000
32      setting = bytearray([0x03, int(set/256), int(set%256)])
33      i2c.writeto(0x35, setting)          # 周波数設定
34  def set_volume(vol):
35      setting = bytearray([0x0F, int(vol/256), int(vol)])
36      i2c.writeto(0x35, setting)          # 音量設定
37  #*** 液晶表示関数　局名と周波数,RSSI *****
38  def LCD_Disp(kyoku):
39      #OLEDに表示
40      display.lcdCmd(0x80)                # 1Line
41      display.lcdStr(name[kyoku])         # 局名表示
42      # 周波数表示　Reg Addr 0x03, 0x12
43      CH = i2c.readfrom(0x35, 38)         # 0x12+1=19*2=38
44      Freq = ((CH[6] & 0x0F)*256+CH[7]) * 0.05
45      RSSI = ((CH[37] & 0xF8) >> 3)*3 - 100
46      display.lcdCmd(0xC0)
47      display.lcdStr("F={:2.1f} RSSI={:-3.0f} ".format(Freq, RSSI))
48      # ステレオ表示
49      if (CH[36] & 0x03) == 0x03:         # 11  ステレオ
50          LED.value(1)
51      else:
52          LED.value(0)
```

　次はスイッチの割り込み処理関数でリスト7-3-3となります。局アップのスイッチの場合は、Index変数を＋1してそれを引数としてset_station関数を呼び出して局を設定します。さらにLCD_Disp関数を呼び出して表示を更新しています。局ダウンのスイッチの場合は、Indexを－1して同じ処理をしています。

　音量アップのスイッチの場合は、vol変数が最大値より小さければ＋1し、それを引数としてset_volume関数を呼び出して音量を変更します。音量ダウンの場合は、vol変数が0以上であれば－1し、それを引数として同じ処理をしています。

　最後の部分は、各スイッチの割り込みの設定で、立下りで割り込み生成とし、割り込み処理関数を呼び出すように設定しています。

リスト　7-3-3　スイッチ割り込み処理関数

```
53
54  #***** スイッチ割り込み処理関数 *******
55  def handle_ISR(pin):
56      global Index, vol
57      # Nextスイッチ処理
58      if pin == Up:                       # Upスイッチオン
59          utime.sleep(0.1)                # チャッタ回避
60          if Up.value() == 0 :            # Upスイッチオン中
61              Index += 1                  # インデックス更新
```

```
 62             if Index > MAX:              # MAXになったら
 63                 Index = 0                # 最初に戻す
 64             set_station(Index)           # 局選択制御
 65             LCD_Disp(Index)              # 表示更新
 66     # Priviousスイッチ処理
 67     if pin == Down:                      # Downスイッチオン
 68         utime.sleep(0.1)                 # チャッタ回避
 69         if Down.value() == 0:            # Downスイッチオン中
 70             Index -= 1                   # インデックス更新
 71             if Index < 0:                # 最初に到達
 72                 Index = MAX              # MAXに戻す
 73             set_station(Index)           # 局選択制御
 74             LCD_Disp(Index)              # 表示更新
 75     # 音量アップ
 76     if pin == V_Up:                      # 音量アップオン
 77         utime.sleep(0.1)                 # チャッタ回避
 78         if V_Up.value() == 0:            # スイッチオン中
 79             if vol < 0x1F:               # 最大でなければ
 80                 vol = vol + 1            # 音量アップ
 81             set_volume(vol)              # 設定
 82     # 音量ダウン
 83     if pin == V_Down:                    # 音量ダウンオン
 84         utime.sleep(0.1)                 # チャッタ回避
 85         if V_Down.value() == 0:          # スイッチオン中
 86             if vol > 0:                  # 最小でなければ
 87                 vol = vol - 1            # 音量ダウン
 88             set_volume(vol)              # 設定
 89 #**** 割り込み設定
 90 Up.irq(trigger=Pin.IRQ_FALLING, handler=handle_ISR)
 91 Down.irq(trigger=Pin.IRQ_FALLING, handler=handle_ISR)
 92 V_Up.irq(trigger=Pin.IRQ_FALLING, handler=handle_ISR)
 93 V_Down.irq(trigger=Pin.IRQ_FALLING, handler=handle_ISR)
```

次がメイン関数でリスト7-3-4となります。最初にラジオICの初期設定を実行しています。ここは、ラジオICのレジスタで必要なものの設定をI²C送信関数で設定しています。最初の設定でクリスタル振動子を38kHzの設定としています。32.768kHzのクリスタルを使う場合は、ここの設定値x09をx00とする[*]必要があります。

メインループでは、1秒周期で表示を更新しているだけです。これでRSSI値が最新の状態となるようにしています。

> デフォルト値が00なのでこの行を削除してもよい。

リスト 7-3-4 メイン関数

```
 95 #********* メイン関数 ** ****************
 96 #ラジオIC初期化    初期値でJ-WAVE再生
 97 i2c.writeto(0x35, b'\x16\x09\x02')   # Xtal 38kHz
 98 i2c.writeto(0x35, b'\x03\x86\x5A')   # 81.3MHz J-WAVE
 99 i2c.writeto(0x35, b'\x04\xE1\x80')   # Bass Low
100 i2c.writeto(0x35, b'\x0A\x00\x00')   # AFC Enable
101 i2c.writeto(0x35, b'\x05\x18\x00')   # Stereo 50us
102 i2c.writeto(0x35, b'\x0F\x88\x16')   # Volume -24dB
103 Index = 5
104 vol = 0x1F
```

```
105 #******* メインループ ******************
106 while True:
107     LCD_Disp(Index)                 #RSSI  1秒間隔で更新
108     utime.sleep(1)
```

以上でプログラムは完成です。このプログラムをmain.pyという名称で保存します。

そして液晶表示ライブラリAQM1602.pyとmain.pyとをThonnyを使って実機にアップロード[*]します。これでUSB接続を切り離し、電池を接続してリセットすれば動作を開始します。

> アップロード手順は付録を参照。

局リストを変更すれば、読者の地域で受信できるラジオ局に変更できます。**局リストの局数を変更した場合には、最初のほうにある定数MAXを変更後の局数に書き換える必要があります。**局名は16文字にする必要があります。文字不足の場合はスペースを追加して下さい。

マイコンを使うことで局選択をボタンだけで操作でき、局名表示もできますからわかりやすく、簡単確実に選局ができます。

音質もよく、ステレオで聴くことができますから、音楽再生には最適です。

第8章
動くものを作りたい

8-1 RCサーボコントローラの製作

実際にはマイコンで制御するほうが自由度がある。

モータで回転し、一定の角度で停止させることができるサーボモータで、アマチュアが簡単に入手できるものにラジコン用サーボモータ、通称「**RCサーボ**」という製品があります。本節ではこれを555タイマICで制御*してみます。

完成したサーボコントローラが写真8-1-1となります。可変抵抗で2台のRCサーボの向きを独立に制御できます。これで水平と垂直の2軸を制御できます。

●写真8-1-1 完成したサーボコントローラ

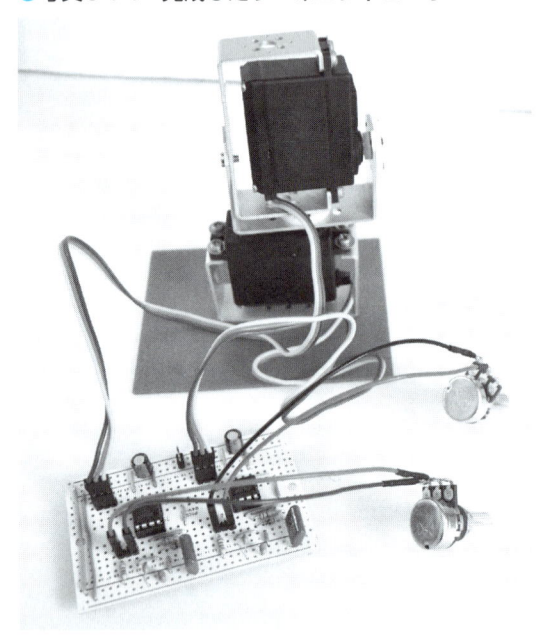

8-1-1 RCサーボとは

よく使われているRCサーボの外観と仕様は図8-1-1となっています。小型のものと大型のものがあり、サイズとトルクが大幅に異なります。回転角は180度となっていて、角度を制御するパルスが図8-1-1(c)のように規定されています。電源は4.8V〜6Vとなっていますが、通常は5Vで使います。モータで動作していますから、動作時の電流は大きいので容量の大きな電源が必要です。ニッケル水素やアルカリ電池でしたら供給可能です。

8-1 RCサーボコントローラの製作

● 図8-1-1 RCサーボの外観と仕様

(a) 外観と仕様

- 型番 ： SG90
- PWM周期 ： 20ms
- デューティ ： 0.5ms～2.4ms
- 制御角 ： ±約90°(180°)
- トルク ： 1.8kgf・cm
- 動作速度 ： 0.1秒/60度
- 動作電圧 ： 4.8V～5V
- 外形寸法 ： 22.2×11.8×31mm
- 重量 ： 9g

- 型番 ： MG996R
- PWM周期 ： 16ms～20ms
- デューティ ： 0.9ms～2.1ms(120度)
  0.5ms～2.4ms(180度)
- 制御角 ： ±約60°(120°)
- トルク ： 9.4kgf・cm(4.8V)
- 動作速度 ： 0.19秒/60度
- 動作電圧 ： 4.8V～6.6V 170mA
- 外形寸法 ： 40.9×20×37mm
- 重量 ： 55g

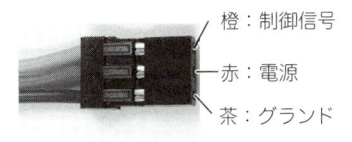

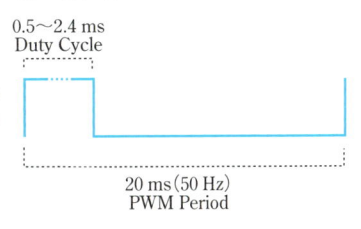

(b) コネクタピン配置
橙：制御信号
赤：電源
茶：グランド

(c) パルス幅
0.5～2.4 ms Duty Cycle
20 ms (50 Hz) PWM Period

(写真・図：秋月電子通商)

8-1-2 サーボコントローラの回路設計

本節ではRCサーボを555タイマICにより制御します。つまりタイマICで図8-1-1(c)のパルスを生成します。

このため5-2節と同じように555タイマをアステーブルモードで使います。しかし、デューティ比が非常に小さな範囲で可変する必要があるので、工夫が必要です。

作成した555タイマを使った制御回路が図8-1-2となります。この回路には2台のRCサーボを制御するため、同じ回路が2組含まれています。

この回路でパルスを生成する部分の動作は図8-1-3のようになります。C_4のコンデンサを充電する場合には、大部分の電流がV_{DD}からR_1、VR_1、D_1を通って流れます。この場合の充電時間は$(R_1 + VR_1) \times C$で決まります。この場合$R_1 + VR_1$の抵抗値は小さいですから高速で充電完了します。つまりダイオードD_1がR_2をバイパスしてしまうので、大きな抵抗R_2の影響をなくすことができます。VR_1を可変抵抗とすることでこの充電時間を調整できます。

放電の場合はC_4からR_2を通ってICに流れ込みます。この場合の放電時間はR_2だけで決まり一定となります。

これで、R_2で18msecから19msec程度の時間を確保し、充電側の時間を0.9msecから2.1msec程度の可変とすれば、周期を20msec近辺とした上で、図8-1-1(c)のパルスとすることができます。

●図8-1-2　RCサーボ制御回路

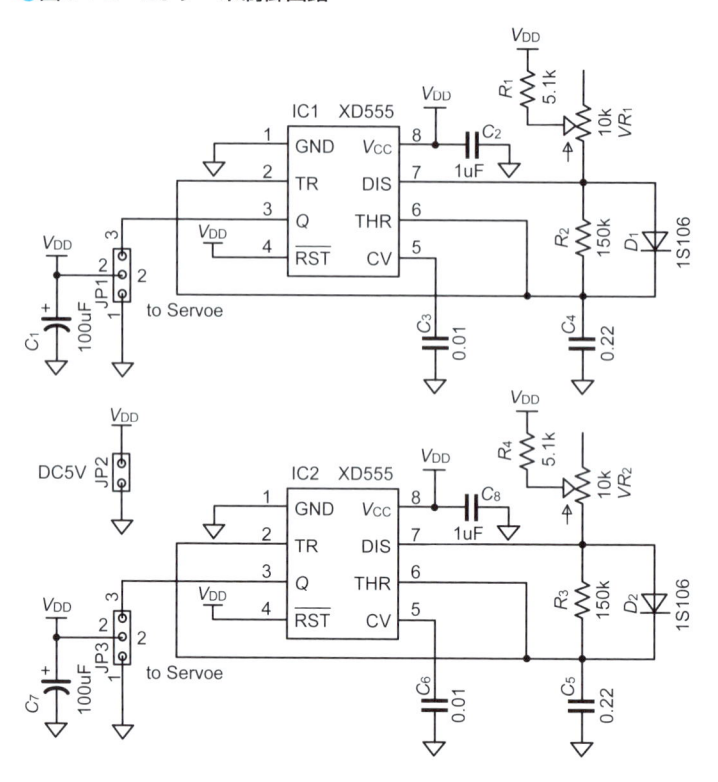

ダイオードD_1は順方向電圧ができるだけ小さいもののほうが、パルス幅をうまく制御できます。今回はショットキーバリアダイオードの中でも特に順方向電圧が小さいものを選択しました。

●図8-1-3　パルス生成部の動作

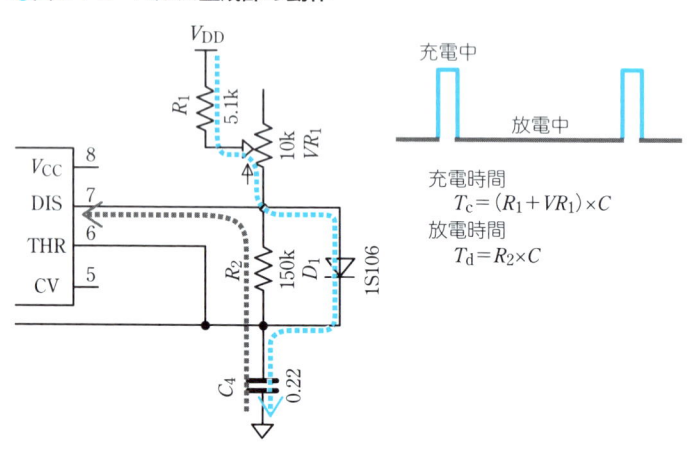

充電時間
$T_c = (R_1 + VR_1) \times C$
放電時間
$T_d = R_2 \times C$

264

この回路で実際に生成したパルスをAnalog Discovery3で観測した結果が図8-1-4となります。

図8-1-4(a)は可変抵抗が最小値の場合で、パルス幅が約0.8ms、周期が18msとなっています。図8-1-4(b)は可変抵抗が最大値の場合で、パルス幅が2.2ms、周期が19msでした。これで問題なくRCサーボが制御できます。

● 図8-1-4　生成した実際のパルス波形

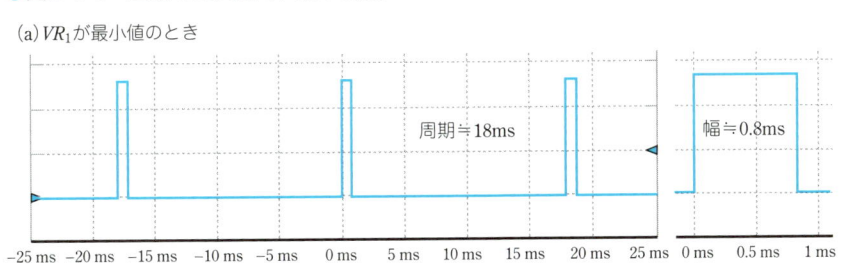

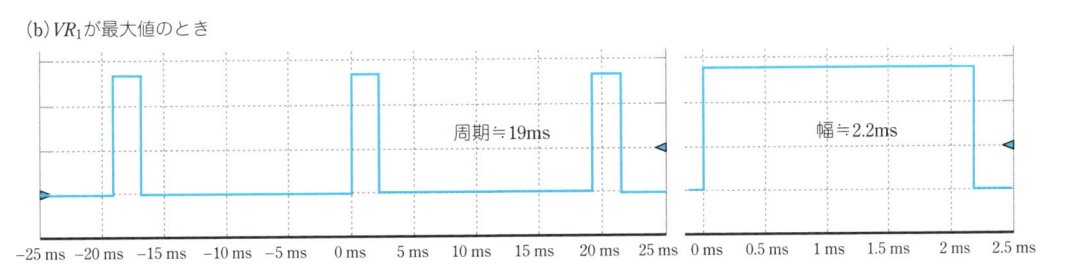

(a) VR_1 が最小値のとき

周期≒18ms　　幅≒0.8ms

(b) VR_1 が最大値のとき

周期≒19ms　　幅≒2.2ms

8-1-3　サーボコントローラの製作

このサーボコントローラの製作に必要な部品は表8-1-1となります。**今回はブレッドボードではなく、ブレッドボード互換のユニバーサル基板を使ってはんだ付けで製作しました。** 運搬したときの安定動作のためです。

ヘッダピンは40ピン1列のものを切断して使います。C_4、C_5 のフィルムコンデンサ*にはポリプロピレンフィルムコンデンサを使いました。このコンデンサの特性*が性能に直接影響します。C_1、C_7 のコンデンサでモータが動作するときの電源変動を抑制します。

表3-3-1参照。

温度特性や漏れ電流特性など。

▼表8-1-1　部品表

部品番号	品　名	型番・仕様	数量
IC1、IC2	タイマ	XD555	2
D_1、D_2	ダイオード	1S106	2
$VR1$、$VR2$	可変抵抗	10kΩ　B　パネル取り付け型	2
R_1、R_4	抵抗	5.1kΩ　1/4W	2
R_2、R_3	抵抗	150kΩ　2W	2
C_4、C_5	フィルムコンデンサ	0.22μF	2
C_2、C_8	積層セラミックコンデンサ	1uF　25V	2
C_3、C_6	積層セラミックコンデンサ	0.01μF　25V	2
C_1、C_7	電解コンデンサ	100μF　25V	2
JP1、JP3	ヘッダピン	2.5mmピッチ　3P	2
JP2	ヘッダピン	2.5mmピッチ　2P	1
BAT1	電池ボックス	単3型　4本用	1
	NiMH電池	ニッケル水素電池	4
	ブレッドボード互換基板	AZ0256	1
	ジャンパワイヤ	EIC-J-L	1

部品が集まったら組み立てます。組立図が図8-1-5となります。

●図8-1-5　組立図

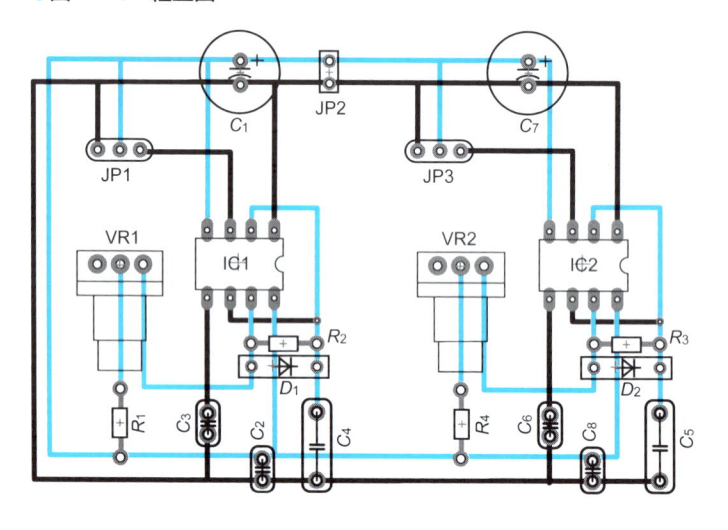

完成した基板が図8-1-6となります。

8-1 RCサーボコントローラの製作

●図8-1-6　完成したサーボコントローラ基板

8-1-4　動作確認

　可変抵抗とサーボモータを接続します。可変抵抗は3ピンのヘッダピンの両端の2ピンに接続します。向きによりサーボモータの動作が反対向きになります。サーボモータはGND側が茶色のケーブルなので、間違いないように接続して下さい。

　これで可変抵抗を回せばサーボモータが回転して指定した角度で停止します。あとは、2台のサーボで何を動かすかはアイデア次第です。

8-2 ステッピングモータコントローラの製作

モータの中にステッピングモータと呼ばれる一定の角度のステップで動作するモータがあります。多くは1.8度ごとのステップで動作し、コイルに電流を流す方法によってユニポーラ式とバイポーラ式があります。

本節では、制御の簡単なバイポーラ式のステッピングモータを、最もよく使われている2相励磁方式*で動かしてみます。製作完成した全体構成が写真8-2-1となります。モータの電源が12V用だったので、製作した実験用電源の10Vで動作確認しました。12VのACアダプタから直接接続でも問題ありません。

* 2つのコイルに電流を流して駆動する方法で、トルクが大きくなる。

●写真8-2-1　完成した全体構成

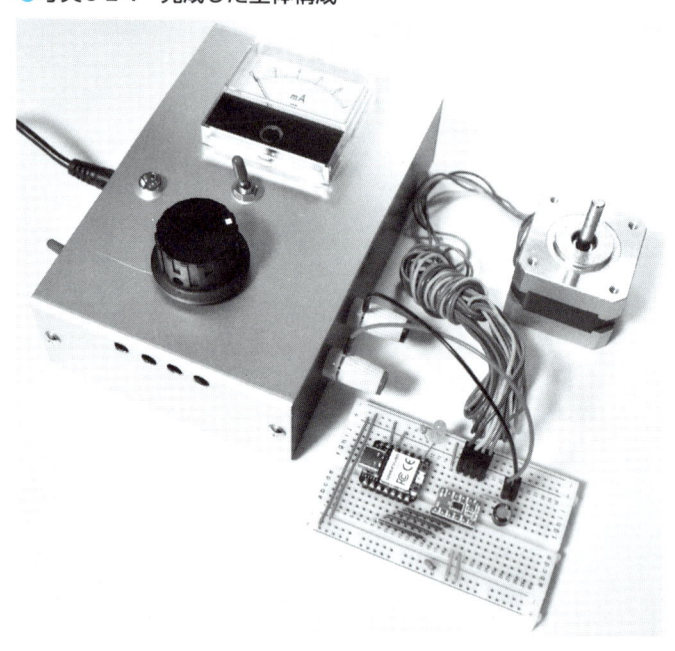

8-2-1　全体構成とモータ駆動方法

ステッピングモータを制御するシステムの全体構成は図8-2-1のようになります。

マイコンにはXIAO RP2040を使い、モータのドライバとしてDRV8835を基板に実装したモジュールを使いました。マイコンとドライバ間は4線のみです。

8-2 ステッピングモータコントローラの製作

● 図8-2-1 システム全体構成

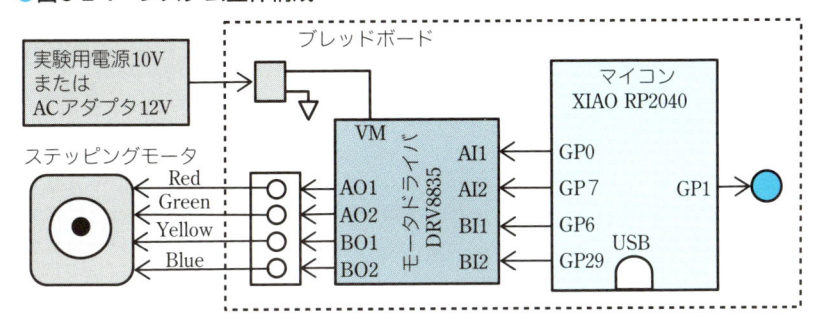

使ったステッピングモータの外観と仕様が図8-2-2となります。バイポーラ方式でコイルが単純な2つだけとなっています。ケーブルの先にヘッダピンソケットを接続しています。*

本来は圧着でピンを接続するが、はんだ付けでも大丈夫。

● 図8-2-2 ステッピングモータの外観と仕様

型番	：SM-42BYG011
ドライブ方式	：バイポーラ
ステップ角	：1.8度
定格電流	：0.33A
巻き線抵抗	：34Ω
インダクタンス	：46mH
保持トルク	：230mN·m
軸径	：5mm 丸
寸法	：42.3×42.3×34mm

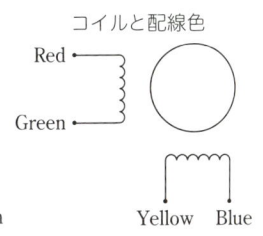

モータドライバの外観と仕様は図8-2-3となっています。

● 図8-2-3 モータドライバの外観と仕様

(a) 外観と仕様

型番	：AE-DRV8835-S
IC	：DRV8835（TI製）
電源	：2V〜7V
出力	：フルブリッジ構成×2
	：最大11V 1.5A
PWM	：最高250kHz
販売	：秋月電子通商

(b) ピン名称と機能

No	信号名	機能	No	信号名	機能
1	V_M	モータ電源	12	V_{CC}	ロジック電源
2	AOUT1	A出力1	11	MODE	モード設定
3	AOUT2	A出力2	10	AIN1	A入力1/APHASE
4	BOUT1	B出力1	9	AIN2	A入力2/AENABLE
5	BOUT2	B出力2	8	BIN1	B入力1/BPHASE
6	GND	グランド	7	BIN2	B入力2/BENABLE

(c) 動作モード

MODE＝0の場合				
xIN1	xIN2	xOUT1	xOUT2	動作
0	0	HiZ	HiZ	空転
0	1/PWM	L	H/PWM	逆転
1/PWM	0	H/PWM	L	正転
1	1	L	L	ブレーキ

MODE＝1の場合				
xENABLE	xPHASE	xOUT1	xOUT2	動作
0	X	L	L	ブレーキ
1	1	L	H	逆転
1	0	H	L	正転

(写真・図：秋月電子通商)

本体は中央に実装されている小さなICですが、パスコンなどを追加して基板に実装されているので、そのままブレッドボードに実装できます。モータ用電源とロジック用の電源が分離されているので、別々に供給する必要があります。動作モードは、本節ではMODEをV_{CC}に接続してMODE＝1として使います。

　MODE＝1の場合にステッピングモータを動作させるには、図8-2-4のようにAPHASEとBPHASEのオンオフを一定間隔で切り替えて制御します。AENABLE、BENABLE側はHighのままとします。この制御方法では①から④が1ステップになるので、1.8度の4倍の7.2度ステップで動作することになり、1回転が50ステップとなります。またAPHASEとBPHASEの順序を逆にすれば逆回転となります。

●図8-2-4　制御方法

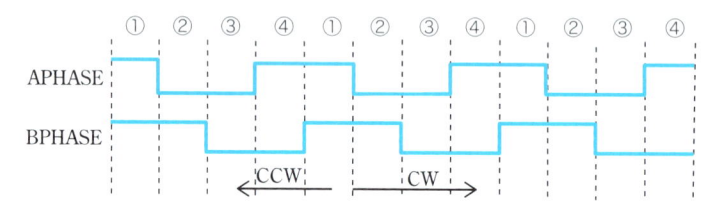

8-2-2　制御ボードの回路設計と組み立て

　全体構成を元に作成した回路図が図8-2-5となります。

●図8-2-5　回路図

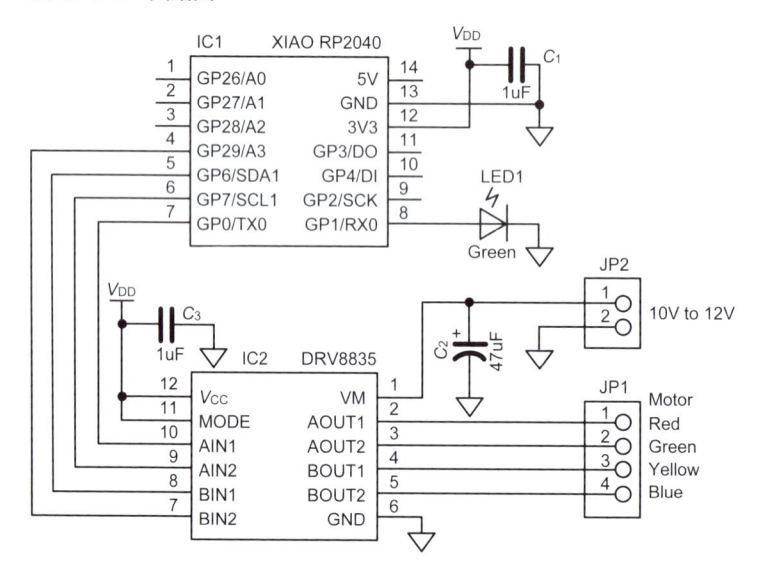

8-2 ステッピングモータコントローラの製作

マイコンとモータドライバだけの簡単な構成です。回転方向の目印用にLEDを1個追加しています。モータドライバのロジック用電源は、マイコンの3.3V出力を使っています。

必要な部品は表8-2-1となります。電源には4-3節で製作した実験用電源か、12V 1.2AのACアダプタを使います。

▼表8-2-1　部品表

部品番号	品名	型番・仕様	数量
IC1	マイコン	XIAO RP2040	1
IC2	モータドライバ	AE-DRV8835-S	1
LED1	LED	抵抗入り　5mm　5V緑	1
C_1、C_3	積層セラミック	1μF　25V	2
C_2	電解コンデンサ	47μF　25V	1
JP1	ヘッダピン	両端ロングピン　4ピン	1
JP2	ヘッダピン	両端ロングピン　2ピン	1
	ブレッドボード	EIC801	1
	ジャンパワイヤ	EIC-J-L	1

これをブレッドボードで組み立てます。組立図が図8-2-6となります。簡単なのですぐ組み立てられます。

●図8-2-6　組立図

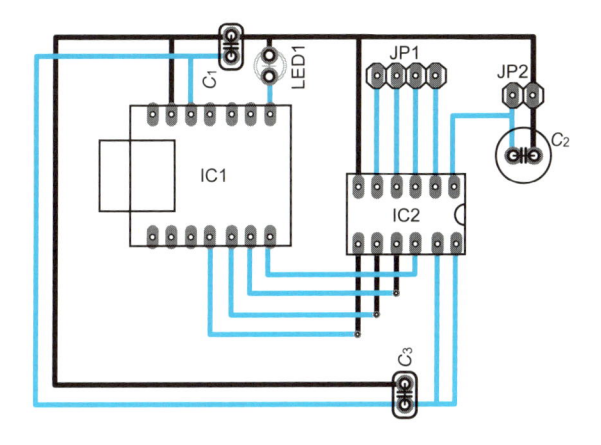

完成したブレッドボードが図8-2-7となります。

●図8-2-7　完成したブレッドボード

モータ接続用
モータ電源用
電源とGNDの
渡り配線

8-2-3　プログラムの製作

　ハードウェアが完成したら、マイコンのプログラムを製作します。こちらもMicroPythonで作成します。

　作成したプログラムがリスト8-2-1となります。入出力ピンの制御だけですから、簡単なプログラムとなります。モータ正転制御関数（CW）では図8-2-4の①から④に合わせてAPHASEとBPHASEのオンオフを一定間隔で出力します。逆転関数（CCW）ではAとBが入れ替わっているだけです。

　メインループでは、正転と逆転の関数を100回ずつ呼び出しています。これでモータは正転で2回転し、2秒待ってから逆転で2回転し、2秒待つということを繰り返します。

　interval変数を大きくすると一定間隔が長くなり、回転がゆっくりとなりますが、1ステップごとに停止するので音と振動がかなり大きくなります。

　1ステップの角度が決まっていて、1回転50ステップですから、角度を指定して回転させ停止させることもできます。

リスト 8-2-1　プログラム（StepperMotor.py）

```python
1   #*******************************
2   # パルスモータ駆動
3   #    DRV8835ドライバ＋XIAO RP2040
4   #*******************************
5   from machine import Pin
6   import utime
7
8   APHASE = Pin(0, Pin.OUT)        # Red
9   AENABLE = Pin(7, Pin.OUT)       # Green
10  BPHASE = Pin(6, Pin.OUT)        # Yellow
11  BENABLE= Pin(29, Pin.OUT)       # Blue
12  Green = Pin(1, Pin.OUT)
13  AENABLE.on()
14  BENABLE.on()
15  interval = 0.005                # モータパルス幅
16  #**** モータ正回転制御 *******
17  def CW():
18      Green.on()                  # 目印オン
19      APHASE.on()
20      utime.sleep(interval)
21      BPHASE.on()
22      utime.sleep(interval)
23      APHASE.off()
24      utime.sleep(interval)
25      BPHASE.off()
26      utime.sleep(interval)
27      Green.off()                 # 目印オフ
28  #**** モータ逆回転制御 *******
29  def CCW():
30      BPHASE.on()
31      utime.sleep(interval)
32      APHASE.on()
33      utime.sleep(interval)
34      BPHASE.off()
35      utime.sleep(interval)
36      APHASE.off()
37      utime.sleep(interval)
38  #******* メインループ *********************
39  while True:
40      for i in range(100):        # 2回転繰り返し
41          CW()
42      utime.sleep(2)
43      for i in range(100):        # 2回転繰り返し
44          CCW()
45      utime.sleep(2)
```

8-3 赤外線リモコンカーの製作

DCモータを使った製作例としてリモコンカーを製作してみます。赤外線通信でリモコンできるようにしました。マイコンを使って赤外線通信と、モータのPWM制御*による速度制御をします。完成したリモコンカーが写真8-3-1となります。

PWM
Pulse Width Modulationの略。周期一定でオンの時間比率を可変することで平均電流を可変する方式。

●写真8-3-1　リモコンカーの外観

8-3-1 全体構成

リモコンカーの全体構成は図8-3-1のようにしました。マイコンはXIAO RP2040を使い、それに赤外線受光モジュールとモータドライバモジュールを接続しています。モータドライバには小型で2個のモータを駆動できるモジュール基板を使いました。

電源は当初はモータ用とマイコン用と分けていたのですが、一緒にしても問題ないことがわかったので、ジャンパ線で接続してニッケル水素電池4本から全体に供給しています。

8-3 赤外線リモコンカーの製作

●図 8-3-1　全体構成

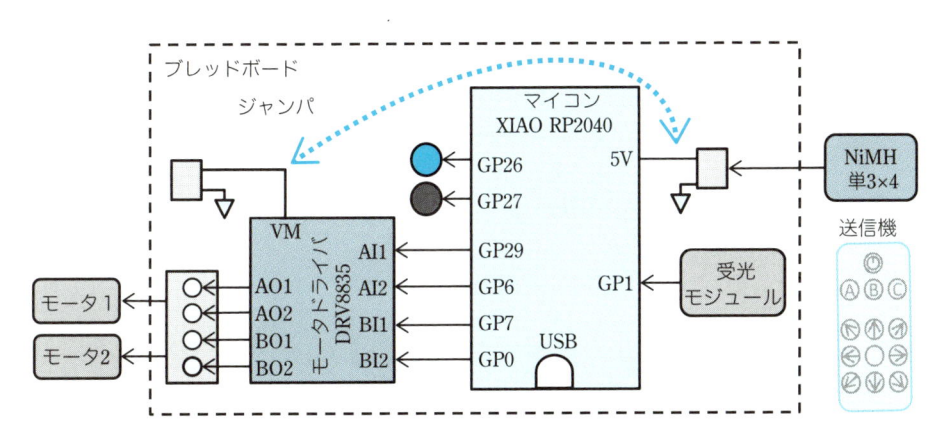

使ったモータドライバは 8-2 節で使ったものと同じものですが、本節では図 8-3-2 のように MODE ピンを GND に接続して MODE＝0 として使います。さらに High 側に PWM 信号を入力して回転数制御を行います。

●図 8-3-2　モータドライバの外観と仕様

(a) 外観と仕様

型番　：AE-DRV8835-S
IC　　：DRV8835（TI製）
電源　：2V〜7V
出力　：フルブリッジ構成×2
　　　　：最大 11V　1.5A
PWM　：最高 250kHz
販売　：秋月電子通商

(b) ピン名称と機能

No	信号名	機能	No	信号名	機能
1	V_M	モータ電源	12	V_{CC}	ロジック電源
2	AOUT1	A出力1	11	MODE	モード設定
3	AOUT2	A出力2	10	AIN1	A入力1/APHASE
4	BOUT1	B出力1	9	AIN2	A入力2/AENABLE
5	BOUT2	B出力2	8	BIN1	B入力1/BPHASE
6	GND	グランド	7	BIN2	B入力2/BENABLE

(c) 動作モード

MODE＝0の場合				
xIN1	xIN2	xOUT1	xOUT2	動作
0	0	HiZ	HiZ	空転
0	1/PWM	L	H/PWM	逆転
1/PWM	0	H/PWM	L	正転
1	1	L	L	ブレーキ

MODE＝1の場合			
xENABLE	xPHASE	xOUT1	xOUT2	動作
X	0	L	L	ブレーキ
1	1	L	H	逆転
1	0	H	L	正転

（写真：秋月電子通商）

　このモータドライバの**フルブリッジ構成**というのがどういう動作かを説明します。
　フルブリッジの基本的な構成は図 8-3-3 のように、4 個の MOSFET トランジスタで構成されています。ここで図 8-3-3(a) のように Q_1 と Q_4 がオンになると、DC モータ (M) に左から右に電流が流れて正転（または逆転）します。また図 8-3-3(b) のように Q_2 と Q_3 がオンになると、モータには右から左の逆方向に流れますから、DC モータは逆転（または正転）することになります。

図8-3-3(c)のようにQ_3とQ_4をオンにすると、モータをショートすることになり、モータをブレーキ停止させることになります。すべてがオフの場合には空転となり停止します。

　使ったモータドライバモジュールには、このようなフルブリッジが2組実装されていますから、DCモータを2個制御することができます。

● 図8-3-3　フルブリッジの動作

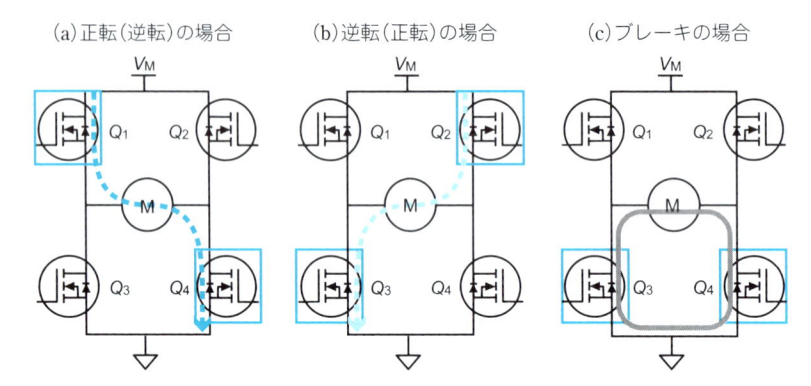

(a) 正転(逆転)の場合　　(b) 逆転(正転)の場合　　(c) ブレーキの場合

　DCモータの回転数を連続的に制御するため、このフルブリッジでPWM制御を使います。

　PWM制御では図8-3-4のように周期は一定で、オンの時間を可変します。オンの間にモータに電流が流れるものとし、周期をモータが追従できる周期より高速な周期*とすれば、モータに流れる電流は全体の平均値となります。これで、オンの時間比であるデューティ比により平均電流を連続的に可変することができます。

　図8-3-3(a)のQ_4、図8-3-3(b)のQ_3をPWM制御すると、DCモータは電流に比例して回転数が変化するので、連続的に回転数を制御できます。ほとんどのマイコンにPWM信号を生成する周辺モジュールが内蔵されていて、設定だけで周期やデューティを可変できるようになっています。

*通常は数kHz以上の周波数を使う。

● 図8-3-4　PWM制御

(a) デューティ比小 → 平均電流大

デューティ比 = オン時間 / 周期

(b) デューティ比大 → 平均電流大

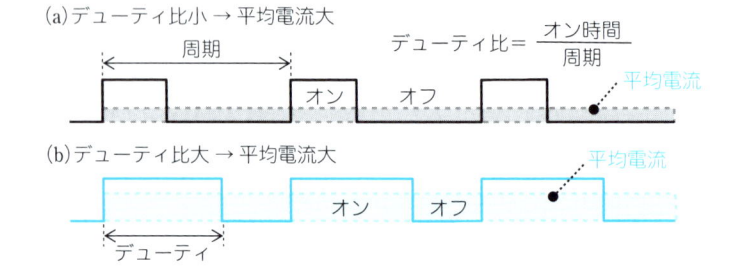

8-3-2 車体の構成

車として組み立てるためにシャーシとなる躯体が必要です。今回使ったのは、JETBOT CHASSIS KIT V2 というキットで、もともとはJETSONというコンピュータを組み込んで使う車体となっています。キットにはTTモータ*と車輪も含まれているのでそのまま使えます。

このキットを使って図8-3-5のように低めの車体に構成変更*して使いました。頑丈な部品で構成されているので、安心して使えます。

電池ボックスとブレッドボードを上面パネルに実装しました。電池ボックスはねじ止めで、ブレッドボードは両面接着テープで固定しています。もともと多くの穴があけられているので、ケーブルも簡単に通せます。

> **TTモータ**
> ギヤを組み込んだDCモータ。ギヤードモータともいう。

> 35mmのスペーサを追加している。

●図8-3-5 躯体の構成

付属のTTモータと車輪

追加したスペーサ

このキットに付属しているTTモータの仕様は図8-3-6のようになっています。電源電圧が4.5Vで最大で0.25Aですから、今回使ったモータドライバで十分駆動できます。付属ケーブルにはオスのヘッダピンが接続されているので、そのままブレッドボードに挿入できます。

●図8-3-6 TTモータの外観と仕様

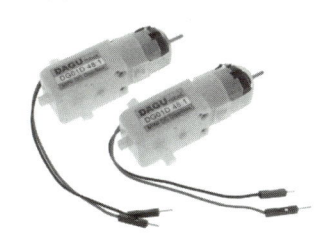

型番　　：DG01D 48：1
定格電圧：4.5V
無負荷時
　回転数：90±10rpm
　電流　：0.19A　Max 0.25A
　トルク：0.8kg・cm
ギヤ比　：1：48
リード線付き

（写真：digikey）

8-3-3　回路設計と組み立て

　全体構成とモータドライブの仕様から制御部となる回路を図8-3-7のように構成しました。赤外線受光モジュールの電源には簡単なノイズフィルタを追加しています。電源コネクタが2つありますが、結局両方を同じ電源から供給しても問題なかった[*]ので、1個でも大丈夫です。

> モータノイズによるマイコンの誤動作を気にしたので、当初は別電源を考えていた。

●図8-3-7　回路図

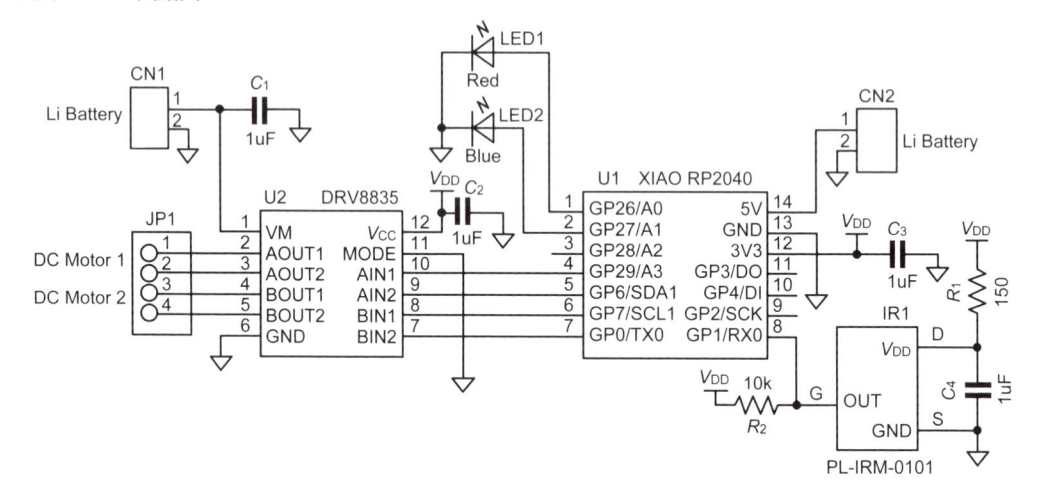

▼表8-3-1　部品表

部品番号	品名	型番・仕様	数量
U1	マイコン	XIAO RP2040	1
U2	モータドライバ	AE-DRV8835-S	1
IR1	赤外線受光モジュール	PL-IRM0101	1
LED1	LED	抵抗入り　5mm　5V 赤	1
LED2	LED	抵抗入り　5mm　5V 青	1
R_1	抵抗	150Ω　1/4W	1
R_2	抵抗	10kΩ　1/4W	1
C_1、C_2、C_3、C_4	積層セラミック	1μF　25V	4
CN1、CN2	コネクタ	B2B-XH-A (LF)(SN)　2P	2
JP1	ジャンパ	両端ロングピン　4ピン	1
BAT1	電池ボックス	単3型　4本用	1
	NiMH電池	ニッケル水素電池	4
	ブレッドボード	EIC801	1
	ジャンパワイヤ	EIC-J-L	1

必要な部品は表8-3-1となります。

8-3 赤外線リモコンカーの製作

部品番号	品　名	型番・仕様	数量
	リモコン送信機	OE13KIR	
	シャーシ	JETBOT CHASSIS V2	1
	スペーサ	金属スペーサ　35mm	4

　部品が揃ったら組み立てます。ブレッドボードの組立図が図8-3-8となります。

● 図8-3-8　組立図

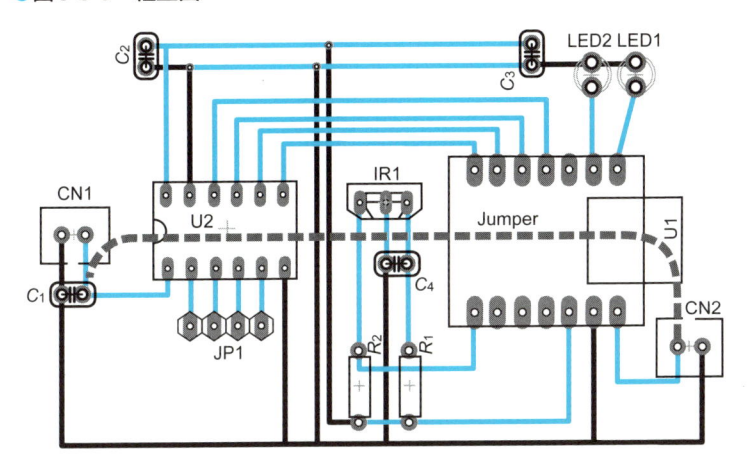

　完成したブレッドボードが図8-3-9となります。モータ接続線はヘッダソケットになっているので、4個まとめて結束バンドでしばりつけて固定しています。受光モジュールは上向きにしています。このほうが送信機の向きに関係なく受信できます。

● 図8-3-9　完成したブレッドボード

8-3-4 プログラムの製作

ハードウェアが完成したらマイコンのプログラムを製作します。全体のプログラムフローが図8-3-10となります。モータ制御関数としてForward、Backward、Stop、SetSpeedの4つの関数を用意しておき、赤外線受信で受信したボタン名に応じて、それぞれモータ制御関数を呼び出しています。

●図8-3-10　プログラムフロー図

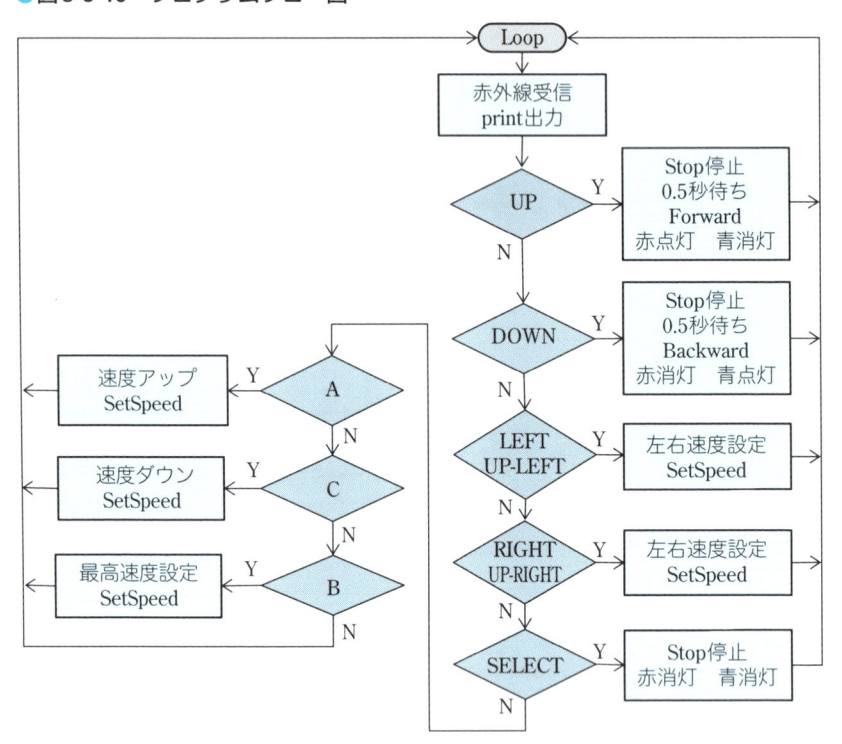

この製作例ではXIAO RP2040の内蔵PWMモジュールを使いますが、MicroPythonでPWMモジュールを使うときの手順は次のようにします。

❶ **PWMモジュールのインポート**
```
from machine import Pin, PWM
```
❷ **インスタンスの生成**
```
Name = PWM(Pin(0), freq=2000, ,duty_u16=32768)
```
　　Nameは任意名称

❸ 制御メソッド

```
Name.freq()              #Nameモジュールの周期を取得
Name.freq(1000)          #Nameモジュールの周期を設定
Name.duty_u16()          #Nameモジュールのデューティを取得
Name.duty_u16(200)       #Nameモジュールのデューティを設定
Name.duty_u16(0)         #Nameモジュールの出力停止
Name.deinit()            #NameモジュールのPWM無効化
```

> 2の16乗。16ビットでカウントできる最高値。

ここでインスタンスの生成で、周波数とデューティ分解能の最高値を指定します。デューティとして設定できる最高値は常に65535[*]とすることができます。

> ライブラリの使い方は5-4節を参照。

作成したプログラムの宣言部がリスト8-3-1となります。最初で必要なライブラリをインポートしています。赤外線受信処理もライブラリ[*]となっています。続いてインスタンスの生成で、UART、LED、赤外線受信、4個のモータ制御用PWMを定義しています。周波数を10kHzとしました。デューティ分解能を記述しない場合は自動的に65535となります。

リスト 8-3-1 宣言部（IRCAR4.py）

```
1   #*****************************************
2   #   赤外線リモコンカー制御プログラム
3   #        IRCAR4.py
4   #*****************************************
5   from machine import Pin, PWM, UART
6   import time
7   from ir_rcv import IR_RCV
8
9   #******* 赤外線受信ライブラリ *************************
10  #GPIO設定
11  UART0=UART(0, 115200)
12  Red = Pin(26, Pin.OUT)
13  Blue = Pin(27, Pin.OUT)
14  RCV = IR_RCV(1)                   # インスタンス定義
15  # PWMインスタンス生成
16  MA1PWM = PWM(Pin(29), freq=10000)
17  MA2PWM = PWM(Pin(6), freq=10000)
18  MB1PWM = PWM(Pin(7), freq=10000)
19  MB2PWM = PWM(Pin(0), freq=10000)
20  #グローバル変数定義
21  Direction = 0                     # 進行方向
22  Duty1 = 50000                     # 左モータ速度
23  Duty2 = 50000                     # 右モータ速度
```

次がモータ制御用関数部でリスト8-3-2となります。ここは図8-3-2の動作モードに従って出力を制御しています。Lowの出力とする代わりにPWMのデューティを0としています。速度はDuty1とDuty2の変数で設定するようにしています。

Direction変数で現在状態を保持し、SetSpeed関数で速度変更後の動作を決めています。

リスト　8-3-2　モータ制御関数部

```
25  #**** モータ制御関数 ******
26  def Backward(duty1, duty2):    #後進
27      MA2PWM.duty_u16(0)
28      MA1PWM.duty_u16(duty1)
29      MB2PWM.duty_u16(0)
30      MB1PWM.duty_u16(duty2)
31      Direction = 1
32  def Forward(duty1, duty2):     #前進
33      MA1PWM.duty_u16(0)
34      MA2PWM.duty_u16(duty1)
35      MB1PWM.duty_u16(0)
36      MB2PWM.duty_u16(duty2)
37      Direction = 0
38  def Stop():                    #停止
39      MA1PWM.duty_u16(0)
40      MA2PWM.duty_u16(0)
41      MB1PWM.duty_u16(0)
42      MB2PWM.duty_u16(0)
43      Direction = 2
44  def SetSpeed(duty1, duty2):    #速度変更
45      global Direction
46      if Direction == 0:
47          Forward(duty1, duty2)
48      elif Direction == 1:
49          Backward(duty1, duty2)
```

メインループ部がリスト8-3-3となります。最初に赤外線受信関数を実行してボタン名を取得し、それをThonnyのシェルに出力[*]しています。

あとはボタン名ごとに処理をしていますが、前進、後進の場合、いきなり切り替えると車体が暴れるので0.5秒間の停止を入れています。左右の旋回は固定の速度で左右のモータ速度を異なる値としています。

速度変更はDuty1とDuty2の値を500ずつアップ、ダウンさせてからSetSpeed関数を呼び出しています。Bボタンの場合は最高速度とします。

[*] デバッグ用。

リスト　8-3-3　メインループ

```
51  #********** メインループ ******************
52  Stop()
53  while True:
54      name = RCV.find_name()    # IR受信
55      print(name)               # ボタン名称出力
57      if name == "UP":          # 前進
58          Stop()
59          Direction = 0
60          time.sleep(0.5)
61          Forward(Duty1, Duty2)
62          Red.value(1)
```

8-3 赤外線リモコンカーの製作

```
63          Blue.value(0)
64      elif name == "DOWN":         # 後進
65          Stop()
66          Direction = 1
67          time.sleep(0.5)
68          Backward(Duty1, Duty2)
69          Red.value(0)
70          Blue.value(1)
71      elif name == "LEFT" or name == "UP-LEFT":
72          SetSpeed(60000, 50000)
73      elif name == "RIGHT" or name == "UP-RIGHT":
74          SetSpeed(50000, 60000)
75      elif name == "SELECT":
76          Stop()
77          Red.value(0)
78          Blue.value(0)
79      elif name == "A":             # 速度変更
80          if Duty1 < 65000 or Duty2 < 65000:
81              Duty1 += 500
82              Duty2 += 500
83          SetSpeed(Duty1, Duty2)
84      elif name == "C":             # 速度変更
85          if Duty1 > 30000 and Duty2 > 30000:
86              Duty1 -= 500
87              Duty2 -= 500
88          SetSpeed(Duty1, Duty2)
89      elif name == "B":             # 最高速度
90          SetSpeed(65000, 65000)
```

以上でプログラムの製作も完了です。

このプログラムの名前をmain.pyにして実機にアップロード[*]してから、USB接続を切り離します。このあと、電池を接続してXIAO RP2040のリセットスイッチを押せば動作を開始します。リモコン送信機で操作すれば動かすことができます。

アップロード方法は付録を参照。

第9章
センサデータを記録したい

9-1 PCにUSBシリアルで送信

Raspberry Pi Pico WのUSBを使って送信する。

本章では、パソコンにデータを保存してみます。マイコンボードのRaspberry Pi Pico Wにセンサを接続したボードを「IoT Board」と呼ぶことにし、センサデータをUSBシリアル通信[*]でパソコンに送信し、ファイルとして保存することにします。完成したIoT Boardの外観が写真9-1-1となります。

●写真9-1-1 完成したIoT Board

9-1-1 IoT Boardの製作

IoT Boardの全体構成は図9-1-1のようにすることにし、ブレッドボードで製作します。Raspberry Pi Pico Wには、3個のLED、2個のスイッチ、BME280という複合センサを周辺デバイスとして接続します。それ以外はリセットスイッチと電源ランプ用のLEDとなります。

TeraTerm
フリーの通信ソフトで、COMポートを使って送受信ができる。

パソコン側はTeraTerm[*]というフリーの通信ソフトを使います。これで受信したデータをログファイルとして保存します。

9-1 PCにUSBシリアルで送信

● 図9-1-1　IoT Boardの全体構成

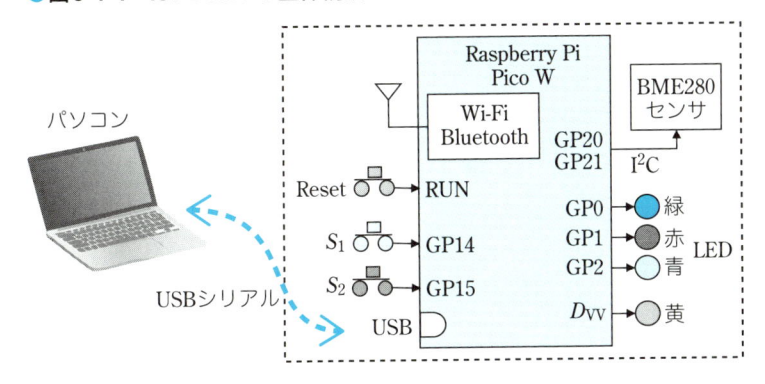

使ったセンサはボッシュ社製の有名な複合センサで、基板に実装して市販されているものが図9-1-2のような外観と仕様となっています。I²CとSPI両方に対応しています。気圧、温度、湿度が計測できるセンサで、それほど高精度ではないのですが、3つのデータを1個のセンサで計測できるので便利です。

● 図9-1-2　BME280の外観と仕様

ボッシュ社製
型番：BME280
I/F：I2C または SPI
温度：−40℃～85℃ ±1℃
湿度：0～100% ±3%
気圧：300～1100hPa±1hPa
電源：1.7V～3.6V
補正演算が必要
（秋月電子通商にて基板化したもの AE-BME280）

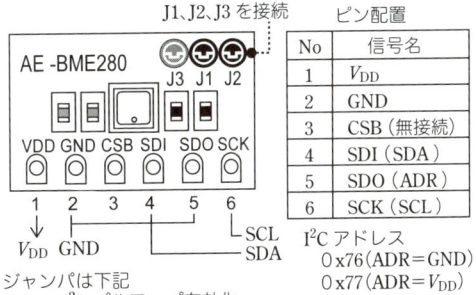

J1、J2、J3 を接続

ピン配置

No	信号名
1	V_{DD}
2	GND
3	CSB（無接続）
4	SDI（SDA）
5	SDO（ADR）
6	SCK（SCL）

I²C アドレス
0x76（ADR=GND）
0x77（ADR=V_{DD}）

ジャンパは下記
J1, J2：I²C プルアップ有効化
J3：I2C（接続）と SPI（開放）切り替え

（写真・図：秋月電子通商）

このセンサは計測ごとに較正演算が必要で、結構複雑な処理が必要です。しかし、MicroPython用のライブラリがあるので、使うのは簡単です。気圧と温湿度は高速で計測する必要がないので、多くの場合I²C通信で使われます。

全体構成を元に作成したIoT Boardの回路図が図9-1-3となります。LEDは抵抗内蔵タイプを使って直接GPIOピンに接続しています。

BME280接続用のI²Cラインに必要なプルアップ抵抗は、センサ内蔵のプルアップ抵抗を有効*にして省略しています。

電源はRaspberry Pi Pico Wから出力されている3.3Vをそのまま使い、LED4を接続して電源ランプとしています。またC_1、C_2のコンデンサをパスコン*としています。

> センサ基板のジャンパを接続する必要がある。
>
> **パスコン**
> バイパスコンデンサとも呼ばれ、電源を安定化する機能を果たす。

● **図9-1-3　IoT Boardの回路図**

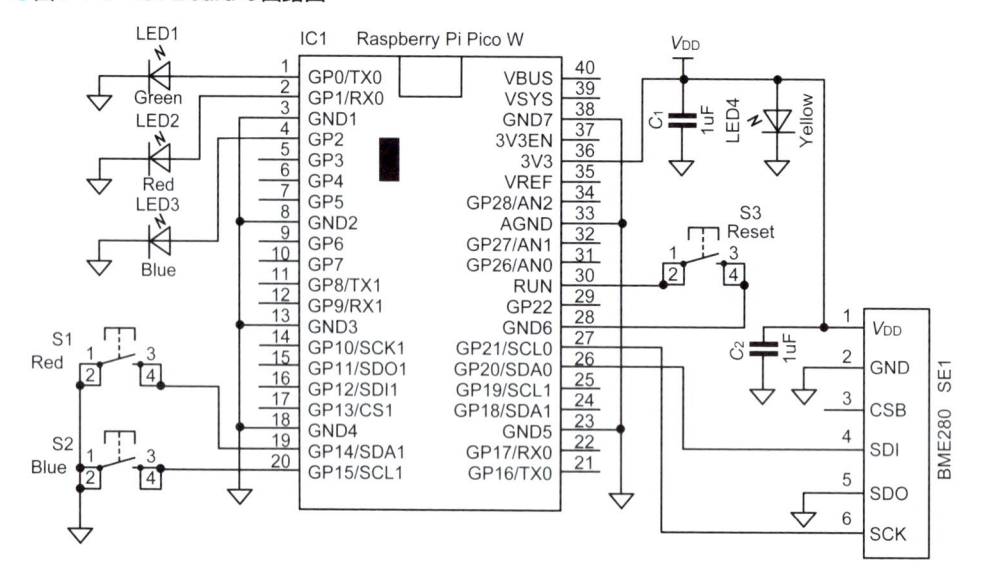

IoT Boardの組み立てに必要な部品は表9-1-1となります。

▼**表9-1-1　部品表**

部品番号	品　名	型番・仕様	数量
IC1	マイコン	Raspberry Pi Pico W	1
SE1	センサ	AE-ME280	1
LED1、LED2、LED3、LED4	LED	抵抗入りLED 5V 緑、赤、青、黄	各1
C_1、C_2	積層セラミック	1μF　25V	2
S1、S2、S3	タクトスイッチ	基板用　赤、青、黄	各1
ブレッドボード		EIC102J	1
ジャンパワイヤ		EIC-J-L	1

　回路図を元に作成したIoT Boardの組立図が図9-1-4となります。ほぼ電源とGNDとI^2Cのラインだけですから簡単です。

● 図9-1-4　IoT Boardの組立図

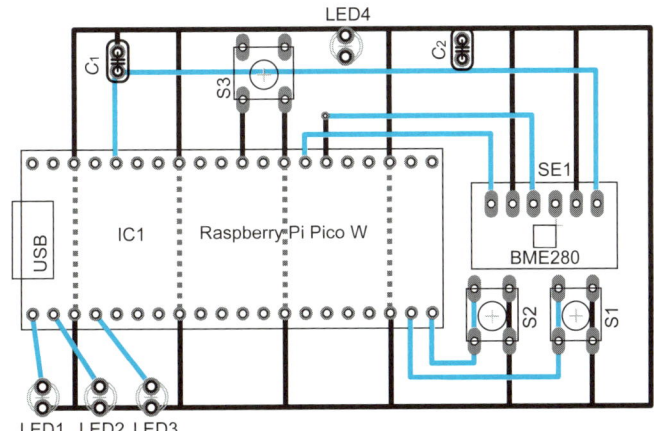

完成したブレッドボードが図9-1-5となります。ブレッドボードの右端にある長めの配線は、上下にある青のGNDのラインの接続用です。電源は、片側しか使っていないので省略しています。

　LEDはリード線を適当に曲げてブレッドボードのPicoのGPIOピンとGND間に挿入します。**LEDには極性があるので注意して下さい**。リード線の長いほう（アノード）をPico側に接続し、短いほう（カソード）をGNDに接続します。

　リセットスイッチは、タクトスイッチの片側の足を延ばしてブレッドボードに挿入し、反対側の足は水平に伸ばしてどこにも接続しません。ちょうどGNDピンとRUNピンがスイッチ*の間隔に合っているので、直接挿入できます。

スイッチを押すとRUNピンがGNDに接続される。

● 図9-1-5　完成したブレッドボード

以上でIoT Boardは完成です。使う場合にはRaspberry Pi Pico WのUSBコネクタをPCと接続します。これで電源も供給され、LED4の黄色のLEDが点灯します。

9-1-2　プログラムの製作

ハードウェアが完成したら次はプログラムの製作です。MicroPythonを使ってプログラミングします。Raspberry Pi Pico WをMicroPythonで使えるようにするための準備については、付録を参照して下さい。

プログラム全体フローを図9-1-6のようにしました。10秒周期でセンサからデータを取得してパソコンに送信します。

●図9-1-6　プログラム全体フロー図

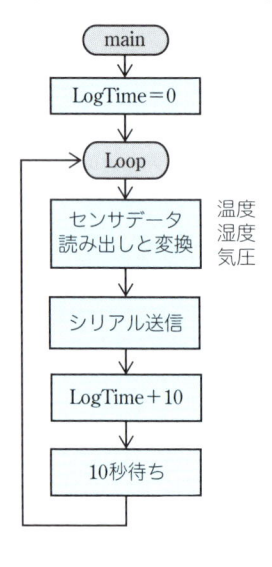

```
main
  ↓
LogTime＝0
  ↓
┌→Loop
│   ↓
│ センサデータ      温度
│ 読み出しと変換    湿度
│   ↓              気圧
│ シリアル送信
│   ↓
│ LogTime＋10
│   ↓
│ 10秒待ち
└───┘
```

BME280センサを使うためライブラリのダウンロードが必要になります。I^2Cもライブラリが必要ですが、標準で組み込まれているのでインポートするだけで使えます。

❶ BME280のライブラリのインストール

BME280のMicroPython用のライブラリはいくつかあります。「micropython-bme280」で検索すると、図9-1-7のように見つかりますから、これを選択して[Install]ボタンをクリックしてインストールします。

●図9-1-7　BME280用ライブラリのインストール

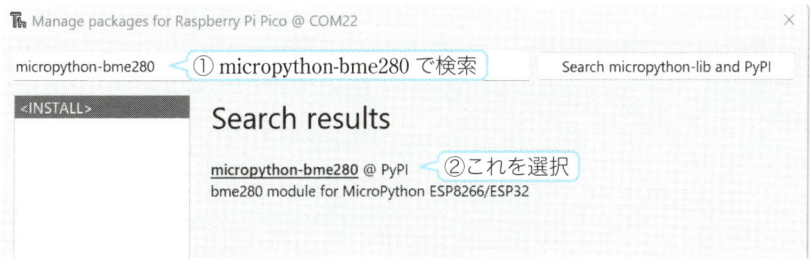

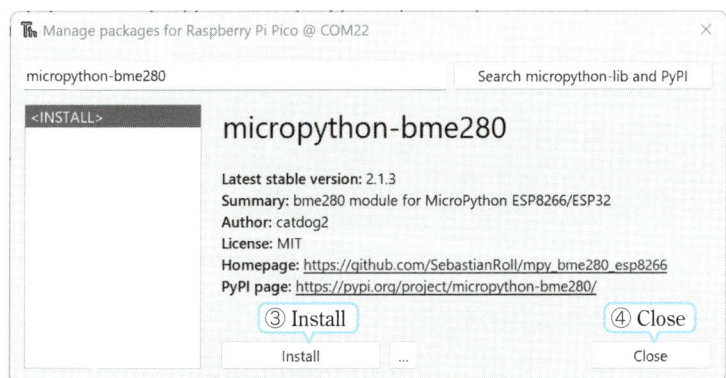

2 ライブラリの使い方

ライブラリの使い方は次のようにします。

❶ ライブラリのインポート

インポートはI^2Cライブラリと一緒にします。

```
from machine import Pin, I2C
import bme280
```

❷ インスタンスの生成

こちらもI^2C0とBME280の両方のインスタンスの生成が必要です。**大文字と小文字で区別されているので注意して下さい。**

```
i2c = I2C(0, sda=Pin(20), scl=Pin(21), freq=100000)
bme = bme280.BME280(i2c=i2c)
```

I^2Cの記述の「0」は、2つあるI^2Cモジュールのどちらかを指定するもので、0か1を指定します。sdaとsclはそれぞれI^2C用のラインを接続するピン番号を指定します。freqはI^2Cの周波数で、標準は100kHz、400kHz、1MHzとなります。

IoT BoardではGP20とGP21ピンのI^2C0を使っているので、上記の記述となります。

❸データの取り出し

　BME280ライブラリにはデータを取得するメソッドとして次のような2種が用意されています。ライブラリを使うとI²Cに関する処理はすべてライブラリの中で実行されるので、直接I²Cのメソッドを使うことはありません。

　　bme.values()：補正後の3データを単位付き一括で取得するメソッド。
　　　　　　　　　タプル形式のデータとして取得できる。
　　　　　　　　（例）('28.17C', '1002.13hPa', '57.90%')
　　bme.read_compensated_data()：補正前のデータを取得するメソッド。
　　　　　　　　　整数の配列として取得できる。
　　　　　　　　（例）array('i', [2829, 25646110, 57353])
　　　　　　　　　　この場合の補正変換は、次のように固定値で割り算するだけ。
　　　　　　　　　　temp = bme.read_compensated_data()[0]/100
　　　　　　　　　　pres = bme.read_compensated_data()[1]/25600
　　　　　　　　　　humi = bme.read_compensated_data()[2]/1024

3 print文の使い方

　USBシリアルでパソコンに送信するためにprint文を使います。Thonnyを使うとシェル欄にprint文でメッセージを出力することができます。デバッグにも使えますし、目印やデータの確認にも使えます。
　MicroPythonでのprint文の文法は次のようになっています。

❶単純な文字列の出力
　　print("Hello, World")　　　　→「Hello, World」と出力
❷変数の出力
　　x=10
　　print(x)　　　　　　　　　　→「10」と出力
❸文字列と複数の引数の出力
　　x=10
　　y=25
　　print("The values are", x, "and", y)
　　　　　　　　　　　　　　　　→「The values are 10 and 25」と出力
❹ sep引数で区切り文字追加
　　print("Apple", "Banana", "Cherry", sep=":")
　　　　　　　　　　　　　　　　→「Apple : Banana : Cherry」と出力
❺end引数で改行削除（print文はデフォルトでは改行する）
　　Print("Hello, ", end="")
　　print("World")　　　　　　　→「Hello World」と出力

292

9-1 PCにUSBシリアルで送信

❻ **format構文を使う**

```
x=123
y=456
print("X={0}, Y={1}".format(x, y))
                    →「X=123, Y=456」と出力
```

❼ **format構文で書式指定を使う**

```
x=21.45
y=45.68
print("温度={0:2.1f}℃　湿度={1:2.1f}%RH".format(x, y))
                    →「温度=21.4℃　湿度=45.6%RH」と出力される
```

formatの書式指定方法は図9-1-8のようにします。インデックス番号は、データを順番に出力する場合には省略できます。

● **図9-1-8　format関数の書式指定方法**

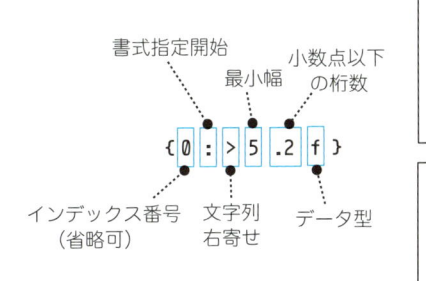

書式指定開始／最小幅／小数点以下の桁数
`{ 0 : > 5 . 2 f }`
インデックス番号（省略可）／文字列右寄せ／データ型

文字列寄せ
- `>` 右寄せ
- `*>` 先頭に不足分を*で埋める（文字任意）
- デフォルトは左寄せ

最小幅
小数点以下を含めた全体の桁数指定
多い場合は先頭にスペース追加
`{:8.2f} 123.56 → ␣␣123.56`
最小幅に0を付けるとゼロパディング
`{:05d} 123 → 00123`

小数点以下の桁数
桁数不足の場合は削られる
`{:.1f} 0.01 → 0.0`
桁数が多い場合は0を追加
`{:.4f} 0.01 → 0.0100`

データ型
- s　文字列
- d　整数（10進数）
- f　浮動小数
- e　浮動小数（指数表記）

以上の条件で作成したプログラムがリスト9-1-1となります。これで全部のリストになります。センサデータは整数値で取得できるread.compensated関数を使います。読み出しと同時に実際の値に変換し、あとはprint文でCSV形式*のデータとして送信します。ログ時間を10秒単位の整数値として追加しています。

CSV
Comma Separated Value

リスト　9-1-1　プログラム（PCLog.py）

```
1   #************************************
2   #　パソコンにデータログ
3   #　　print文で送信する
4   #　　　PCLog.py
5   #************************************
6   from machine import Pin, I2C
7   import bme280
8   import time
9
10  #インスタンスの生成
```

```
11    i2c = I2C(0, sda=Pin(20), scl=Pin(21), freq=100000)
12    bme = bme280.BME280(i2c=i2c)
13
14    #**** メインループ ***********
15    LogTime = 0;
16    while True:
17        #センサデータ読み出し、実際の値に変換
18        temp = bme.read_compensated_data()[0]/100
19        pres = bme.read_compensated_data()[1]/25600
20        humi = bme.read_compensated_data()[2]/1024
21        #シリアルで出力
22        print("{:5d},{:2.1f},{:2.1f},{:4.0f}".format(LogTime, temp, humi, pres))
23        LogTime += 10;
24        time.sleep(10)
```

このまま実行してもThonnyのシェルに出力されるだけなので、ファイル保存できません。そこで、このプログラム名を「main.py」に変更してアップロード*します。これで単体として動作しますから、パソコン側でThonnyを終了させてからTeraTermを起動し、Raspberry Pi Pico Wが接続されているCOMポートを選択します。

> アップロードの仕方は付録参照。

これでTeraTermにデータが表示されますから、TeraTermのメニューから、[ファイル]→[ログ]としてログを有効化します。これにより「teraterm.log」というファイル名でパソコンの指定フォルダに保存されます。

このログには送信したデータが記録されるので、センサデータをファイルとして保存したことになります。

さらにteraterm.logの拡張子をcsvに変換してから、ファイルをダブルクリックしてExcelで開けば、グラフ作成なども自由にできます。

実際にログとして記録されたファイルの例が図9-1-9となります。

● 図9-1-9　実際のデータ例

```
COM4:9600baud - Tera Term          teraterm.log
ファイル(F) 編集(E) 設定(S) コ      ファイル   編集    表示
  0,17.5,38.5,1011
 10,17.5,38.4,1011
 20,17.5,38.4,1011              20,17.5,38.4,1011
 30,17.5,38.4,1011              30,17.5,38.4,1011
 40,17.5,38.5,1011              40,17.5,38.5,1011
 50,17.5,38.3,1011              50,17.5,38.3,1011
 60,17.5,38.3,1011              60,17.5,38.3,1011
 70,17.5,38.1,1011              70,17.5,38.1,1011
 80,17.5,38.4,1011              80,17.5,38.4,1011
 90,17.5,38.3,1011              90,17.5,38.3,1011
100,17.5,38.3,1011             100,17.5,38.3,1011
110,17.5,38.3,1012             110,17.5,38.3,1012
120,17.5,38.3,1011             120,17.5,38.3,1011
130,17.5,38.3,1011             130,17.5,38.4,1012
140,17.5,38.4,1012             140,17.5,38.4,1012
150,17.5,38.5,1012             150,17.5,38.5,1012
                               160,17.5,38.5,1012
                               170,17.5,38.4,1012
                               180,17.5,38.4,1011
                               190,17.5,38.4,1011
                               200,17.5,38.4,1012
                               210,17.5,38.4,1012
```

9-2 Wi-Fiでクラウドに送信

> 日本の会社が運営しているクラウドサービスで受信したデータをグラフ化してくれる。詳細は付録を参照。

本節ではRaspberry Pi Pico Wが内蔵しているWi-Fi機能を使って、センサデータをクラウドのAmbient[*]に送信する方法を説明します。Ambientの詳しい使い方は付録を参照して下さい。

9-2-1 全体構成

> Raspberry Pi Pico 2Wでも問題なく使える。

本節の例題は、図9-2-1のようにしました。Raspberry Pi Pico W[*]から定期的に複合センサのデータを読み出し、クラウドのAmbientに送信し、Ambient側でグラフ表示するものとします。そのグラフはインターネットにつながったパソコンやスマホ/タブレットから見ることができます。ハードウェアは9-1節と同じIoT Boardを使います。

●図9-2-1 例題の全体構成

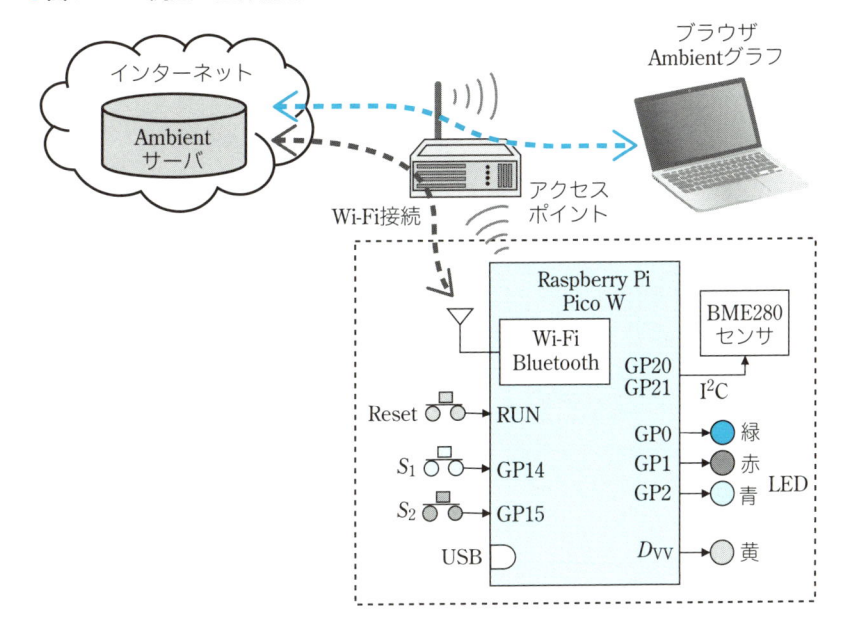

9-2-2 プログラムの製作

1 プログラムの製作

　Raspberry Pi Pico Wのプログラムは、Thonnyを使ってMicroPythonで作成します。

　9-1節と同じようにBME280のライブラリを追加してから、作成したプログラムがリスト9-2-1、リスト9-2-2となります。ネットワーク関連のライブラリはMicroPythonに標準実装されているのでインポートするだけです。

　リスト9-2-1が初期設定とアクセスポイントとのWi-Fi接続を実行する関数です。

　最初にurequestsというライブラリをインポートしていますが、このurequestsライブラリでサーバにHTTPリクエストを送信して、応答を受信してくれます。urequestsではurl、data、headerの3要素を設定して送信すればよいようになっています。dataにはJSON形式*のデータを使います。

　センサ用のI²CのインスタンスCのインスタンス生成後、Wi-FiのアクセスポイントのSSIDとパスワード*の定義をしています。

　次のPOSTメッセージ定義の部分では、Ambientには図9-2-2のようなPOSTリクエスト*で送信することになりますから、そのための送信データをurl、http_headers、http_bodyで定義しています。AmbientのIDとキーもここに設定します。http_bodyの中にあるd1、d2、d3のキーのデータとして、温度、湿度、気圧の3個のデータをセットして送信します。

JSON
ネットワーク関連でよく使う。{"key":Data, "Key":Data}の形式。

これらは読者の環境に合わせて設定。

詳細は付録参照。

●図9-2-2　POSTコマンドのフォーマット

リクエスト	POST /api/v2/channels/*ccccc*/data HTTP/1.1¥r¥n
ヘッダ部	Host: 54.65.206.59¥r¥n Content-Length: *sss*¥r¥n" Content-Type: application/json¥r¥n
空行	¥r¥n
ボディ部	{"writeKey":"*kkkkkkkk*", 　"d1":"*tttt*", 　"d2":"*hhhh*", 　"d3":"*pppp*", }¥r¥n

（注）
① cccccはチャネルID番号
② 54.65.206.59はAmbientサーバのIPアドレス
③ sssはボディのバイト数
④ kkkkkkkkはライトキー
⑤ tttt　温度のデータ
　 hhhh　湿度のデータ
　 pppp　気圧のデータ

　続いてアクセスポイントとのWi-Fi接続を実行する関数です。毎回アクセスポイントとの接続をし直すようにしています。

　connect関数で接続要求をしたら、接続できるまで待ちます。接続失敗した

9-2 Wi-Fiでクラウドに送信

ら3秒間隔で5回まで繰り返します。その都度メッセージをThonnyのシェルに出力しています。接続できたらIPアドレスをシェルに出力します。

リスト 9-2-1　宣言部と初期化部（PICO_Ambient.py）

```
1   #***********************************
2   #   Raspberry Pi Pico Ambient
3   #   BME280のデータをAmbientに送信
4   #      30秒ごとに送信
5   #***********************************
6   from machine import Pin, I2C, Timer
7   from bme280 import BME280
8   import time
9   import network
10  import urequests
11  #BME280 Sensor 設定
12  i2c = I2C(0, sda=Pin(20), scl=Pin(21), freq=100000)
13  bme = BME280(i2c=i2c)
14  #Wi-FiのSSIDとパスワード設定
15  ssid = 'Your SSID'
16  password = 'Your PassWord'
17  #POSTメッセージ用データ定義
18  url = 'https://ambidata.io/api/v2/channels/'+'CH_ID'+'/data'
19  http_headers = {'Content-Type':'application/json'}
20  http_body = {'writeKey':'Write Key', 'd1':0.0, 'd2':0.0, 'd3':0.0}
21
22  #***** 初期設定 **********************
23  # Wi-Fi接続開始
24  def APConnect():
25      wlan = network.WLAN(network.STA_IF)         ← IPv4のTCP指定
26      wlan.active(True)
27      wlan.connect(ssid, password)
28      # WiFi接続完了待ち　3秒間隔で繰り返す
29      max_wait = 10
30      while max_wait > 0:
31          if wlan.status() < 0 or wlan.status() >= 3:  ← 接続成功の確認
32              break
33          max_wait -= 1
34          print('waiting for connection...')
35          time.sleep(3)
36      # 接続失敗の場合
37      if wlan.status() != 3:
38          raise RuntimeError('network connection failed')
39      # 正常接続の場合　IPアドレスを表示
40      else:
41          print('Connected')
42          status = wlan.ifconfig()
43          print( 'ip = ' + status[0] )            ← IPアドレス出力
```

次のリスト9-2-2がメインループ部で、最初にアクセスポイントとの接続をし直しています。次にセンサから3つのデータを読み出して変数にセットしています。その変数を文字列に変換してボディ部のd1、d2、d3のキーの値として代入しています。辞書形式の変数として扱っています。これでJSON形式となります。

次にAmbientへの送信を実行し、応答をThonnyのシェルに出力しています。この応答が200であれば正常に送信できています。

そのあとAmbientとの接続をクローズしてから30秒の待ちを入れて繰り返します。

リスト 9-2-2　メインループ

```
45  #******* メインループ ***********************
46  while True:
47      #APとの接続実行
48      APConnect()
49      #BME280からデータ取得、補正変換
50      tmp = bme.read_compensated_data()[0]/100
51      pre = bme.read_compensated_data()[1]/25600
52      hum = bme.read_compensated_data()[2]/1024
53      #Body部にデータセット
54      http_body['d1'] = str(tmp)
55      http_body['d2'] = str(hum)
56      http_body['d3'] = str(pre)
57      # Ambientに送信
58      try:
59          res = urequests.post(url, json=http_body, headers=http_headers)
60          # Message 200 is OK
61          print('HTTP State=', res.status_code)
62      except Exception as e:
63          print(e)
64      res.close()
65      # Wait 30sec
66      time.sleep(30)
```

以上でプログラムの完成です。これをRaspberry Pi Pico Wにアップロードすれば動作を開始します。

2 動作結果

しばらく連続動作させた結果のAmbientのグラフが図9-2-3となります。

このグラフでは、温度と湿度は左縦軸に、気圧は右縦軸にしています。これで値が大きく異なるデータを同じグラフ内で扱うことができます。センサを指で触ると図のように変化することがわかります。

9-2 Wi-Fiでクラウドに送信

●図9-2-3 例題の動作結果

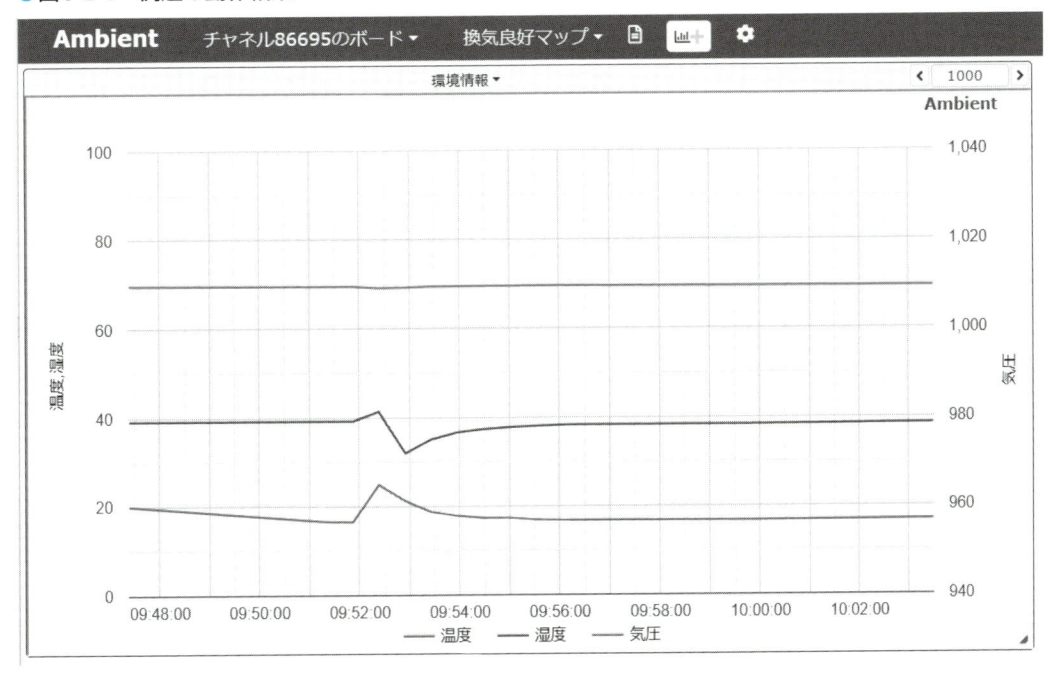

このIoT Boardをパソコンと接続しないで単独で動作させるためには、「PICO_Ambient.py」の名称を「main.py」に変更し、Thonnyからボードにアップロード[*]します。そして外部電源としてUSB充電器などからRaspberry Pi Pico WのUSB経由で電源を供給するか、5VのACアダプタなどから電源を供給する必要があります。このACアダプタからの電源供給方法は付録を参照して下さい。

アップロード方法は付録を参照。

付録

付録1 Raspberry Pi Pico Wの準備

　MicroPythonを使ってRaspberry Pi Pico WまたはXIAO RP2040のプログラムを開発する場合には、次の手順で行います。本書ではMicroPythonの開発環境としてThonnyを使うことにします。

■ MicroPython Firmwareの入手と書き込み

　Raspberry Pi Pico WまたはXIAO RP2040をMicroPythonで使う場合には、まず本体にMicroPythonのFirmwareをダウンロードして書き込む必要があります。その手順は次のようにします。

❶MicroPython Firmwareのダウンロード

　MicroPythonのサイトから最新版のFirmwareをダウンロードします。本家のサイトからダウンロードします。本書執筆時点では、v1.24.1[*]となっています。

※ 頻繁に更新されるので時々チェックする必要がある。

　　　　https://micropython.org/download/RPI_PICO_W/

●図1　MicroPython Firmwareのダウンロード

Installation instructions

Flashing via UF2 bootloader

To get the board in bootloader mode ready for the firmware update, execute `machine.bootloader()` at the MicroPython REPL. Alternatively, hold down the BOOTSEL button while plugging the board into USB. The uf2 file below should then be copied to the USB mass storage device that appears. Once programming of the new firmware is complete the device will automatically reset and be ready for use.

Firmware

Releases　　　　　　　　　　　最新バージョンを選択

v1.24.1 (2024-11-29) .uf2 / [Release notes] (latest)
v1.24.0 (2024-10-25) .uf2 / [Release notes]
v1.23.0 (2024-06-02) .uf2 / [Release notes]
v1.22.2 (2024-02-22) .uf2 / [Release notes]
v1.22.1 (2024-01-05) .uf2 / [Release notes]
v1.22.0 (2023-12-27) .uf2 / [Release notes]
v1.21.0 (2023-10-05) .uf2 / [Release notes]
v1.20.0 (2023-04-26) .uf2 / [Release notes]

❷Raspberry Pi Pico W/XIAO RP2040に転送

　Raspberry Pi Pico Wのブートスイッチを押しながらUSBケーブルでパソコンと接続します[*]。これでパソコンにRaspberry Pi Pico Wのメモリフォルダが開きます。

　ここにダウンロードしたMicroPython Firmwareのプログラム（RPI_PICO_

※ XIAOのようにリセットスイッチがある場合は、ブートスイッチを押しながらリセットすればよい。

付録1　**Raspberry Pi Pico Wの準備**

MicroPythonのプログラムの実行ファイルは拡張子がuf2となっている。

W-20241025-v1.24.0.uf2）*のファイルをドラッグしてコピーします。これだけでMicroPythonの環境でPicoのプログラムをダウンロードし実行できるようになります。

2 開発環境　Thonnyのインストール

次は開発環境のThonnyを入手しインストールします。その手順は次のようにします。

図2のようにTonny.orgのサイト（https://thonny.org/）を開き、ページの下のほうにあるdownloadサイトへのリンクをクリックして移動します。

● 図2　Thonnyのダウンロード

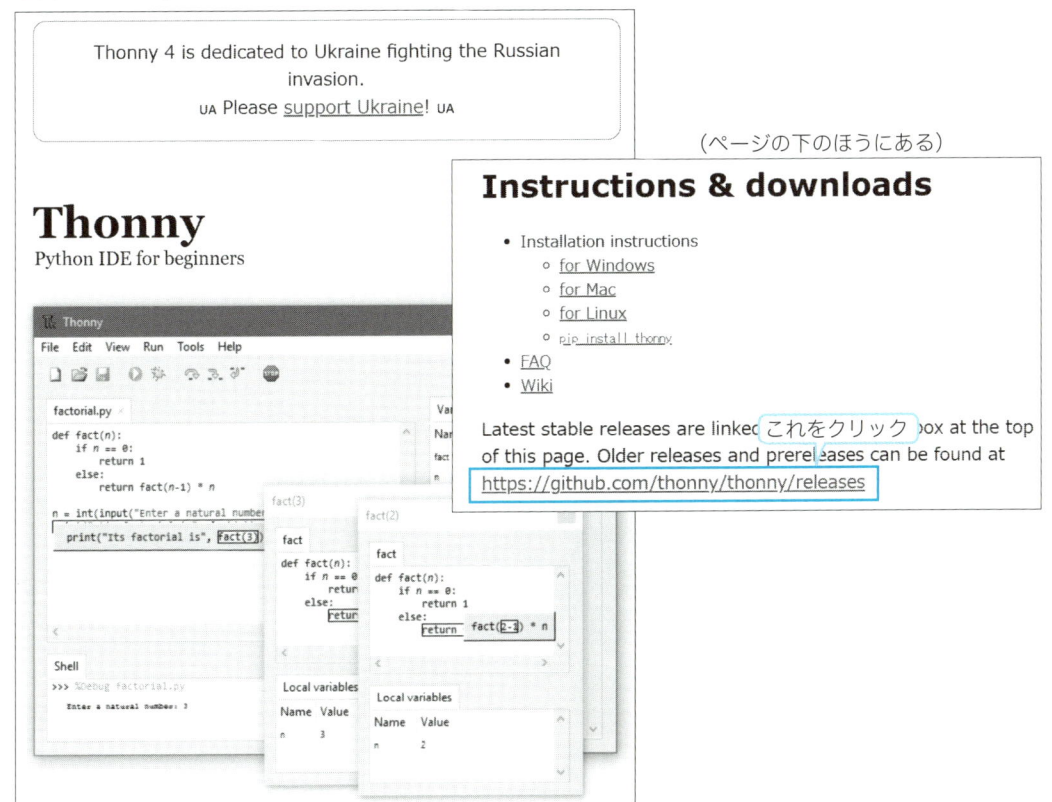

これで図3のページに移動します。このページの下のほうにAssetsという部分があり、ここからダウンロードを実行します。本書執筆時点ではv4.1.7が最新版となっています。自己解凍式の、「thonny-4.1.7.exe」のファイルをダウンロードします。

303

●図3　Thonnyのダウンロード

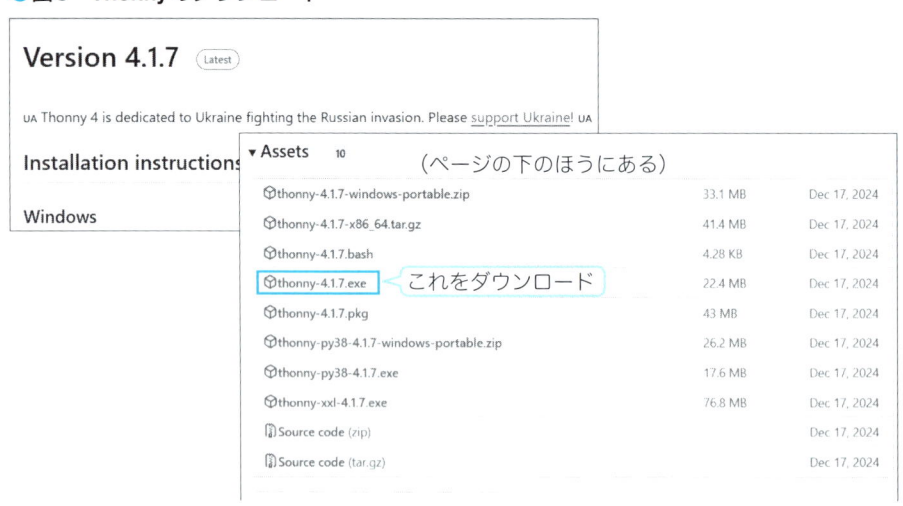

Version 4.1.7　Latest

UA Thonny 4 is dedicated to Ukraine fighting the Russian invasion. Please support Ukraine! UA

Installation instructions

Windows

▼ Assets　10　（ページの下のほうにある）

🗁 thonny-4.1.7-windows-portable.zip	33.1 MB	Dec 17, 2024
🗁 thonny-4.1.7-x86_64.tar.gz	41.4 MB	Dec 17, 2024
🗁 thonny-4.1.7.bash	4.28 KB	Dec 17, 2024
🗁 thonny-4.1.7.exe ← これをダウンロード	22.4 MB	Dec 17, 2024
🗁 thonny-4.1.7.pkg	43 MB	Dec 17, 2024
🗁 thonny-py38-4.1.7-windows-portable.zip	26.2 MB	Dec 17, 2024
🗁 thonny-py38-4.1.7.exe	17.6 MB	Dec 17, 2024
🗁 thonny-xxl-4.1.7.exe	76.8 MB	Dec 17, 2024
Source code (zip)		Dec 17, 2024
Source code (tar.gz)		Dec 17, 2024

　ダウンロードしたファイル（thonny-4.1.7.exe）を実行してインストールします。図4のように順次表示されるダイアログで［Next］として進めます。最後に［Finish］ボタンをクリックして完了です。

●図4　Thonnyのインストール

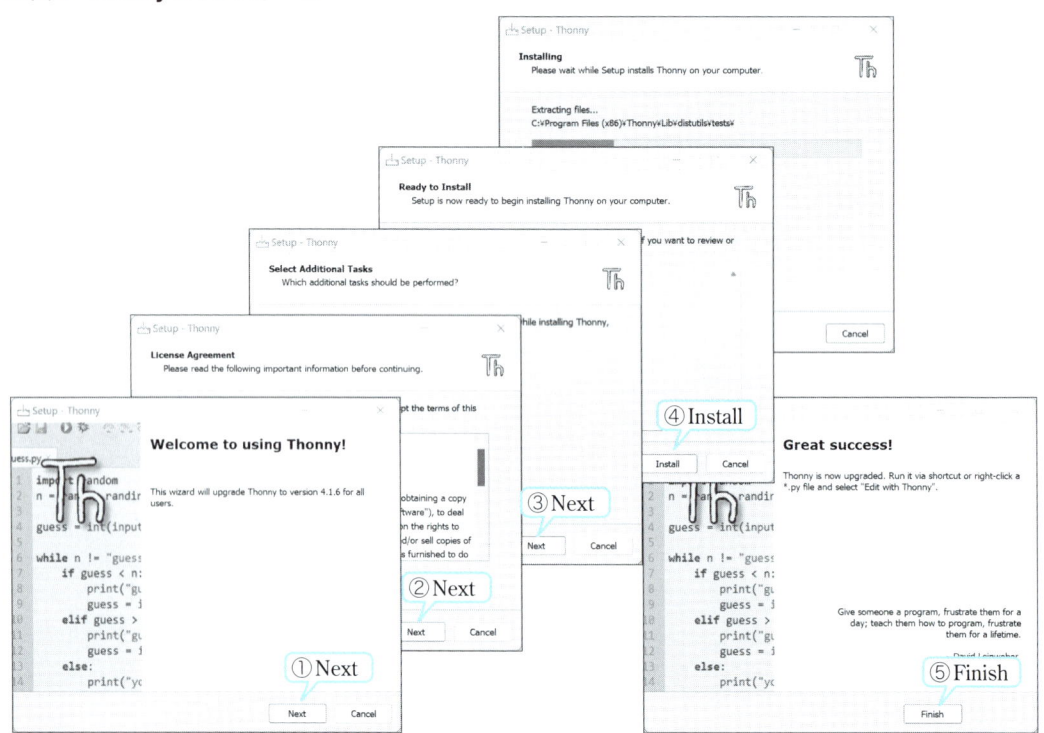

①Next　②Next　③Next　④Install　⑤Finish

304

付録1　Raspberry Pi Pico Wの準備

3 日本語化

Thonnyの表示を日本語にするには、図5の手順を実行してから、Thonnyを再起動します。

①②メインメニューから、[Tools]→[Options]でオプションダイアログを開き、③Language欄で「日本語」選択し、④OKとし、⑤Thonnyを再起動します。

●図5　日本語化

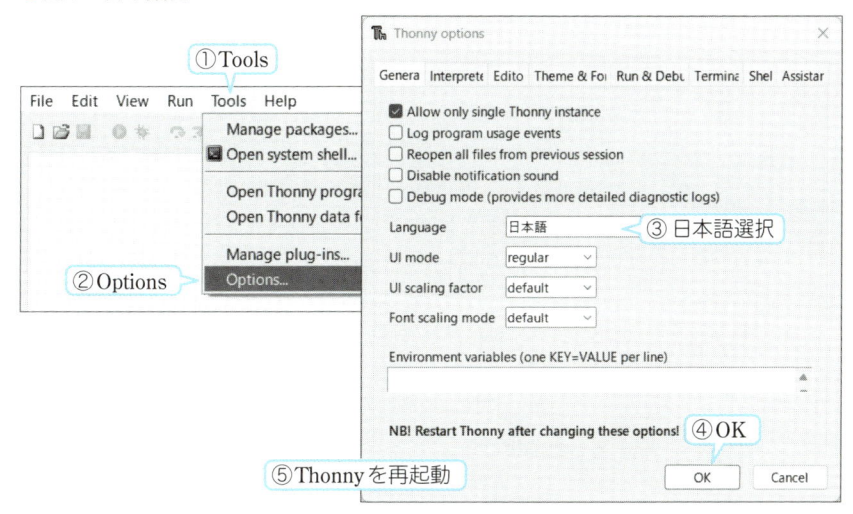

4 プログラミングの開始

プログラム作成はThonnyのエディタ画面を使って行います。プログラム入力ができたら*Raspberry Pi Pico Wに書き込んで実行します。その前に、Picoを対象マイコンとして選択できるようにする必要があります。

図6のように右下にある接続デバイス部をクリックすると表示される選択肢からPicoを選択します。これによりThonnyの左上にある緑の実行アイコンが有効になって、Thonnyで作成したプログラムをPicoで実行できます。

> 既存のプログラムを読み込むには［ファイル］→［ファイルを開く］で指定。

●図6　デバイスの指定

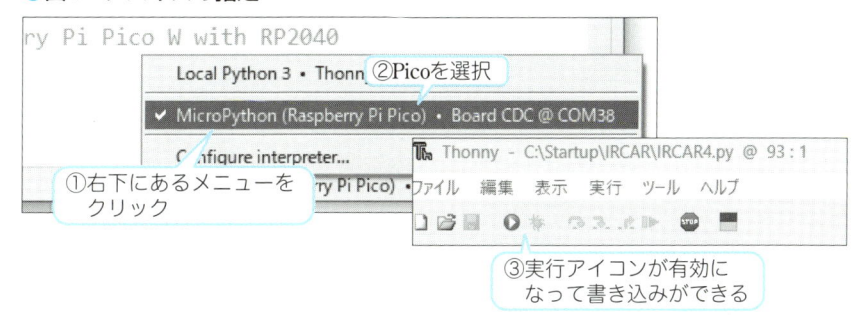

305

この選択肢はRaspberry Pi Pico WがUSBで接続されていて、さらにMicroPython Firmwareが書き込まれていないと表示されないので、先に [1] の手順でFirmwareの書き込みを実行しておく必要があります。

5 ライブラリのインストール方法

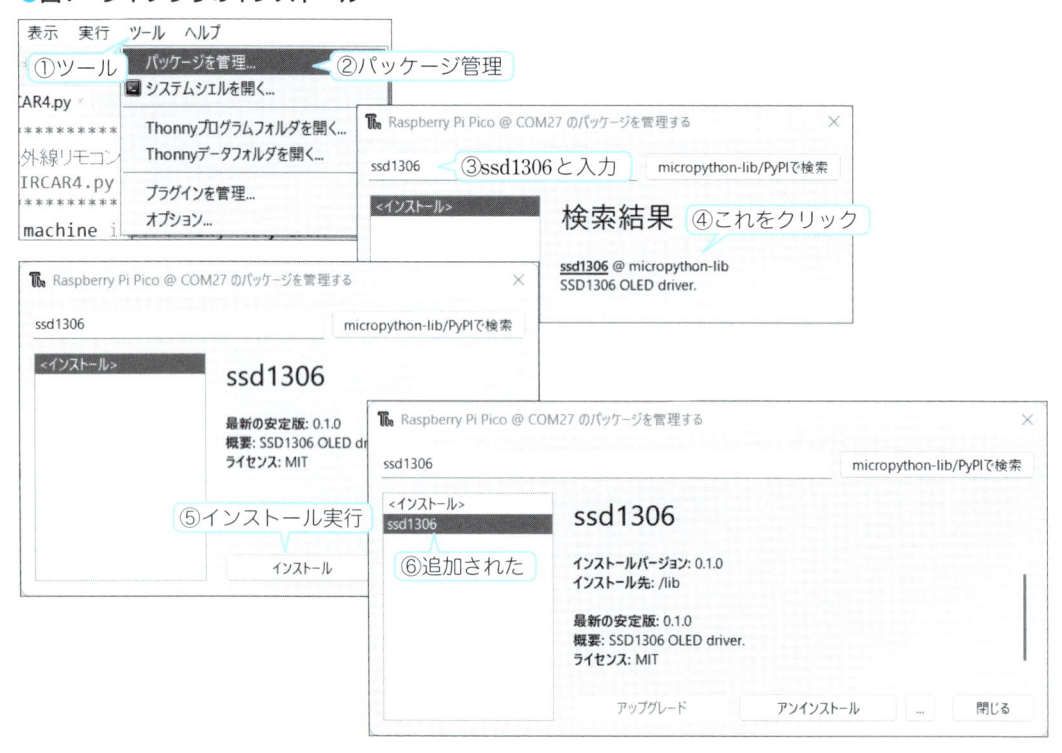

　MicroPythonでは、周辺デバイスの多くがライブラリとして用意されているので、これを読み込んでインストールして使います。その手順は次のようにします。

　図7のようにThonnyのメインメニューから、①［ツール］→②［パッケージを管理］とすると開くダイアログで進めます。

　③インストールしたいデバイスの名称を検索欄に入力し［Enter］とします。

　④表示された選択肢から適切なものを選択※します。

　⑤これで表示されたダイアログで［インストール］ボタンをクリックすればインストールが開始されます。

　⑥インストールが完了すると、左側の窓にデバイス名が表示され正常に追加されたことがわかります。さらにライブラリの更新があれば［アップグレード］のボタンで更新ができます。また［アンインストール］ボタンで削除もできます。

※どれが適切かはネット情報や、ライブラリのドキュメントで調べる必要がある。

●図7　ライブラリのインストール

6 ファイルのアップロード

Raspberry Pi Pico WまたはXIAO RP2040をUSBで接続した状態で、Thonnyを起動したら、図6と同じ手順で、右下にあるデバイスの選択欄をクリックしてデバイスを選択します。

次にThonnyのメニューから①［表示］→［ファイル］とすると、Thonnyの画面左側に図8のようなフォルダが開きます。上側がパソコンのフォルダで、下側がPicoのフォルダになります。

ここの上側で、例えば②ir_rc.pyのファイルのあるフォルダを選択し、ir_rcv.pyのファイルを右クリックします。これで開くドロップダウンメニューで③［/にアップロード］をクリックすれば実機にライブラリがコピーされ、④下側のPicoのフォルダ欄にir_rcv.pyが表示されてコピーされたことがわかります。

●図8 ライブラリのアップロード手順

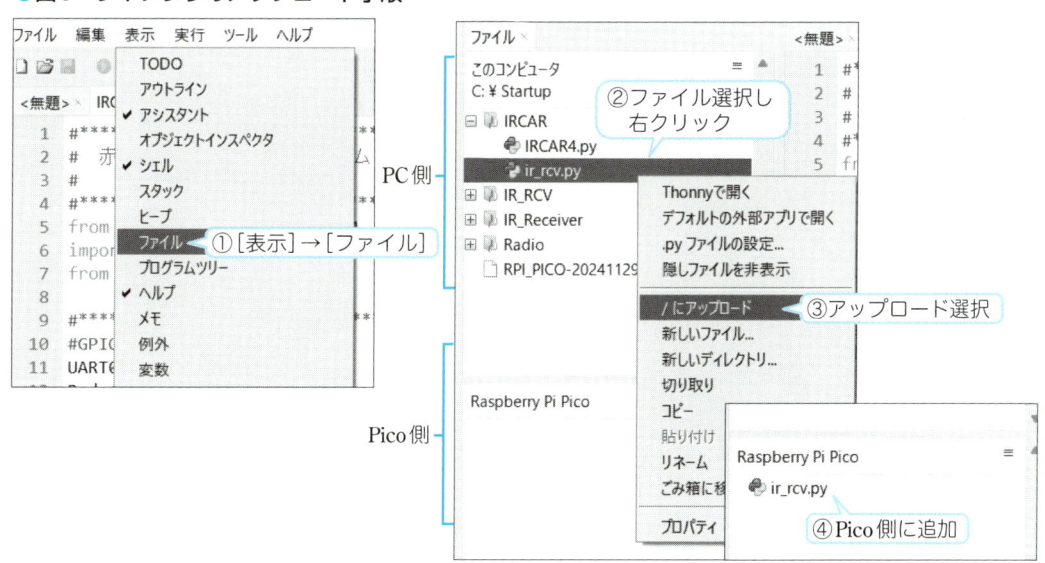

外部電源の供給方法は後述。

7 単体でプログラムが実行できるようにする手順

MicroPythonでRaspberry Pi Pico Wを使う場合、USBケーブルを切り離して電源オフとすると、次にUSBを接続して電源をオンとしてもプログラムは実行されません。このため、外部電源※で動かすためには、プログラムが電源オンで自動起動するようにする必要があります。

その手順は次のようにします。図8と同じ手順でファイルダイアログを表示しておきます。

次に図9のように上側のPC側で実行したいファイルを①右クリックして開くドロップダウンメニューで、②[リネーム]を選択します。これで開くダイアログで③「main.py」という名称にして④[OK]とします。これで名前が変更されます。元のファイルを残しておきたい場合は、いったん別のフォルダにコピーしておく必要があります。

次に⑤main.pyとなったファイルを右クリックします。これで開くドロップダウンメニューで⑥[/にアップロード]を選択します。これで⑦main.pyが下側のPico側にコピーされます。

次からはPicoの電源をオンとするだけで、main.pyが自動起動され実行されます。外部電源でも電源を接続すればプログラムは自動起動します。

●図9　リネームとアップロード

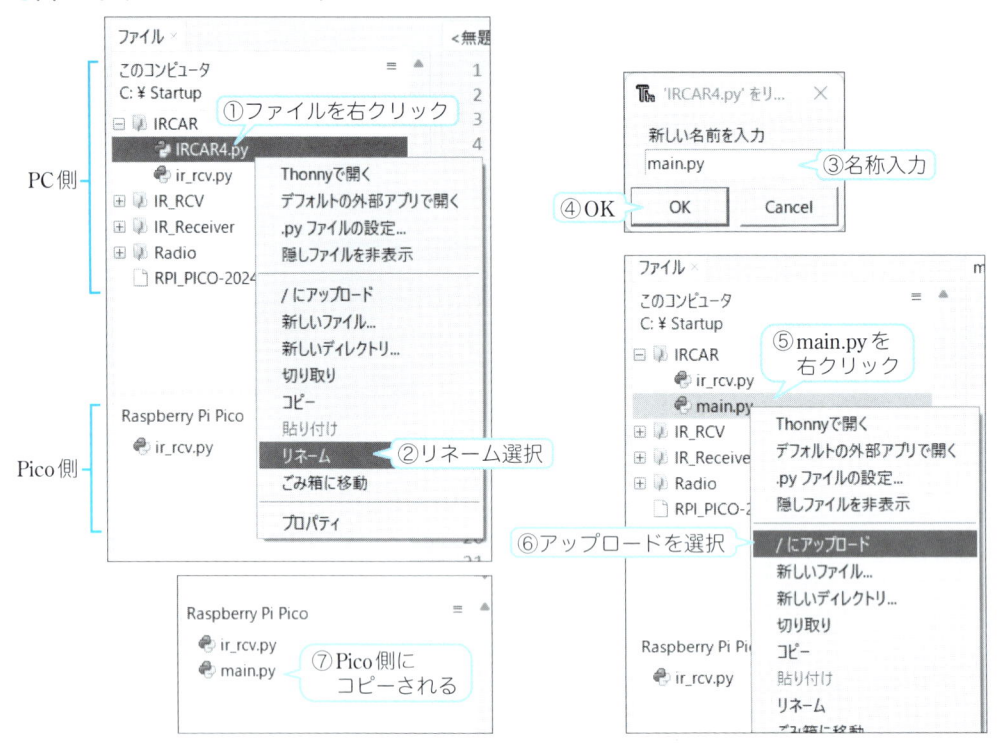

8 外部電源の接続方法

Raspberry Pi Pico Wをパソコンと USBケーブルで接続した場合には、USBから電源供給もされるので、そのまま問題なく使えます。

Picoをブレッドボードやプリント基板に実装して使う場合には、全部のGNDピンをGNDに接続したほうが安定な動作となります。3V3_ENピンは内部でプルアップされているので、無接続でも3V3（OUT）ピンには3.3Vが出力

されます。またV_{BUS}にはUSB電源の5Vが出力されます。

　Raspberry Pi Pico Wをパソコンと接続することなく単独で動作させる場合には、外部からの電源を必要とします。この外部電源の供給方法ですが、供給部を簡単に図にすると、図10のようになります。

　図のようにACアダプタなどの供給元からショットキーバリアダイオード*を経由して、Raspberry Pi Pico WのV_{SYS}端子に接続します。V_{SYS}端子はPico内部でもUSBからの電源（V_{BUS}）にショットキーバリアダイオードが挿入されています。これらのダイオードにより、**両方の電源を同時に接続しても、一方の電源からもう一方の電源に逆流して相手を壊すことがない**ようになっています。

　内蔵のDCDCコンバータの入力電圧が1.8Vから5.5Vと広くなっているので、外部電源もダイオードによる電圧降下を考慮して、2.5Vから5.5Vの範囲の電源が使えます。

> 順方向電圧が小さい（0.3Vから0.6V程度）ので挿入による電圧降下を低く抑えることができる。

●図10　外部電源供給方法

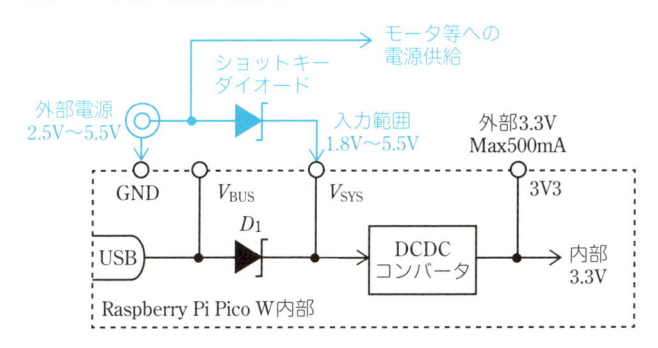

ここで、DCDCコンバータの出力は内部の3.3V電源と、3V3ピンからの外部への電源供給にも使われています。

　このDCDCコンバータ（RT6154）の最大出力電流は、データシートによれば入力電圧が3.6V以上の場合3Aとなっています。しかし、内蔵のD_1のショットキーバリアダイオードの最大電流が1Aとなっています。したがってUSB接続の場合は、供給能力は全体で1Aに制限されます。

　Raspberry Pi Pico Wの無線モジュールを使うと300mA以上を消費します。本体の消費電流やGPIOからの供給電流などを加えて内部での消費電流を、余裕をみて500mAとみなすと、**外部供給能力は500mA程度としたほうがよい**と思われます。ACアダプタなどの外部電源を使った場合は、その電源の供給能力と、挿入したダイオードの最大電流により制限されます。供給能力の大きなものを使えば、3V3からの供給電流を増やすことが可能ですが、1ピンしかありませんから、やはり500mA程度に制限したほうが安全です。

付録2 表面実装ICのはんだ付け方法

MSOP
Mini Small Outline Package
SSOP
Shrink Small Outline Package

本書ではMSOP*やSSOPパッケージの小型のICを使いました。これらの0.635mmや0.65mmピッチのパッケージを直接ブレッドボードに実装するのは不可能です。そこで、市販されている変換基板を使って2.54mmピッチに変換して使います。この変換基板にICをはんだ付けする方法を説明します。

本書で使用した変換基板の例は図1のようなものです。これらの変換基板はICの端子部が金メッキされていてよく滑るので、ICを載せての位置合わせが容易です。

●図1 変換基板の例

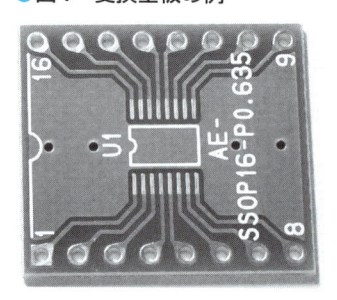

この変換基板にICを実装する際には、図2のような洗浄剤とはんだ吸取線、それと写真ネガチェック用の拡大ルーペ（10倍以上がお勧め）をうまく使います。手順は次のようにします。

●図2 活用する道具
(a) 洗浄剤　　(b) はんだ吸取線　　(c) 拡大ルーペ

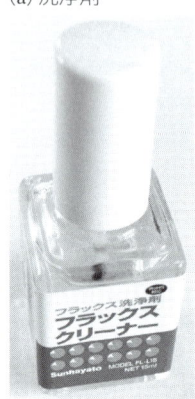

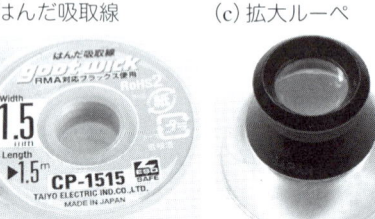

付録2　表面実装ICのはんだ付け方法

1 位置合わせ

最初に図3のようにICを載せて位置を合わせます。このときは指でICを軽く抑えながら微妙に動かしてピンの位置がパターンにピッタリ合うように調整します。このとき拡大ルーペで拡大しながら確認します。

●図3　拡大ルーペで位置確認

2 仮固定

合わせた位置を固定しながら、いずれかの端の1ピンか2ピンだけを仮はんだ付け*します。そして細かな位置修正をピンのはんだ付けをやり直しながら行います。やはり拡大ルーペを使います。この時点で確実に全ピンがピッタリ変換基板のパターンと合っているようにすることがポイントです。この位置合わせの良し悪しで完成度が決まります。

任意の端の数ピンだけに限定すること。はんだは1mmΦ以下の方が扱いやすい。

●図4　仮固定

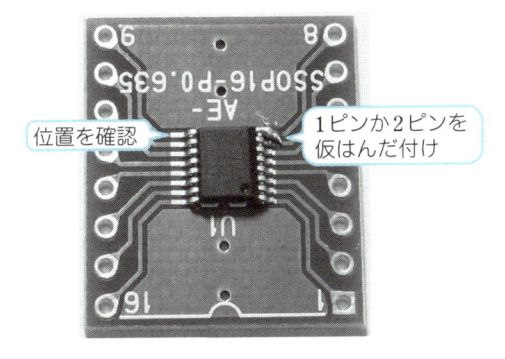

位置を確認　　　1ピンか2ピンを仮はんだ付け

3 はんだづけ

最初の面のときICが動かないように気を付けること。

位置合わせができたら、仮はんだ付けしていない面からすべてはんだ付け*します。はんだは図5のようにたっぷり供給するようにして行い、ピン間がブリッジしても気にせず十分はんだが載るようにします。全ピンともすべてはんだづけしてしまいます。

311

●図5　全ピンのはんだ付け

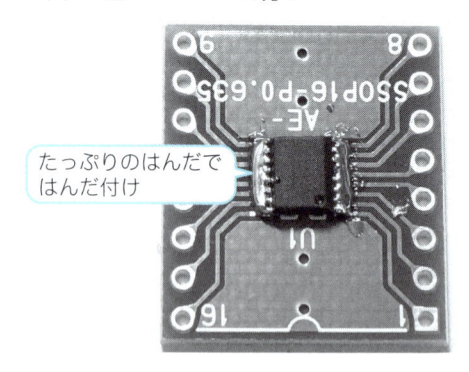

たっぷりのはんだで
はんだ付け

4 はんだの除去

　図6のように、はんだ吸取線を使って余分なはんだを吸い取ります。吸取線の幅は1.5mmか2mm程度の細いほうが作業しやすいと思います。はんだ吸取線にフラックスが含まれているので、はんだが溶けやすくよく吸収してくれます。

　これで余分なはんだも取れますし、ブリッジ＊もきれいに取り去ることができます。意外と簡単にしかもきれいに除去できます。

> ブリッジ
> 隣接するピン間がはんだでつながっている状態。吸取線で簡単に取れる。

●図6　余分なはんだの除去

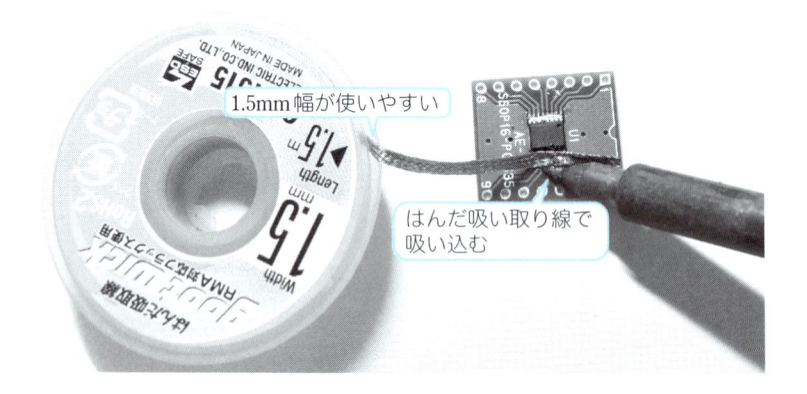

1.5mm幅が使いやすい

はんだ吸い取り線で
吸い込む

5 洗浄とチェック

　吸取線のフラックスでかなり汚れますので図7のように洗浄液と綿棒などを使ってきれいに拭き取ります。そのままでは汚いですし、酸化して動作に悪影響することもあります。周囲の汚れやはんだくずも取り除きます。

付録2　表面実装ICのはんだ付け方法

●図7　フラックスを除去してきれいにする

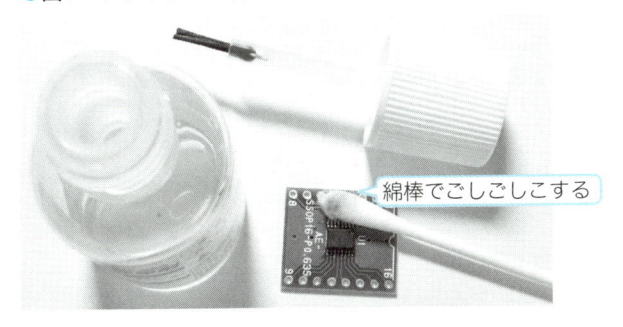

綿棒でごしごしこする

動作不良の原因になって後から発見するのは難しくなるので念入りにチェックする。特にピンの奥の方でブリッジしていないかをチェックする。

　このあと、拡大ルーペを使って念入りにブリッジやはんだくずなどがないかをチェック*します。照明にかざしながらチェックすると見つけやすいと思います。終了した基板が図8となります。

●図8　きれいにした結果

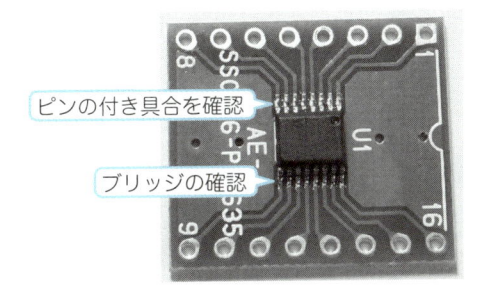

ピンの付き具合を確認

ブリッジの確認

6 ヘッダピンの取り付け

　これでICのはんだ付けは終了ですが、あとは基板の周囲にヘッダピンをはんだ付けします。先にヘッダピンをブレッドボードに挿入してから基板を挿入してはんだ付けすると楽にできます。完成したデバイスが図9となります。

●図9　ヘッダピンを付けて完成

ヘッダピン

313

付録3 Ambientの使い方

　Ambientは日本の会社が運営するクラウドサービスで、簡単な手順でデータを送ることができ、自動的にデータをグラフ化してくれます。一定の制限内であれば無料で使えます。

1 Ambientの機能と無料の範囲

　このAmbientは、図1のような接続構成で使います。マイコンなどからセンサのデータをインターネット経由で送信すると、Ambientがそれらを受信して保存し、グラフを自動的に作成します。このグラフはインターネット経由で見ることができ、公開することもできます。

●図1　Ambientの接続構成

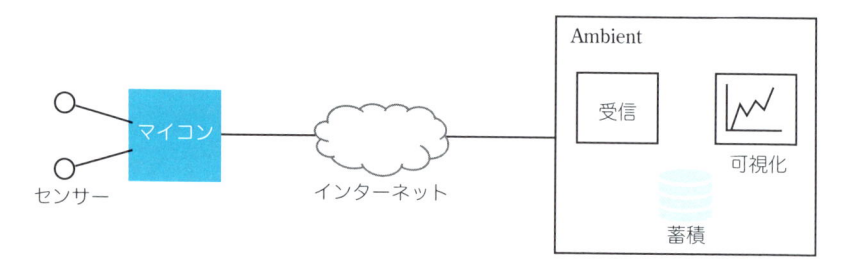

　Ambientは次のような条件の範囲なら無料でサービスを提供してくれます。
- 1ユーザ8チャネルまで無料
- 1チャネル当たり8種類のデータを送信可能
  1チャネル当たり8種類のグラフを作成可能
- 送信間隔は最短5秒、それより短い場合は無視される
- 1チャネルあたり一日3000データまでデータ登録可能
  24時間連続送信なら29秒×データ数が最短繰り返し時間となる
- データ保存は4ヵ月　4ヵ月経つと自動削除
- 一つのグラフは最大6000サンプルまで表示可能
  表示データが多い場合は前後にグラフを移動できる
- グラフの種類
  折れ線グラフ、棒グラフ、メータ、Box Plot
- 地図表示可能
  データに緯度、経度を付加して送ると位置を地図表示する

- リストチャート形式の表示も可能
- データの一括ダウンロード　　CSV形式
- チャネルごとにインターネット公開が可能
- チャネルごとにGoogle Driveの写真や図表の貼り込みが可能

2 Ambientに送るデータフォーマット

　Ambientにデータを送るには、図2のようなフォーマットのPOSTコマンドをTCP通信で送ればクラウド上に記録されます。

　POSTコマンドの最初のリクエストで、チャネルIDを送信します。ヘッダ部ではAmbientサーバのIPアドレスとボディのバイト数、フォーマットがJSONであることを送信します。空行のあとにボディ部を送信します。ボディ部はJSON形式で、ライトキーに続けて最大8個のデータと緯度と経度を送信できます。

　8個のデータは必要な数だけ送れば問題ありませんし、緯度と経度も必要なければ省略しても構いません。データの桁数は任意で、小数点も含めて文字列として送信する必要があります。

●図2　POSTコマンドの詳細

リクエスト	POST /api/v2/channels/*qqqqq*/data HTTP/1.1¥r¥n
ヘッダ部	Host: 54.65.206.59¥r¥n Content-Length: *sss*¥r¥n" Content-Type: application/json¥r¥n
空行	¥r¥n
ボディ部	{"writeKey":"*ppppp*", "d1":"xxxx.x", "d2":"xx.x", "d3":"xx.x", ... "d8":"xx.x", "lat":"uu.uuu", "lng":"vvv.vvv" }¥r¥n

（注）
① qqqqqはチャネルID番号
② 54.65.206.59はAmbient
　サーバのIPアドレス
③ sssはボディのバイト数
④ pppppはライトキー
⑤ xxの部分にはそれぞれ
　のデータ文字列が入る
⑥ uu.uuuは緯度のデータ
⑦ vvv.vvvは経度のデータ

3 Ambientへのユーザ登録方法

　ユーザ登録はいたって簡単です。まず次のURLでAmbientのウェブ画面を開きます。

　　　https://ambidata.io/

　図3の画面が開きますから、ここでメールアドレスと任意のパスワードを入力して登録ボタンをクリックするだけです。これで無料会員として登録したことになります。

●図3　ユーザ登録画面

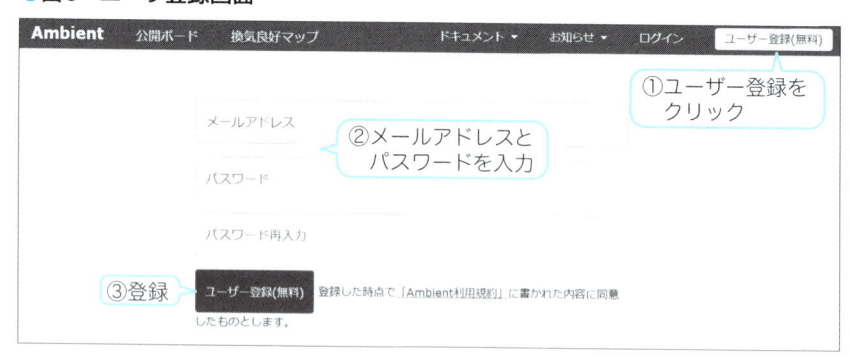

4 Ambientへのチャネル追加とグラフ作成方法

　Ambientに登録したあとのログイン画面でログインします。すると図4のような画面になります。ここで最初に[チャネルを作る]ボタンをクリックしてチャネルを生成します。これで自動的にチャネルIDとリードキー、ライトキーが生成されます。このIDとキーは、マイコン等から送信する際にPOSTデータの中で必要となります。

　ダウンロードアイコンをクリックすると、蓄積されているデータを一括でダウンロードできます。データ削除アイコンをクリックすると、蓄積データを一括削除します。

　左端の名称をクリックするとグラフ画面に移動しますが、その前にグラフ作成には、右端のメニューで[設定変更]をクリックします。

●図4　チャネルメニュー

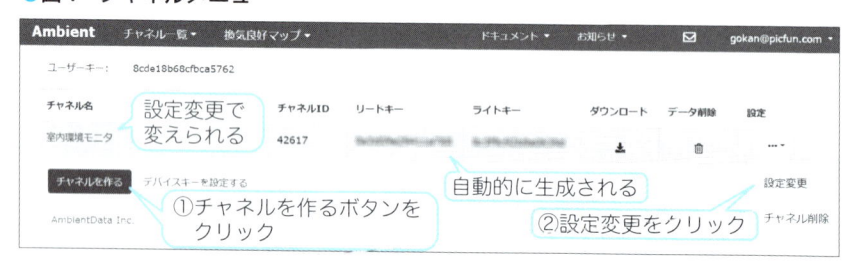

　これで図5の画面となりますから、ここでチャネルの基本的な設定を行います。チャネルの名称とグラフ化するデータの名前と色を設定します。

　図のようにチャネルごとに最大8個のデータを扱うことができます。さらに、測定場所の位置を指定したいときは緯度と経度を入力します。これで地図上に位置がプロット表示されます。

　最後に一番下にある[チャネル属性を設定する]ボタンをクリックすれば設定が適用されます。

●図5　チャネルの基本設定

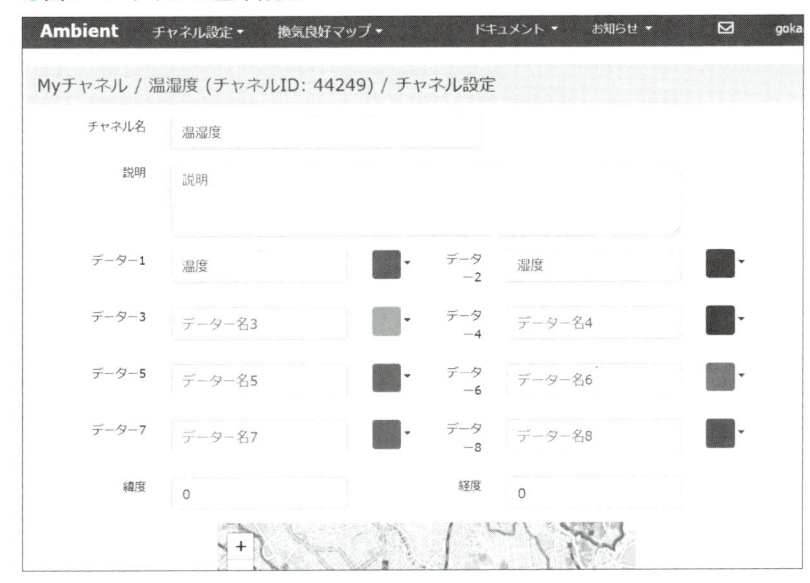

これでチャネル一覧画面に移動後、チャネル名称をクリックするとグラフ画面に移動します。まだグラフはないので白紙の画面になります。移動したら一番上にある図6のように①グラフ追加のアイコンをクリックし、表示されるドロップダウンで②の［チャネル/データ設定］の部分をクリックします。

●図6　グラフ作成開始

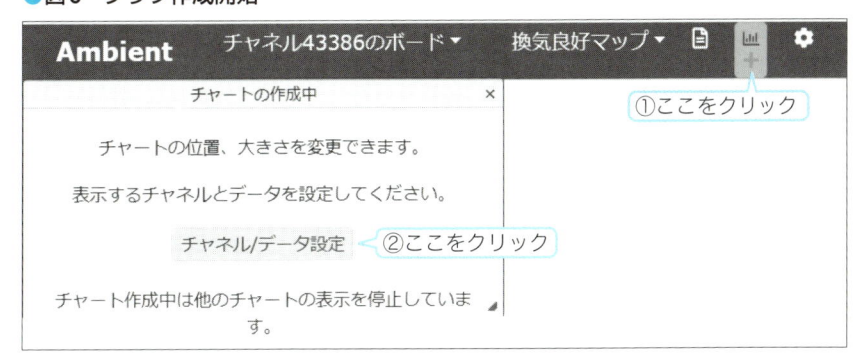

これで図7のグラフの設定画面となりますから、必要な設定を行います。ここでは、温度、湿度の2項目ありますが、両者を一つの縦軸で表示します。縦軸の値が大きく異なる場合は、左右に縦軸を分けて表示させることもできます。

グラフの見出しの名称を①で入力し、②でグラフの種類を指定します。種類は図の右上のようなドロップダウンリストから選択できます。次に③のよ

うに8個のデータのうち、どのデータをグラフにするか、左右の縦軸のどちらを使うかを指定します。線の色は前の図6で指定したものとなります。

続いて④で縦軸の表示範囲の値を指定します。補助線は自動的に表示されます。⑤はグラフとして表示する横軸のプロット数で、最大は6000です。これはあとから表示されたグラフで任意の値に変更できますから、適当な値で大丈夫です。最後に⑥[設定する]ボタンをクリックすれば完了で、実際にグラフ画面が表示されます。

データがない場合は補助線だけの表示となりますが、データが追加されると自動的にグラフ描画が実行され、リアルタイムで更新されていきます。

●図7　グラフの設定

これで温湿度のグラフが完成しました。グラフのサイズや位置はドラッグドロップで自由にできます。

実際に数日間室内に放置したあとのグラフが図8となります。データ数が多くなって見にくくなったときは、右上のプロット数を小さくすると拡大表示され、左右の矢印でグラフを前後に移動させることができるようになります。

●図8　実際に使用したときのグラフ例

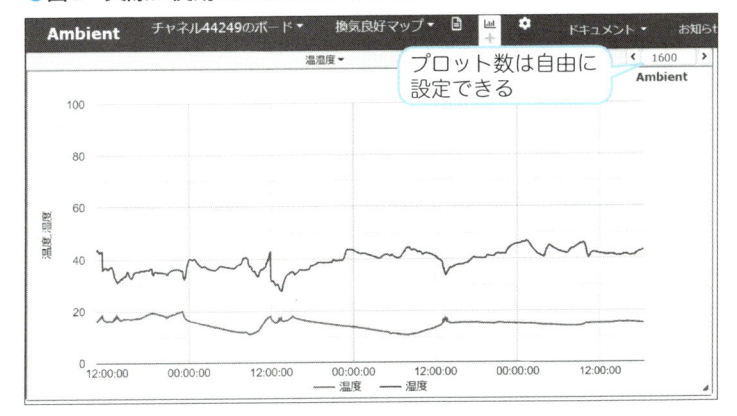

5 インターネットへの公開

作成したチャネルのグラフをインターネットに公開することができます。

手順は簡単で図9のようにします。公開したいグラフを表示している画面で、①歯車のアイコンをクリックします。すると下側の設定画面になりますから、ここで②ボード名と説明を任意に入力します。そのあと、③公開ボードにチェックを入れると公開されます。グループなどでデータをシェアする場合などに使うことができます。

実際に公開ボードを特定して見るには、次のようにURLに公開ボードIDを追加すれば見ることができます。

https://ambidata.io/bd/board.html?id=34362

●図9　公開の設定手順

319

索 引

■数字・記号

2相励磁方式·····················268
3端子レギュレータ
　················· 162, 176, 177
555タイマ··········· 185, 229, 263
7セグLED······················206

■アルファベット

AC/DC············ 34, 35, 156, 161
ACアダプタ··· 34, 150, 154, 155
Ambient····················· 295, 314
Analog Discovery3
　················· 101, 113, 115
ASCII文字コード··············· 42
CPLD························ 146, 147
DFPlayer·························219
DIP·································104
DMM················ 108, 110, 112
EAGLE·····························98
ECAD······························97
E系列····················· 130, 138
FMラジオ······················240
format関数······················293
FPGA······················· 146, 147
Fusion 360······················100
GPIO·····························208
HDL·······························147
JSON·····························296
Jw_CAD························100
KiCAD····························98
LED············· 85, 120, 126, 180,
　　　　　　 184, 191, 206
LEDドライバ············ 191, 197
LSI·································68
Lux·······························194

MicroPython············ 203, 302
MOSFET····· 65, 66, 87, 90, 141,
　　　　　　 145, 146, 183
MOS電界効果トランジスタ65
MP3プレーヤ··················219
NIC································80
NiMH····························150
npn型······················· 63, 64
NTPサーバ····················206
n型·······························60
n型半導体·······················60
OLED···························233
pnp型····························63
pn接合······················ 61, 62
print文··························292
PWM············· 184, 185, 276
p型·························· 60, 61
p型半導体·······················61
Raspberry Pi Pico W
　··· 102, 206, 207, 286, 296, 302
RCA·····························245
RCサーボ·············· 262, 263
RFCコイル····················144
RTC·····························206
TeraTerm·······················286
Thonny··························303
TTY·······························41
TTモータ······················277
Windows95······················78
XIAO RP2040······· 92, 200, 201,
　　232, 250, 268, 274, 302, 307

■あ行

アーク放電······················22
アームストロング·············47

明るさセンサ··················194
アキシャルリード············144
アクティブ素子········ 126, 145
アクリルカッター··············95
アステーブル······ 186, 229, 263
圧力センサ····················196
アナログIC····················146
アナログコンピュータ··· 67, 68
アナログメータ··· 157, 161, 163
アルミ電解コンデンサ······137
アンペア················ 23, 55, 59
アンペール············ 21, 22, 55
アンペールの法則
　················· 22, 23, 26, 46
イーサネット····················79
伊沢修二·······················44
位相·······························37
一次電池·······················150
井深大··························63
インダクタンス
　······ 59, 108, 119, 142, 241
ウェスティングハウス·········32
液晶表示器····················252
江崎玲於奈·····················63
エジソン··············· 22, 30, 31
エネループ電池···············151
エネルギー保存則··············58
エミッタ·························64
エルステッド··············· 21, 22
エレキテル······················14
オーディオアンプ······ 245, 246
オーム（人名）········· 21, 23, 24
オーム（単位）············· 24, 59
オームの法則···· 23, 24, 57, 126,
　　　　　　135, 140, 175, 181

INDEX

オシロスコープ………… 114, 115
オペアンプ…… 68, 83, 120, 122,
　　　　　　　123, 136, 137, 147
オル………………………… 61, 62
音響カプラ……………………… 77

■か行

カーボン被膜抵抗器……… 129
回路シミュレータ………… 101
回路図……………………… 118
角速度……………………… 36
金子堅太郎………………… 44
可変抵抗器………………… 119
カラーコード………… 131, 132
ガルバーニ…………… 17, 21
基板用フラックス洗浄剤…… 94
逆バイアス状態…………… 62
逆起電圧…………… 140, 154
キャベンディッシュ……… 17
キャリア…………………… 60
共通インピーダンス……… 170
鋸状波……………………… 38
許容電力……… 124, 129, 176
ギルバート………… 12, 13
キルビー…………………… 68
金属酸化被膜電解効果
　トランジスタ…………… 120
金属定規…………………… 95
金属皮膜抵抗器…………… 129
空乏層……………………… 61, 62
クーロン（人名）………… 16, 21
クーロン（単位）… 16, 51, 55, 59
クーロンの法則…………… 16
クーロン力………………… 51
矩形波……………………… 38
クック……………………… 39

組立図……………………… 124
クライスト………………… 13
グラム……………………… 28
グラム発電機……………… 28
グランド………… 113, 120, 121,
　　　　　　　　125, 169, 172
クリーナ…………………… 94
クリスタル振動子………… 120
クルックス………………… 49
グローブ電池……………… 20
ケース加工………………… 95
ゲート……………………… 65
コイル……………… 119, 140
鉱石検波器………………… 47
交流………………… 26, 30, 122
交流モータ………… 30, 31
こて台……………………… 94
古典電磁気学……………… 27
コレクタ…………………… 64
コンデンサ………… 119, 133
コンデンサの容量………… 113

■さ行

サバール…………… 21, 23
酸化金属皮膜抵抗器……… 130
三角波……………………… 38
仕事量……………………… 55
実効値……………………… 36
嶋正利……………………… 70
シャーシリーマ…………… 95
周期……………………… 36
集積回路……… 68, 69, 89, 120
自由電子…………………… 51
周波数………… 32, 36, 44, 91
ジュール（人名）………… 57
ジュール（単位）………… 56, 59

ジュール熱………………… 129
ジュールの法則…………… 57
受動部品………… 88, 126
瞬時値……………………… 36
順バイアス………………… 61
順バイアス状態…………… 62
順方向電圧………………… 180
昇圧コンバータ…………… 225
照度センサ………………… 194
消費電力…………………… 174
ショックレイ……………… 63
ショットキーバリア
　ダイオード……………… 226
シリーズレギュレータ
　方式……………………… 161
人感センサ………………… 217
真空管……………………… 45
水晶振動子………………… 120
スーパーヘテロダイン方式
　　　　　　　　　　…… 47
スイッチ…………………… 120
スイッチング電源…… 141, 144
ステッピングモータ……… 268
ストーニー………………… 49
スピーカ…………………… 245
スルーホール……………… 96
スワン……………… 22, 30
制御コード………………… 43
正弦波……………………… 35
正孔………………………… 61
静電気……………………… 54
静電気放電………………… 54
精密ピンセット…………… 94
整流作用…………………… 62
赤外線受光モジュール
　　　　　　　　…… 201, 274

321

索 引

赤外線送信機 …………………… 204
赤外線リモコン ………… 200, 274
積層セラミックコンデンサ
　　　　　　　　……………………… 138
絶縁体 ……………………………… 52
接合型ダイオード ……………… 62
接合型トランジスタ …… 63, 64
セメント抵抗器 ………………… 130
セラミックコンデンサ ……… 137
セラミック振動子 ……………… 120
センサ ……………………………… 87
増幅 ………………………… 45, 65
ソース ……………………………… 65

■た行

ダイオード ……………… 120, 145
ダイオード特性 ………………… 62
ダイオードの極性 …………… 112
帯電 ………………………… 12, 54
太陽電池 …… 62, 150, 153, 157,
　　　　　　　　　191, 197, 224
ダニエル …………………………… 19
ダニエル電池 …………………… 19
ダベンポート …………………… 28
タレース …………………………… 12
タンタルコンデンサ ………… 137
チップ型積層セラミック
　　コンデンサ ……………… 138
チップ抵抗器 …………………… 130
中和 ………………………………… 54
超音波距離センサ …………… 233
チョークコイル ………………… 144
直流 ………………………… 28, 122
通信プロトコル ………………… 79
抵抗 ……………………… 119, 126
抵抗測定 ………………………… 112

定電流レギュレータ ………… 158
データシート …………………… 124
デービー ………………… 21, 22
デジタルIC …………… 120, 146
デジタルコンピュータ … 67, 68
デジタルマルチメータ
　　　　　　　　……………… 108, 110
テスラ（人名）………………… 31
テスラ（単位）………………… 59
デュ・フェ ……………………… 13
デューティ ……… 185, 186, 188
デューティ比 …… 184, 186, 188,
　　　　　　　193, 199, 263, 276
テル ………………………………… 63
テレタイプ ……………………… 41
電圧 ………………………………… 55
電圧測定 ………………… 111, 113
電圧レギュレータ …………… 145
電荷 ………………………… 50, 55
電解効果トランジスタ …… 145
電気抵抗 ………………………… 53
電気抵抗率 ……………………… 53
電気二重層コンデンサ …… 138
電気分解 ………………………… 19
電源 ……………… 150, 161, 169
電源トランス ………………… 144
電子 ……………… 49, 50, 51
電子式計算機 …………………… 67
電磁誘導現象 …………………… 26
電信 ……………………… 39, 47
点接触型トランジスタ …… 63
電動ドリル ……………………… 95
電波 ……………………………… 45
電流 ……………………………… 52
電流増幅率 ……………………… 65
電流測定 ………………… 111, 113

電話機 …………………………… 44
導体 ……………………………… 52
トムソン ………………………… 50
ドライバ ………………………… 93
トランジスタ ………… 120, 145
トランス …… 25, 31, 34, 120, 143
鳥潟右一 ………………………… 47
トリクル充電 …… 152, 157, 160
ドリル刃 ………………………… 95
ドレイン ………………………… 65
トロイダルコイル …………… 144
トンプソン ……………………… 57

■な行

長岡半太郎 ……………………… 51
鉛蓄電池 ………………………… 20
二次電池 ………………… 150, 152
ニッケル水素電池 …… 150, 157
ニッパ …………………………… 93
入出力ピン …………………… 208
ニュートン ……………………… 55
熱起電力 ………………… 23, 24
熱抵抗 …………………………… 174
熱の仕事当量 ………………… 58
ノイズ …………………………… 68
ノイズフィルタ ……………… 143
能動部品 ………… 126, 145, 147
のこぎり波 ……………………… 38

■は行

バーアンテナコイル ………… 144
バーディン ……………………… 63
ハイインピーダンス … 128, 186
バイパスコンデンサ
　　　　　　　　……… 136, 171, 287
ハイパスフィルタ …………… 136

322

INDEX

バイポーラ式 ……………… 268	ファラデーの電磁誘導の	ホステン ………………………… 65
バイポーラトランジスタ …… 63	法則 ……………… 26, 140, 142	ホフ ……………………………… 70
バイポーラ方式 ……………… 269	フィルムコンデンサ ………… 138	ポリカーボネートコンデンサ
ハイマン ………………………… 65	フェッセンデン ………………… 47	……………………………… 138
白熱電球 ………………………… 30	フォン・ノイマン ……………… 68	ポリスチレンコンデンサ … 138
波形発生器 …………………… 114	複合センサ …………………… 287	ボルタ …………………… 18, 21
パケット通信 …………………… 79	ブザー …………………… 216, 217	ボルタの電池 …… 18, 19, 55, 56
パソコン …… 136, 170, 171, 287	フットプリント ………………… 98	ボルト ………………… 19, 55, 59
パソコン通信 …………………… 77	ブラウン ………………………… 13	ポンチ …………………………… 95
パターン図 ……………………… 98	フラックス ………… 94, 96, 312	
パターン発生器 ……………… 114	ブラッテン ……………………… 63	■ま行
発光ダイオード …… 85, 87, 120,	フランクリン …………… 14, 15, 21	マイクロコントローラ
126, 227	プリント基板 …… 95, 96, 98, 100,	… 71, 73, 74, 76, 101, 169
パッド ………………………… 246	105, 106, 129	マイコンボード …………… 92, 97
ハムノイズ …………………… 169	プルアップ抵抗 ……………… 128	マイラーコンデンサ ………… 138
バラックセット ……………… 104	フルカラーLED ……………… 181	マクスウェル …… 21, 27, 45, 49
馬力 ……………………… 32, 57	プルダウン抵抗 ……………… 128	マクスウェルの方程式 ……… 27
バリコン ……………………… 144	フルブリッジ ………………… 276	マルコーニ ……………………… 47
パルス幅変調 ………………… 184	フルブリッジ構成 …………… 275	ミュッセンブルーグ ………… 13
パワーLED …………… 182, 185	フレームグランド …………… 125	ミュレー ………………………… 41
はんだ …………………………… 94	ブレッドボード ………… 93, 103	ミリカン ………………… 50, 51
はんだごて ………………… 94, 96	プロバイダ ………………… 78, 79	ムーアの法則 ………………… 73
はんだ吸い取り …………… 94, 96	分圧回路 ……………………… 127	無線通信 ……………… 27, 46, 47
はんだ吸い取り線 … 94, 96, 312	ベース …………………………… 64	無線電信 ………………………… 47
はんだ付け ………… 95, 96, 310	ベル ……………………………… 44	メロディIC …………………… 224
半導体 …………………………… 53	ヘルツ（人名）…………… 27, 45	モータ ………… 85, 87, 169, 171,
半導体スイッチ ………………… 66	ヘルツ（単位）………… 36, 46, 59	262, 268, 274
ピークピーク値 ………………… 36	変換器 …………………………… 86	モータドライバ ……………… 275
ヒートシンク …………… 175, 177	ホイートストン ………………… 39	モールス ………………………… 39
ビオ ……………………… 21, 23	方形波 …………………………… 38	モールス符号 ……………… 39, 40
ビオ・サバールの法則 ……… 23	放電 ……………………………… 54	モデム ……………………… 77, 79
光起電力 ………………………… 62	放熱 …………………………… 174	盛田昭夫 ………………………… 63
ヒステリシス ………………… 195	放熱器 ………………………… 174	
平賀源内 ………………………… 14	ボーア …………………………… 51	■や行
ファジィ ………………… 71, 72	ボーアの原子模型 …………… 51	ヤスリ …………………………… 95
ファラデー ……………… 21, 25	ボース …………………………… 47	有機EL表示器 ……………… 233

323

索引

誘導体················ 14
ユニバーサル基板············ 105
ユニポーラ式··············· 268

■ら行
ライデン瓶········ 13, 15, 17, 54
ラザフォード·············· 51
ラジアルリード············ 144
ラジアン················ 36
ラジオIC············ 241, 250
ラジオペンチ·············· 93
ラジオ放送················ 46
ラジケータ········ 157, 159, 160
ラッツネスト·············· 98
ランド··············· 96, 105
リアクタンス·········· 135, 142
リアルタイムクロック
 ················ 206, 212
リー・ド・フォレスト········ 45
リチウムイオン電池·········· 150
量子論·················· 49
リレー·············· 87, 90, 150
ルーペ·················· 94
ルクランシェ電池············ 20
ローパスフィルタ············ 143
ロジックアナライザ·········· 114
ロジック回路·············· 110
論理回路················ 128

■わ行
ワイアストリッパ············ 93
惑星モデル················ 51
ワット········· 56, 59, 57, 129
ワトソン················ 44
ワンチップマイコン······· 74, 75

図・写真の出典

図1-4-1　　電気の歴史イラスト館
写真1-4-2　UECコミュニケーションミュージアム
　　　　　https://www.museum.uec.ac.jp/database/valve/vf0/v4.html
写真1-4-3　林正樹ホームページ
　　　　　https://hayashimasaki.net/tubebook/2tubes.jpg
写真1-7-3　シャープ株式会社
写真1-7-4　Stelo.xyz, Pttn, or Thomas Nguyen, CC BY-SA 4.0, via Wikimedia Commons
　　　　　https://en.wikipedia.org/wiki/Intel_4004#/media/File:Intel_C4004.jpg
写真1-7-5　http://elroy.extrem.ne.jp/tsuzuri/computer.html
写真1-8-1　波多利朗のFunky Goods
　　　　　https://funkygoods.com/garakuta/pc_8268/pc_8268.htm ©funkygoods.com
図2-2-3　　（a）https://akizukidenshi.com/catalog/g/g117044/
　　　　　（b）https://akizukidenshi.com/catalog/g/g130399/
表2-3-1　　ワイアストリッパ　　https://akizukidenshi.com/catalog/g/g115131/
　　　　　はんだこて　　　　　https://goot.jp/products/detail/px_201
　　　　　はんだ　　　　　　　https://akizukidenshi.com/catalog/g/g109530/
　　　　　こて台　　　　　　　https://akizukidenshi.com/catalog/g/g102537/
　　　　　クリーナ　　　　　　https://www.goot.jp/products/detail/st_40

表2-3-2	精密ピンセット		https://www.goot.jp/products/detail/ts_12
	ルーペ		https://www.niigataseiki.co.jp/products/diy4975846821910/
	はんだ吸い取り線		https://akizukidenshi.com/catalog/g/g115260/
	洗浄剤		https://shop.sunhayato.co.jp/products/fl-l15
図2-4-3	micro:bit V2		https://akizukidenshi.com/catalog/g/g115882/
	Raspberry Pi Pico 2W		https://akizukidenshi.com/catalog/g/g130330/
	Arduino Uno R4 Wifi		https://akizukidenshi.com/catalog/g/g118246/
	Raspberry Pi 5B		https://akizukidenshi.com/catalog/g/g129326/
図2-5-1	右写真		https://akizukidenshi.com/catalog/g/g102315/
図4-1-4	左写真		https://akizukidenshi.com/catalog/g/g111996/
	右写真		https://akizukidenshi.com/catalog/g/g102194/
図4-1-5	左写真		https://akizukidenshi.com/catalog/g/g109087/
	右写真		https://akizukidenshi.com/catalog/g/g108707/
図4-3	図		LM150/LM350A/LM350 3-Amp Adjustable Regulators datasheet
図4-5-2	グラフ		https://akizukidenshi.com/goodsaffix/TA4805S.pdf
図5-1-1	写真		https://akizukidenshi.com/catalog/g/g111577/
	グラフ		https://akizukidenshi.com/goodsaffix/OSR5JA3Z74A.pdf
図5-1-2	写真		https://akizukidenshi.com/catalog/g/g102476/
	グラフ		https://akizukidenshi.com/goodsaffix/OSTA5131A-RPGB.pdf
図5-1-3	写真		https://akizukidenshi.com/catalog/g/g103709/、
			https://akizukidenshi.com/catalog/g/g108956/、
			https://akizukidenshi.com/catalog/g/g103042/、
			https://akizukidenshi.com/catalog/g/g106770/
図5-1-4	写真		https://akizukidenshi.com/catalog/g/g107597/
図5-2-3	写真		https://akizukidenshi.com/catalog/g/g117629/
	図		https://akizukidenshi.com/goodsaffix/XD555.pdf　を元に説明を加筆
図5-3-1			https://akizukidenshi.com/catalog/g/g106279/
			https://akizukidenshi.com/goodsaffix/CL0116_p.pdf
図5-3-2			https://akizukidenshi.com/goodsaffix/CL0116_p.pdf　を元に説明を加筆
図5-3-4	写真		https://akizukidenshi.com/catalog/g/g102325/
	グラフ		https://www.nisshinbo-microdevices.co.jp/ja/pdf/datasheet/NJL7502L_J.pdf
図5-3-6	写真		https://akizukidenshi.com/catalog/g/g104002/、
			https://akizukidenshi.com/catalog/g/g104158/
	グラフ		https://akizukidenshi.com/goodsaffix/fsr.pdf

図5-5-2	写真	https://akizukidenshi.com/catalog/g/g117044/
図5-5-3	写真	https://akizukidenshi.com/catalog/g/g100622/
図5-5-6	写真	https://akizukidenshi.com/catalog/g/g107245/
	図	https://akizukidenshi.com/goodsaffix/OE13KIR.pdf
図5-6-2	写真	https://www.amazon.co.jp/dp/B0CPDM8RDZ?th=1
図5-6-3	写真	https://datasheets.raspberrypi.com/picow/pico-w-datasheet.pdf
図5-6-4	図	https://datasheets.raspberrypi.com/picow/PicoW-A4-Pinout.pdf
図6-1-2	図	https://akizukidenshi.com/catalog/g/g109002/、
		https://akizukidenshi.com/catalog/g/g109704/、
		https://akizukidenshi.com/catalog/g/g109723/
図6-2-1	写真	https://akizukidenshi.com/catalog/g/g112544/
図6-3-2	写真	https://akizukidenshi.com/catalog/g/g115485/
	図	https://www.honsitak-taiwan.com/p_data/hk322.pdf
図6-3-3	写真	https://akizukidenshi.com/catalog/g/g102800/
	図	https://akizukidenshi.com/goodsaffix/HT77XXA.pdf
図6-5-2	写真	https://akizukidenshi.com/catalog/g/g111009/
	図	https://cdn.sparkfun.com/datasheets/Sensors/Proximity/HCSR04.pdf
図6-5-3	写真	https://akizukidenshi.com/catalog/g/g112031/
図7-1-2	写真	https://akizukidenshi.com/catalog/g/g117874/
	図	https://akizukidenshi.com/goodsaffix/kt0936m(b9)_v2.2.pdf
図7-2-1	写真	https://akizukidenshi.com/catalog/g/g117849/、
		https://akizukidenshi.com/catalog/g/g115952
	図	https://www.holtek.com/webapi/116711/HT82V73Av101.pdf
図7-3-2	写真	https://akizukidenshi.com/catalog/g/g117873/、
		https://akizukidenshi.com/catalog/g/g113602
図8-1-1	写真	https://akizukidenshi.com/catalog/g/g108761/、
		https://akizukidenshi.com/catalog/g/g112534/
	図	https://akizukidenshi.com/goodsaffix/SG90_a.pdf
図8-2-3	写真	https://akizukidenshi.com/catalog/g/g109848/
図8-3-2	写真	https://akizukidenshi.com/catalog/g/g109848/
図8-3-6	写真	https://www.digikey.jp/ja/products/detail/sparkfun-electronics/13302/5684382
図9-1-2	写真	https://akizukidenshi.com/catalog/g/g109421/
	図	https://akizukidenshi.com/goodsaffix/AE-BME280_manu_v1.1.pdf

プログラムなどのダウンロードについて

以下のWebサイトから、本書で作成した例題のプログラムと回路図がダウンロードできます。zipファイルですので、適宜解凍してお使い下さい。

　　　https://gihyo.jp/book/2025/978-4-297-15070-9/support

● 回路図（**Hardware**フォルダ）

・「○○.pdf」は回路図
・「○○_BRD.pdf」はパターン図

● プログラム（**Program**フォルダ）

作成したプログラムやライブラリが格納されています。

・「○○.py」はThonnyで開くMicroPythonのプログラム

なお、ソースリスト中にWi-FiのSSIDやパスワード、クラウドサービスのIDなどが入っているものは、そのままでは動作しません。読者の方の環境に書き換える必要があります。

参考文献

1. 「CL0116 Solar LED Lamp Controller Data Sheet」（CL0116_p.pdf）
2. 「DFPlayer Mini Data Sheet」（DFPlayer_Mini_Manual.pdf）
3. 「KT0936M Data Sheet」（KT0936m_b9_v2.2-english.pdf）
4. 「NSI45060JDT4G Data Sheet」（NSI45060JD-D.pdf）
5. 「XD555 Data Sheet」（XD555.pdf）
6. 「LM350A Data Sheet」（LM350a.pdf）

■著者紹介
後閑 哲也　Tetsuya Gokan

1947年	愛知県名古屋市で生まれる
1971年	東北大学　工学部　応用物理学科卒業
1996年	ホームページ「電子工作の実験室」を開設 子供のころからの電子工作の趣味の世界と、仕事としているコンピュータの世界を融合した遊びの世界を紹介
2003年	有限会社マイクロチップ・デザインラボ設立
著書	「改訂新版 電子工作の素」「逆引き PIC 電子工作 やりたいこと事典」 「SAM ファミリ活用ガイドブック」「Node-RED 活用ガイドブック」 「PIC18F Q シリーズ活用ガイドブック」「改訂新版 8ピン PIC マイコンの使い方がよくわかる本」 「C 言語 & MCC による PIC プログラミング大全」「IoT 電子工作 やりたいこと事典」 「ラズパイ Pico W 本格入門 with MIT App Inventor2」ほか

Email　gokan@picfun.com
URL　　http://www.picfun.com/

●カバーデザイン　　　　NONdesign 小島トシノブ
●本文デザイン・DTP　（有）フジタ
●編集　　　　　　　　　藤澤奈緒美

改訂新版　電子工作入門以前

2015年4月25日　初　版　第1刷発行
2025年9月 6日　第2版　第1刷発行

著　者　後閑　哲也
発行者　片岡　巌
発行所　株式会社技術評論社
　　　　東京都新宿区市谷左内町21-13
　　　　電話　03-3513-6150　販売促進部
　　　　　　　03-3513-6166　書籍編集部
印刷／製本　昭和情報プロセス株式会社

定価はカバーに表示してあります。

本書の一部または全部を著作権法の定める範囲を超え、無断で複写、複製、転載、テープ化、ファイルに落とすことを禁じます。

©2025　後閑哲也

造本には細心の注意を払っておりますが、万一、乱丁（ページの乱れ）、落丁（ページの抜け）がございましたら、小社販売促進部までお送り下さい。送料小社負担にてお取替えいたします。

ISBN978-4-297-15070-9　C3054
Printed in Japan

■注意
本書に関するご質問は、FAXや書面でお願いいたします。電話での直接のお問い合わせには一切お答えできませんので、あらかじめご了承下さい。また、以下に示す弊社のWebサイトでも質問用フォームを用意しておりますのでご利用下さい。
　ご質問の際には、書籍名と質問される該当ページ、返信先を明記してください。e-mailをお使いの方は、メールアドレスの併記をお願いいたします。

■連絡先
〒162-0846
東京都新宿区市谷左内町21-13
（株）技術評論社　書籍編集部
「改訂新版　電子工作入門以前」係
FAX番号：03-3513-6183
Webサイト：https://gihyo.jp/book

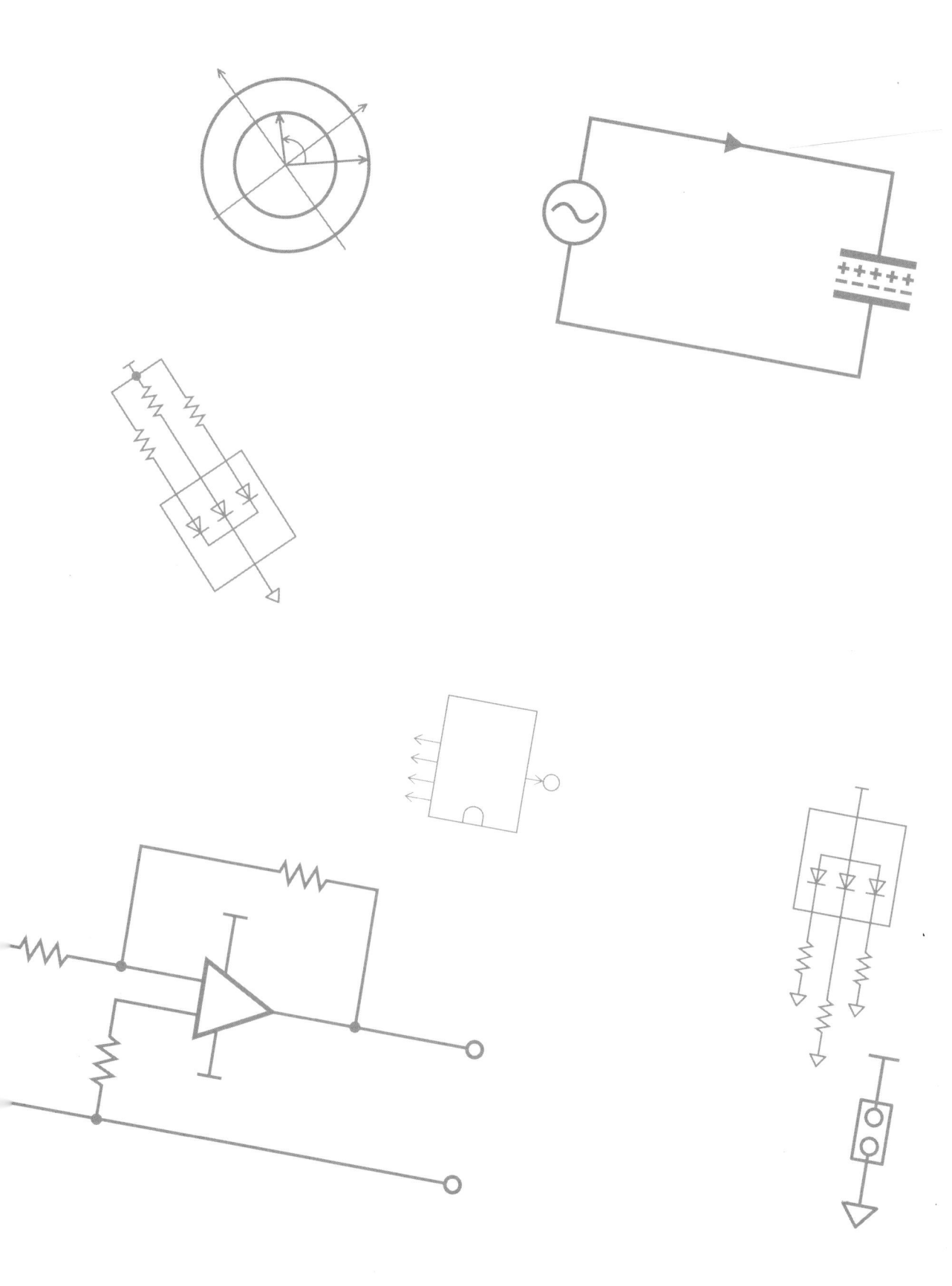